BERNARDO ATXAGA

El hombre solo

Marguerit Tous Alfrandery
N.Y. Instituto Cervantes *European Book Club* 12-18-09

punto de lectura

Bernardo Atxaga (Asteasu, Gipuzkoa, 1951) se licenció en Ciencias Económicas y desempeñó varios oficios hasta que, a comienzos de los ochenta, consagró su quehacer a la literatura. La brillantez de su tarea fue justamente reconocida cuando su libro *Obabakoak* (1989) recibió el Premio Euskadi, el Premio de la Crítica, el Prix Millepages y el Premio Nacional de Narrativa. La novela ha sido llevada al cine con el título *Obaba*. Le siguieron novelas como *El hombre solo* (1994), que obtuvo el Premio Nacional de la Crítica de narrativa en euskera, y *Esos cielos* (1996), y libros de poesía como *Poemas & Híbridos*, cuya versión italiana obtuvo el Premio Cesare Pavese 2003. Su obra ha sido traducida a veintisiete lenguas. *El hijo del acordeonista* ha recibido el Premio de la Crítica en lengua vasca 2003 y el Premio Grinzane Cavour 2008. Bernardo Atxaga es ya uno de los creadores de mayor hondura y originalidad en el panorama literario de este principio de siglo.

www.atxaga.org

BERNARDO ATXAGA

El hombre solo

Traducción de Arantza Sabán y Bernardo Atxaga

European Book Club
Instituto Cervantes
N.Y 12-14-09

Título: El hombre solo
Título original: *Gizona bere bakardadean*
© 1993, Bernardo Atxaga
© De la traducción: Arantza Sabán y Bernardo Atxaga
© Santillana Ediciones Generales, S. L.
© De esta edición: marzo 2008, Punto de Lectura, S.L.
Torrelaguna, 60. 28043 Madrid (España) www.puntodelectura.com

ISBN: 978-84-663-2109-9
Depósito legal: B-9.557-2008
Impreso en España – Printed in Spain

Diseño de portada: Pdl
Diseño de colección: Punto de Lectura

Impreso por Litografía Rosés, S.A.

¡Ay del solo que cae!, que no tiene quien lo levante

ECLESISASTÉS, IV, 10

El hombre al que todos llamaban Carlos sabía que el mar helado que contemplaba era únicamente la imagen de un sueño, que poco a poco iba apagándose, y sabía también —porque se lo recordaba una de las voces de su conciencia— que debía levantarse del sofá donde estaba echado y acudir cuanto antes al salón del hotel para ver allí el partido de fútbol que a las nueve de aquel día, 28 de junio de 1982, iban a jugar las selecciones de Polonia y Bélgica. Pero el mar que veía en su sueño atraía a la zona de su cerebro que seguía ajena a los dictados de su conciencia, y esa zona libre le sugería no abrir los ojos, no moverse, no despertarse del todo, disfrutar de la agradable sensación de caída que se iba apoderando de él y que le convertía en una roca abocada a chocar con la capa de hielo y desaparecer bajo las aguas. Sin embargo, al final no hubo contacto con el mar. Se acercó, sí, hasta el extremo de ver algunos peces envueltos en vapor y nadando por entre las brechas del hielo, pero inmediatamente después las imágenes de su sueño cambiaron, y la roca se convirtió en un gran murciélago que sobrevolaba aquel mar, un mar que ahora, desde una mayor altura, parecía una planicie blanca.

Se arrellanó en el sofá y se acomodó de espaldas a una ventana en la que todavía daba el sol. No quería despertarse, quería retener las imágenes del sueño y ser fugazmente aquel gran murciélago, experimentar por un instante la ingravidez y la impresión de no ser él mismo. Además, aquel deseo suyo se veía reforzado por la música de una orquesta que, sonando en algún punto remoto de la planicie blanca, añadía dulzura a aquellas imágenes ya de por sí dulces.

Su deseo no se cumplió. Sobre la música de la orquesta se impuso la pregunta que una mujer dirigía a un paleontólogo llamado Ruiz Arregui, y ese detalle —los apellidos vascos le llamaban la atención desde que vivía en Barcelona— le hizo abrir los ojos y volver a la realidad. Vio ante sí un televisor de dieciséis pulgadas, y en la pantalla un joven de gafas, el paleontólogo, respondiendo a la presentadora del programa:

«No, por supuesto. Ya sabe usted que es imposible que existieran pterodáctilos en la costa vasca. Y además, en caso de haber existido, no hubiesen podido volar, porque esos saurios, como todos los saurios actuales, eran poiquilotermos, es decir, que no eran capaces de regular su temperatura corporal. ¿Qué significa esto? Pues que hubieran permanecido aletargados entre los hielos y que de ninguna manera hubiesen podido volar.»

«Sí, es cierto —admitió la presentadora sonriendo—. No podía haber pterodáctilos en la época que hoy estamos considerando, ya que esos saurios desaparecieron de la superficie terrestre muchos millones de años antes. Y tampoco ha sido muy acertado el calificativo de murciélagos que yo les he dado antes, ya que en absoluto se trata de un pájaro, sino de un reptil. Así que, resumiendo, esto es lo que deben recordar los amigos que ahora mismo están al otro lado de la pantalla: que el pterodáctilo era un reptil, un saurio, y que desapareció de la faz de la Tierra muchísimo antes de que el hombre empezara a vivir en cuevas».

Se trataba de un programa de divulgación cultural, y tanto a la presentadora como al paleontólogo les costaba mantener una conversación fluida. Algo decepcionado al conocer el origen trivial de su sueño, Carlos miró el reloj. Faltaba media hora para las nueve; media hora, también, para que comenzara el partido que Boniek, Lato y sus compañeros iban a disputar contra los belgas. Lo transmitían por la otra cadena.

«Actualmente Boniek es una personalidad en el mundo del fútbol», leyó Carlos en el periódico deportivo tirado sobre la alfombra. Sus ojos habían tropezado con el artículo nada más abandonar la pantalla. «Se le valora enormemente, se le aprecia y, como hemos tenido ocasión de comprobar en Barcelona, se le idolatra. Además, sus compañeros de equipo le tienen mucho respeto, pues en Polonia nadie olvida su gesto a favor del portero Mlynarczyk el día en que éste se presentó en el aeropuerto de Varsovia completamente embriagado. Los directivos de la Federación quisieron impedir que Mlynarczyk hiciera el viaje, pero Boniek amenazó con que en tal caso él tampoco cogería el avión, y todo acabó arreglándose.»

Sus ojos volvieron a moverse, esta vez hacia un periódico de información general que también estaba sobre la alfombra. «Angustiosa situación de los palestinos de Beirut. ETA niega haber colocado la bomba que hirió gravemente a un niño», leyó entonces. Eran las noticias más destacadas.

Aunque los días verdaderamente calurosos del verano todavía quedaban lejos, la temperatura del apartamento era superior a los veinticinco grados. Sin levantarse del sofá, Carlos estiró los brazos y abrió la ventana. Después, cuando consiguió que la brisa de la tarde le diera de lleno en la cara, volvió a quedarse completamente quieto, como quien tiene dolor de cabeza y teme el menor movimiento: no quería pensar, no quería que la impresión producida por las imágenes del sueño se disipara ante la llegada de las nuevas imágenes que, tras la lectura de los titulares del periódico, pugnaban por tomar forma en su cerebro. Así, cerró los ojos y se concentró en el estridor que le llegaba desde el otro lado de la ventana; un sonido regular y metálico, el eterno sonido de unos insectos que parecían estar allí desde siempre y para siempre. A él le gustaba que, efectivamente, estuviesen allí, lo mismo que le gustaba que los hijos del cocinero sacaran sus Montesas o sus Derbys de montaña y se pusieran a dar vueltas por los alrededores del hotel sin preocuparse de poner sordina a los tubos de escape. Todos los ruidos monótonos le tranquilizaban. Más aún, se dormía escuchándolos. Sin embargo, aquel día eso no era posible, no podía abandonarse al deseo de dormir. Tenía que despejarse y bajar al salón del hotel para cumplir su compromiso de ver el partido con el resto de los socios y de los empleados del hotel.

Con la indolencia propia de quien acaba de despertarse, Carlos se dejó llevar por el sonido de los insectos.

12

Sí, la regularidad era agradable, y beneficiosa además para la vida; no sólo para la vida física, para el buen funcionamiento del estómago y los intestinos, sino también para la vida anímica. Quien era capaz de hacer lo previsto a las horas previstas, quien tenía la buena suerte de pasar los meses y los años sin sobresaltos, tenía garantizada una vida aceptable. Sí, allí estaba el secreto, en la regularidad. Era algo que solía repetir su hermano, que la regularidad ayudaba a salir de las situaciones difíciles, que era como la arena que se coloca bajo la rueda cuando ésta resbala en el hielo.

«No puede decirse que a él le sirviera de mucho. Si no me equivoco, Kropotky está ahora en un sanatorio psiquiátrico», oyó entonces en su interior. Carlos hizo una mueca de disgusto: a pesar de su costumbre de escuchar voces, a pesar de ser ése el sistema que utilizaba para hablar consigo mismo desde los tiempos de la cárcel, no podía identificar al personaje que acababa de hablarle. Desde luego, no era como otros que también habitaban en su interior, personajes que correspondían a gente conocida en el pasado y que siempre comparecían como los actores de un teatro, con una voz acompañada de figura y rostro. A veces tenía la impresión de que se trataba de una especie de rata que había ido creciendo entre sus vísceras sin más objetivo que el de mortificarle.

Carlos se levantó del sofá y se puso a mirar por la ventana tratando de ahuyentar el comentario que la voz de rata había hecho acerca de su hermano. Afuera, todo hablaba de la proximidad de la noche: las farolas que rodeaban el hotel tenían ya el filamento incandescente, y un murciélago diminuto, muy diferente al de su sueño, revoloteaba alrededor de una de ellas; un poco más allá, la oscuridad se iba condensando como los posos de un líquido en el fondo de una botella, y los olivos y los almendros que ocupaban la falda de la colina iban perdiendo identidad y confundiéndose con el matorral que cubría la mayor parte de la zona; aún más atrás —a unos trescientos metros del hotel, en la carretera de Barcelona—, las intermitentes luces de la gasolinera habían comenzado ya a emitir destellos de color rojo y azul; al fondo, al final de todas las luces, Montserrat no parecía una montaña, sino una muralla gris. Sí, anochecía como cada día, regularmente, al ritmo de siempre. Una hora después, cuando oscureciera del todo, la montaña se volvería invisible, y la iglesia del pueblo al que administrativamente pertenecían el hotel y todas las urbanizaciones de la zona quedaría iluminada. Luego llegaría el turno de los insectos, que se dormirían, y más tarde el del tráfico, que disminuiría hasta desaparecer del todo. El silencio sería entonces completo, y sólo las luces azules y rojas de la gasolinera se mantendrían en movimiento hasta la mañana siguiente, dando la sensación de que la vida continuaba y de que había alguien que la vigilaba.

Carlos volvió a sentarse en el sofá y empezó a calzarse las zapatillas. Lo que acababa de ver desde la ventana era el escenario de su destierro, eran montañas, casas y caminos que poco tenían que ver con las montañas, los caminos y las casas que él verdaderamente amaba; pero de cualquier modo era un lugar lleno de regularidad, y le ayudaba mucho, apaciguaba a aquella Rata que vivía en su interior y que le mortificaba. No sabía qué le podía deparar el futuro, pero fuera lo que fuese,

14

incluso en el peor de los casos, nada podría achacarse a aquel lugar.

«Pues yo creo que sí. Aparte de Altamira y Lascaux habrá pocas cuevas tan valiosas como Ekain. Por una parte, contiene pinturas de gran calidad, y por otra, es un yacimiento muy rico. En Ekain se han encontrado abundantes vestigios, tanto paleolíticos como neolíticos.»

En la pantalla del televisor se veía ahora un mapa que mostraba el golfo de Vizcaya y los territorios que lo bordean. Un punto rojo, muy próximo a la costa, señalaba el emplazamiento de la cueva. Instantes después, el mapa había desaparecido y el punto rojo se había convertido en una roca mojada por la lluvia y cubierta de musgo.

Carlos se concentró en la pantalla. El plano se iba abriendo, y a la roca le sucedía un bosque de hayas, y a éste la cima completamente verde de una montaña. En el horizonte, después de otras muchas cimas —que ya no eran verdes, sino azules—, aparecía la línea luminosa del mar. Como el murciélago de su sueño, la cámara sobrevolaba ahora los montes, caminos y casas que él más quería. *Ahí están mis montañas, ahí están mis valles.* Sin ningún esfuerzo, su memoria ponía letra a la canción popular que, en versión de orquesta, servía de banda sonora a las imágenes: *Ahí están mis montañas, / ahí están mis valles, / las casas blancas, / las fuentes, los ríos. / Estoy ahora en la frontera de Hendaya / con los ojos muy abiertos. / Oh, País Vasco...*

Carlos marcó un número interior del hotel, el diecisiete. Colgó, y marcó por segunda vez.

—¿Estáis viendo la televisión? —preguntó después de que contestaran su llamada—. Pues poned la primera cadena y podréis ver un poco de nuestro país, la costa de Zarauz y toda esa parte. Al fin y al cabo, lleváis más de quince días fuera de allí. Seguro que ya sentís nostalgia.

Hacía más de un año que Carlos no pisaba la tierra que mostraba la televisión, y su referencia a la nostalgia pretendía ser una broma. Pero la mujer que estaba al otro extremo del hilo no captó su intención, o no quiso.

—De acuerdo, ahora la ponemos. Pero lo que de verdad echamos en falta es la comida. Estamos hasta el culo de tanta conserva —dijo. Su tono era de fastidio.

—La felicidad completa es imposible —dijo Carlos antes de cortar la comunicación. Luego volvió a concentrarse en la pantalla.

Acompañando a las imágenes, el paleontólogo hacía un comentario sobre la personalidad de las gentes que habían vivido cuarenta mil años antes en la zona de la cueva. Según afirmaba, tenían costumbres curiosas, de las cuales quizá la más llamativa era la de recoger moluscos, pero no moluscos comestibles, sino los de conchas bonitas y coloreadas que únicamente les servían para adornarse; por ejemplo los de la especie denominada *Nassa reticulata*. Además, había que tener en cuenta que el mar no se encontraba, en aquel entonces, en el mismo lugar que en el siglo XX, sino mucho más lejos, por lo menos veinte kilómetros más atrás, y que la temperatura en el golfo de Vizcaya tampoco era la que se disfrutaba aquel verano, sino de cuarenta grados bajo cero por lo menos. Con lo cual, ¿no era asombroso que aquellos hombres y mujeres de hacía cuarenta mil años sintieran semejante necesidad de adornarse? ¿No era significativo que se tomaran tanto trabajo y corrieran tantos peligros simplemente para poder lucir un collar de conchas?

Cuando el paleontólogo terminó ya habían pasado las imágenes de las montañas verdes o azules que rodeaban la cueva, y también las de los caballos y bisontes de su interior. En la pantalla no se veía más que el rostro un poco tenso de la presentadora. El paleontólogo se había extendido en sus explicaciones. El programa debía terminar inmediatamente.

«Entonces, podemos decir que eran tan sofisticados y caprichosos como nosotros —comentó—. Y ahora, a toda prisa porque se nos está acabando el tiempo, les mostraremos en el mapa el emplazamiento de algunas otras cuevas de la costa norte donde también pueden verse las pinturas de nuestros antepasados. Si en las vacaciones de este año desean combinar la cultura y la diversión, no se olviden de visitarlas. Es cierto que ir al País Vasco resulta cada vez más, más...».

«Cada vez más complicado, desde luego —dijo el paleontólogo saliendo en ayuda de la presentadora—. Los atentados que últimamente han tenido lugar allí no ayudan en nada al turismo que proponemos nosotros».

«Sin embargo, tampoco debemos ser alarmistas. Eso sería hacer el juego a los que no conocen otro lenguaje que el de las bombas y las metralletas», añadió la presentadora.

Carlos cerró los ojos e hizo un esfuerzo por imaginarse a los hombres y mujeres que cuarenta mil años antes habían vivido casi en completa desnudez pero preocupándose de hacer dibujos en las paredes de las cuevas o de llevar collares hechos con las conchas de *Nassa reticulata*, en primer lugar porque la imagen —al igual que el mar helado de su sueño— le resultaba agradable, y luego, sobre todo, porque presentía que la anécdota no era trivial, sino que encerraba una enseñanza, algo que quizás él debía aprender cuanto antes. Pero los nombres que en aquel momento figuraban en el mapa que había vuelto a aparecer en la pantalla —Biarritz, Zarauz, Guernica, Bilbao— despertaron a la Rata de su interior, y su memoria, lejos de ayudarle en su intento, empezó a mostrarle imágenes —angustiosas, desagradables— de su propio pasado. Carlos vio la plaza mayor de Zarauz con su quiosco de la música en medio, y a continuación una calle retorcida en la que había un cine. Una vez en el cine, los recuerdos puestos en movimiento por la Rata se agudizaron, y su espíritu —«su cuerpo astral», como habría dicho su hermano Kropotky— siguió viajando, primero hasta la sala de proyección del cine, y luego de allí a una habitación sin ventanas —una «cárcel del pueblo»— que había bajo la sala. Desde un camastro de la habitación, el empresario que él había secuestrado le miraba como diciendo: ¿Qué va a pasarme? ¿Qué me vais a hacer?

El teléfono empezó a sonar, y Carlos alargó el brazo para cogerlo. Sin embargo, vaciló antes de contestar, porque su espíritu —«su cuerpo astral»— siguió volando y molestándole con imágenes del pasado: voló primero hacia Biarritz, donde Carlos se vio a sí mismo con veintitrés años, sentado en una butaca del cine Daguerre y viendo una película pornográfica con su mejor amigo de entonces, Sabino; voló después hacia Guernica, donde volvió a verse, pero esta vez con aspecto de adolescente y escuchando las palabras que su hermano dirigía desde una tarima a la muchedumbre reunida en una plaza. Con la seguridad y la arrogancia que siempre le habían caracterizado, Kropotky —la escena le avergonzaba a Carlos— recitaba un viejo poema inglés que se había elegido para cerrar el mitin del Día de la Patria Vasca: *¡Árbol de Guernica! ¿Cómo floreces en esta era de destrucción? ¿Qué esperanza, qué caricia traen el sol, las leves brisas venidas del mar Atlántico, el rocío de la mañana, la dulce lluvia de abril?...* Kropotky recitaba cada vez con más ímpetu, él se sentía cada vez más avergonzado.

Consiguió al fin que las imágenes suscitadas por la Rata desaparecieran de su mente, y se acercó el auricular del teléfono. Primero oyó la tos de Ugarte, y a continuación voces de gente que discutía de fútbol. La llamada provenía del salón del hotel.

—¿Se puede saberr qué hace uno de los dirrectivos de este hotel sin bajarr al salón donde todos vamos a verr el parrtido? O mejorr dicho, ¿se puede saberr qué hace uno de mis socios sin prresentarrse en la fiesta de frraterrnidad entrre la patrronal y los trrabajadorres? —preguntó Ugarte. No era exactamente un histrión, pero llevaba años sin hablar en un tono normal. Vociferaba, subrayaba dos o tres palabras por frase, y sobre todo, siempre imitaba a alguien.

Al otro lado del teléfono, destacándose sobre las voces que discutían en el salón, el comentarista del programa deportivo informaba de la lesión que Pfaff, el portero titular de Bélgica, había sufrido en un entrenamiento y que probablemente le impediría jugar aquel día. Carlos miró su reloj. Faltaban veinte minutos para que diera comienzo el partido entre los polacos y los belgas.

19

—Ahora mismo voy. En cuanto me ponga las zapatillas —dijo a la vez que apagaba el televisor.

Tenía una hermosa voz, modulada como la de un actor, pero educada no para expresar la mínima alteración de humor o de estado anímico, sino para lo contrario, para no dejar traslucir nada, ni un temor, ni una duda, ni una preocupación. Como otras muchas características de su personalidad, aquella voz que no manifestaba nada —y de resultas parecía tranquila y relajada— era un vestigio de la pasada militancia en la lucha armada.

—Sí, porr favorr. Ven con nosotrros. La solidarridad es muy necesarria. Patrrones, obrrerros, todos rreunidos parra verr a la selección de Polonia. Todos apoyando a nuestrros jugadorres. Sin olvidarr a los policías. Los policías españoles también están en este salón parra animarr a los jugadorres polacos —insistió Ugarte. Era evidente que el alcohol circulaba por sus venas en un porcentaje algo superior a lo normal. También era evidente que su imitación de aquel día correspondía a Danuta Wyca, la intérprete que la selección polaca había traído a Barcelona.

—Bajo enseguida —dijo Carlos antes de colgar. Luego fue hasta la ventana y la abrió de par en par.

La temperatura se mantenía en los veinticinco grados, y los insectos que pululaban por el matorral o por los campos de almendros y olivos seguían con su estridor de siempre. Sin embargo, no todo estaba en su sitio. Tal como había supuesto al oír el comentario final de Ugarte, los policías encargados de la seguridad de Lato, Boniek y el resto de los jugadores de la selección polaca no estaban en sus puestos, sino dentro del hotel o en algún otro lugar donde hubiera un buen aparato de televisión. Al menos ésa era la impresión que se tenía al mirar desde la ventana. Ni un solo policía en la puerta principal del hotel, y lo mismo en la explanada que ocupaba todo el frente del edificio o en la calzada que llevaba a la carretera general. Rápidamente, impulsado por una nueva idea, Carlos fue hasta el teléfono y repitió la operación que había realizado cinco minutos antes: marcó el diecisiete, colgó y volvió a marcar.

—He tenido una idea. Seguro que os apetece una cena como es debido. Creo que os la podría llevar —dijo. A pesar de las prisas, su voz sonó con el aire necesario para dar una idea de tranquilidad.

—Si eso no va a causar problemas, adelante. Ya he dicho antes, estoy aburrida de tanto comer de lata —dijo la mujer que estaba al otro lado del hilo—. Y el amigo que está a mi lado también dice que sí. Se muere por comer algo bien cocinado.

—Os llevaré un poco de carne a la brasa y alguna otra cosa que encuentre por la cocina. En menos de media hora estoy ahí.

Al otro lado de la ventana Montserrat era ya una montaña casi invisible, y la iglesia iluminada era ahora, por encima de la luz de las urbanizaciones, por encima también de los faros de los coches que pasaban por la carretera de Barcelona, la más clara referencia de todo el entorno. En caso de existir murciélagos como el de su sueño —pensó Carlos— y de que anduvieran, esos murciélagos, perdidos por el cielo que en aquel momento contemplaba, era seguro que orientarían su vuelo hacia aquel punto para luego acabar posándose en alguno de los tejados del pueblo que lo rodeaba. Carlos suspiró y cerró la ventana. En general, no se notaba mucho movimiento. Como siempre que la televisión transmitía un partido de los Mundiales, el tráfico era escaso, y los destellos rojos y azules de la gasolinera resultaban excesivos. Por otra parte, el único murciélago de los alrededores del hotel parecía incapaz de volar más allá de las farolas de la explanada.

Oyó que alguien abría la puerta justo en el momento en que, dejándose de divagaciones, se disponía a bajar a la cocina del hotel, y un instante después vio a Pascal, el niño de cinco años hijo de Ugarte, y detrás de él a Guiomar, el amigo con quien compartía el apartamento. El niño comenzó a reír y le lanzó de una patada el balón que traía en los brazos. El balón dio en una lámpara.

—¿En qué quedamos, Pascal? ¿Quieres ser D'Artagnan o quieres ser Boniek? —le dijo Carlos.

Pero el niño siguió riendo, un poco histérico, y dio una segunda patada al balón. El revistero que había junto al sofá recibió el primer impacto, y la mesita baja que quedaba en el centro de la alfombra el segundo.

—¡Penalti! —gritó el niño.

—Contesta, Pascal. Contesta a lo que te pregunta Carlos —intervino Guiomar desde el otro lado del biombo de madera que separaba la sala del pasillo. Medía casi dos metros y el borde del biombo le quedaba a la altura de las gafas.

—Eso, contesta. ¿Cuál de los dos eres? ¿D'Artagnan o Boniek? —repitió Carlos. Pero el niño estaba muy excitado por haber conseguido entrar en el apartamento de quienes consideraba tíos suyos, y no podía dejar de reírse.

—Cuéntaselo, Pascal —le dijo Guiomar saliendo de detrás del biombo y encendiendo un cigarrillo—. Yo, en parte, soy D'Artagnan y por eso llevo la espada al cinto, pero en parte también soy el representante de Boniek y de todos sus compañeros de la selección de Polonia, y por eso no puedo aceptar que estés aquí tan tranquilo ahora que ellos van a emprender la batalla.

—Ya sé que falta poco para el partido, pero ahora no puedo bajar al salón. Ya iré luego —dijo Carlos recogiendo el balón que había quedado sobre la alfombra y que Pascal intentaba rematar de nuevo.

—¿Cómo que no vas a bajar? ¿Qué pasa? —preguntó Guiomar cambiando de tono. Detrás de las gafas, sus ojos mostraban sorpresa.

—¿Qué quieres que pase? No pasa nada.

—No lo entiendo —dijo Guiomar ajustándose las gafas y bajando la vista—. Será una tontería, pero a mí me parece que en algo se tiene que notar que la selección de Polonia se aloja en nuestro hotel, y tampoco está mal que todos hagamos una fiesta con la excusa del partido. Toda la gente está ya en el salón, y la mesa con los sándwiches y las cervezas también está preparada. Tú eres el único que falta. Y no deja de ser raro. Al fin y al cabo tú eres el que más afición tiene al fútbol en este hotel.

—No te lo tomes a mal. Ya sé que eres el responsable de la fiesta y que has empleado bastante tiempo organizándola, pero ya te lo he dicho, ahora no puedo ir. Tengo que llevarles la comida a los perros.

—Los perros pueden cenar más tarde, supongo.

—No es sólo eso. También tengo que pasar por la panadería. Los perros pueden esperar, pero la masa del pan, no. Hay que removerla cuando toca, no cuando a uno le da la gana.

—Pues no me lo creo. Te conozco desde hace mucho tiempo, y no me lo creo. Creía que la época de los secretos había terminado. De verdad, Carlos.

—No te enfades, Foxi —dijo Carlos. Foxi, uno de los alias que Guiomar había tenido durante su militancia política, era una degeneración de fox terrier. Como los perros de esa raza, Guiomar tenía fama de incansable. De no mediar alguna explicación convincente, seguiría preguntándose por la actitud de Carlos durante días o durante semanas.

—Ya nos informarás. Nosotros estaremos en nuestros puestos —dijo Guiomar con un suspiro. La expresión pertenecía a otra época y a otras circunstancias, y subrayaba el reproche a la actitud reservada de Carlos.

—De verdad que no tengo ningún secreto. Lo que pasa es que me apetece dar una vuelta antes de ir al salón y ponerme a hablar con Ugarte y los demás. Todos tenemos nuestros defectos, Foxi. Así como unos son tercos y aficionados a las reuniones festivas, otros somos un poco insociables.

—¡El balón! —gritó Pascal alargando los brazos hacia Carlos. Pero éste no se lo dio.

—Sí que tienes un secreto. Lo mismo que yo, por cierto. Por si no lo sabías, yo también tengo un secreto —dijo Guiomar cogiendo el balón y dándoselo al niño. La sonrisa volvía a estar en sus labios.

—Está escrito. Vemos la paja en el ojo del prójimo, pero no la viga en el nuestro —dijo Carlos acentuando el tono de broma. Pensó que Guiomar estaría proyectando un viaje a Cuba, porque llevaba tiempo hablando de pasar allí una buena temporada.

—El tuyo y el mío son dos casos distintos. Yo quiero contarte lo que me pasa, pero no puedo. Mañana o pasado mañana quizá sí pueda, pero hoy no puedo. Tú en cambio no quieres contar nada.

—Ya sabes que siempre he sido así. Tampoco antes solíais saber mucho acerca de mis compañías femeninas —dijo Carlos mirando al niño. Pascal estaba lloriqueando, y tiraba del cinturón de Guiomar en dirección a la puerta del apartamento.

—Ya sé que falta poco para que empiece el partido, Pascal. Ahora mismo nos marchamos —dijo Guiomar acariciándole el pelo. Luego miró fijamente a Carlos—. ¿Qué pasa? —preguntó en un susurro, alejando las palabras de los oídos del niño—. ¿Estás saliendo con dos a la vez? Te lo digo porque he visto a María Teresa en el salón.

—Seguro que estaba sirviendo los sándwiches a todo el mundo. En parte ése es el problema. María Teresa trabaja por dos camareras, y casi no la puedo ver. Y por cierto, ¿se le pagan las horas extras? No me gustaría que...

—Pregúntaselo a Ugarte, Carlos. Yo sólo sé de compras —le interrumpió Guiomar negándose a coger el cabo que le tendía Carlos. Luego volvió a bajar la voz—. ¿Quién es tu nueva amiga? ¿Beatriz? *¿La nostra bellissima Beatriu?*

Beatriz llevaba seis meses trabajando en la recepción del hotel. Era una mujer muy guapa. La expresión con que la designaba Guiomar, *la nostra bellissima Beatriu,* provenía de una opereta muy popular en Barcelona cinco años antes, en la época en que ellos se habían hecho cargo del hotel.

—Podría ser —dijo Carlos.

«Muy bien, Carlos, felicidades —oyó en su interior. La Rata no quería quedarse sin hacer un comentario sobre la conversación—. Cada vez eres más hábil engañando a la gente que tienes cerca, y no debes preocuparte por nada. Guiomar está muy lejos de sospechar la verdad. Y más vale que siga así, porque el día que se entere de lo que está ocurriendo en el hotel se va a sentir muy herido. Él cree que los dos sois muy amigos y que la confianza entre vosotros es completa». «Tranquilo, Carlos —oyó a continuación. La conciencia le hablaba ahora por mediación de la figura de Sabino. Desde la época de Biarritz, y a partir, sobre todo, de su muerte en una calle de Bilbao, Sabino era su voz buena, la única que sabía enfrentarse a la Rata—. Estás haciendo lo único que puedes hacer en tu situación, y lo estás haciendo bien. Guiomar te agradecerá que no le cuentes nada. Es la única manera de dejarle fuera del asunto».

—En fin, ya me contarás —dijo Guiomar después de un rato de silencio—. Vamos, Pascal —añadió luego cogiendo al niño por los hombros y conduciéndole hacia la puerta del apartamento—. Vamos corriendo antes de que empiece el partido, porque los que no ven los partidos desde el principio son aficionados de medio pelo, y eso es algo que no queremos ser nosotros. ¿Verdad, Pascal? ¿Tú quieres ser un aficionado de medio pelo o no?

El niño gritó que no, y luego desapareció escaleras abajo siguiendo al balón que acababa de lanzar en la misma dirección.

El hotel era un edificio blanco y de corte racionalista, formado por un pabellón rectangular de sesenta habitaciones al que se unía, en uno de sus extremos, la torre cuadrada donde se hallaban los apartamentos de los socios del mismo hotel, así como el restaurante y otros servicios. Carlos esperó a que los balonazos de Pascal dejaran de oírse en la escalera, y luego, bajando a la planta baja de la torre —él y Guiomar vivían en la tercera y última—, se dirigió a la parte reservada a restaurante y cocina. Ésta quedaba a la derecha de la escalera, al otro lado de la zona de recepción del hotel, y al otro lado, también, del salón donde en aquel mismo instante comenzaba a celebrarse la fiesta.

En la cocina no había nadie, pero Doro —el cocinero del hotel— ya había hecho buena parte de su trabajo, y los platos de ensalada y marisco con que los jugadores polacos iban a comenzar la cena aquella noche se alternaban en una de las repisas y parecían más bien adornos, la decoración reluciente y alegre de una capilla dispuesta para una ceremonia. Con la mayor rapidez posible, Carlos avivó las brasas de la parrilla que ocupaba uno de los ángulos de la cocina y puso allí dos trozos gruesos de carne; y después de revisar lo que había en las ollas y en la cámara frigorífica, empezó a componer un plato de entrada similar al que Doro había preparado para los futbolistas. Acababa de completarlo cuando un rugido atravesó toda la planta baja de la torre del hotel y llegó hasta la cocina: «¡Gol! ¡Gol! ¡Gol!». El comentarista de la televisión repetía una y otra vez el grito, y todos los que estaban reunidos en el salón —con Pascal a la cabeza— le hacían coro. No cabía duda de que Boniek,

Lato y los demás habían empezado a hacer méritos para el banquete. Carlos reprimió su deseo de ir a ver la repetición de la jugada y volvió a la parrilla para dar la vuelta a la carne. Cuanto antes acabara la operación de la cena, mejor.

Estaba cubriendo las dos bandejas con papel de plata cuando sintió que alguien le observaba. Era Nuria, una mujer joven y corpulenta que vivía en el pueblo de la falda de Montserrat y que Ugarte —con la excusa de que su marido estaba en paro— había contratado recientemente para trabajar en la cocina. A Carlos no le gustaba.

—No sé cómo puede hacer eso —dijo ella sin moverse de la puerta que unía la cocina con el comedor—. Con tanta miseria como hay y usted dando a los perros una comida tan cara. No hay derecho.

Mientras se acercaba a ella —muy despacio, manteniendo las dos bandejas a la altura del pecho—, Carlos recordó las explicaciones que Ugarte les había dado a él y a Guiomar, en el sentido de que aquella gente, tanto Nuria como su marido, era de ideas izquierdistas, gente que había sido militante de un sindicato comunista durante la época de la dictadura; gente que, en definitiva, merecía que alguien como ellos les ayudara. Mentira, todo era mentira. Nuria no hablaba como una comunista, sino en el inconfundible y aburrido estilo de los catequistas.

—Es la segunda vez que me echa en cara esto de la comida para los perros. A la tercera, la despido del hotel —le dijo con voz tranquila. A continuación, con ánimo de seguir hacia el comedor, alargó la pierna y dio un fuerte empujón a la puerta. El movimiento fue tan rápido que la mujer no tuvo tiempo de apartarse y recibió un golpe con la esquina de la puerta.

—Quien me contrató fue Ugarte —gimoteó la mujer llevándose una mano a la rodilla.

Sin siquiera mirarla, Carlos entró en el comedor y se dirigió a la terraza. Nuria era una estúpida. Y Ugarte seguía siendo el mismo mentiroso de siempre. Le conocía desde hacía mucho tiempo, y sabía muy bien con qué tipo de mujer le gustaba acostarse. Le gustaban las mujeres corpulentas, como Nuria. Pero por otro lado —la idea se le ocurrió cuando ya había atravesado la puerta giratoria que había entre el comedor y la terraza— él estaba demasiado nervioso, y no controlaba bien sus reacciones. Tenía que tranquilizarse. Lo que acababa de hacer era una tontería.

—Lo siento. No quería hacerle daño —dijo a la mujer después de dejar las bandejas sobre una mesa de la terraza y volver a la cocina. Pero ella, que acababa de recoger la pieza de carne que él había olvidado junto a la parrilla, hizo como que no le había oído y desapareció en el interior de la cámara frigorífica.

De nuevo en la terraza, se quedó un momento contemplando las mesas ya preparadas para la cena. Todas estaban como debían estar, con su lámpara, sus flores, sus banderitas de papel rojas y blancas con el escudo de Polonia en medio; en una de ellas, además —la mesa larga que iban a ocupar los jugadores de la selección—, ondeaba la bandera roja que Danuta Wyca, la intérprete del equipo, había traído con ella. Sí, Doro trabajaba bien, y lo mismo sus dos hijos y la mujer de Ugarte, Laura. En cuanto a él, tampoco cabían quejas. Había conseguido que su pan tuviera prestigio entre los clientes, y además, junto con Guiomar, era el responsable de que un buen cocinero como Doro hubiese decidido venir a trabajar al hotel. Mientras tanto, Ugarte sólo atendía a sus propios intereses, y se dedicaba a contratar a personas estúpidas como Nuria. En cuanto se arreglaran las cosas tendría que hablar con él. O con su mujer.

La terraza estaba separada de la explanada del hotel por una pared que acababa en una barandilla de hierro forjado. Carlos recogió las bandejas, y después de abrir, otra vez con la pierna, el portillo de la barandilla, bajó los tres escalones que daban a la explanada y se encaminó hacia el almacén donde guardaba sus dos perros de caza. «No tan deprisa, Carlos —oyó entonces. Era Sabino—. Si te ven con las bandejas y casi corriendo, sospecharán. Olvida lo que te acaba de suceder y pórtate con naturalidad». «Esa estúpida me puede traer complicaciones», pensó Carlos aflojando el paso. Pero Sabino no volvió a hablar.

El pequeño murciélago seguía girando alrededor de una de las farolas, y el estridor de los insectos seguía también allí, en los campos de olivos o de almendros y en el matorral que los rodeaba y luego se extendía hacia la carretera o hacia la parte posterior del hotel. Carlos pasó junto a la farola del murciélago, y saliendo de la explanada bajó por el camino de tierra que discurría colina abajo hasta llegar al claro —una segunda explanada entre árboles— donde se encontraban el almacén y la panadería del hotel. Era ya noche completa, y Carlos —las luces del hotel no llegaban hasta allí— se detuvo un momento para habituarse a la oscuridad. Greta y Belle, los dos perros que guardaba en el almacén, comenzaron a gemir de impaciencia. Sentían el olor de la comida en las bandejas.

—¡Calla, Belle! —susurró Carlos al pasar por delante del almacén, y el perro, el más viejo de los dos, se calló al instante. Greta lo hizo un poco más tarde, aunque sin mucho convencimiento.

Había hecho aquel recorrido muchas veces, y llegó hasta la panadería sin que ningún plato de las bandejas se moviera. Enseguida, nada más acercarse a la puerta de la caseta, sintió el olor de la harina, y a continuación, elevándose sobre éste como una voz se eleva sobre otra, un segundo olor, el del pan que había cocido en el horno aquella misma tarde. Inspiró profundamente. Le parecía que la combinación de aquellos dos olores tan cercanos rodeaba y protegía la caseta, alzando a su alrededor una nueva pared que, aunque invisible, era capaz de impedir que el ruido y las zozobras del mundo entraran allí. Por eso amaba aquella caseta sobre todas las dependencias del hotel, porque estaba protegida por aquella pared, porque los olores —tal como hubiera dicho su hermano Kropotky— le otorgaban un aura especial. Carlos pasaba muchas horas en aquel lugar. Cinco o seis veces al día, cruzaba la puerta —de madera y pintada de blanco— y se dedicaba a alguna de las tareas requeridas por el centenar de panes que normalmente se consumían en el restaurante del hotel. A Carlos le gustaba aquel trabajo, casi tanto como el lugar; adaptándose a él, rindiéndose a las horas y a los plazos que la labor exigía, conseguía que la Rata —la parte de su conciencia que él imaginaba como una rata— le dejase en paz.

Arriba y abajo anda errante mi alma, implorando repo-
so: de esta manera huye el ciervo herido hacia los bosques,
adonde a mediodía era costumbre suya descansar, a la sombra,
tranquilo; pero el lecho de musgo... El folio donde estaba escrito el poema —parte de una carta que su hermano le
había enviado a la cárcel, en realidad— estaba sujeto con
chinchetas en el otro lado de la puerta, y a Carlos le gustaba encontrarse con él cada vez que entraba en la panadería o salía de ella, y leer, casi sin quererlo, alguna de
sus líneas. Había imágenes que, sin saber bien por qué,
le atraían. Le había ocurrido una hora antes con el mar
helado de su sueño. Le ocurría siempre con el ciervo que
buscaba el bosque para descansar.

Se disponía a cerrar del todo la puerta cuando sus
pensamientos quedaron interrumpidos por un ruido
procedente del olivar cercano. ¿Había sido el chasquido
de una rama? A él le parecía que sí, que alguien había
aplastado una rama con el pie y la había quebrado. Apagó
la luz de la panadería y salió fuera. Vio enseguida una figura que se acercaba agitando la punta roja de su cigarrillo a modo de saludo.

—No podía soportar el calor del agujero y he salido a fumarme un cigarrillo —dijo ella. Era la misma mujer que había hablado con él por teléfono, uno de los
miembros de la pareja de activistas que la prensa de Madrid y Barcelona denominaba *Jon & Jone*. El olor de su
perfume se mezclaba con el de la harina y el pan.

—Tranquila. Los guardias están dentro del hotel
viendo el partido —respondió Carlos por puro reflejo.
Pero el que la mujer estuviera fuera del refugio infringía
todas las normas de seguridad, y estaba sorprendido.

—También Jon está viendo el partido, y ésa ha sido la segunda razón que me ha hecho salir. No aguanto el fútbol. Esa forma de berrear de los comentaristas me ataca los nervios. Me resulta insufrible, la verdad. Me recuerda las tardes de domingo de la época franquista —Jone suspiró, y miró hacia lo alto. Allá arriba, el cielo mediterráneo estaba lleno de estrellas, pero casi no tenía luna; al menos no la suficiente para que él pudiera distinguir bien los rasgos de la mujer. Con todo, parecía menos joven de lo que las fotografías que estaban publicando los periódicos hacían pensar. Debía de tener unos treinta años, quizá más.

—¿Qué es eso de que hace calor en el agujero? Yo nunca he tenido esa impresión —dijo Carlos muy serio.

—La televisión dice que nunca ha habido en junio unas temperaturas tan altas como las de este año. Lo repiten cien veces al día, y yo me lo creo las cien. Hace un calor insoportable, lo mismo fuera que dentro —dijo la mujer tirando el cigarrillo al suelo y apagándolo con el pie. Tenía el pelo muy corto, y llevaba una camiseta ceñida de tirantes.

Carlos se quedó callado, como esperando a que el humo que salía de la boca de la mujer desapareciera en el aire. Luego habló muy despacio.

—No se han respetado mis condiciones. Le dije al contacto que estaba dispuesto a esconderos por un tiempo, pero a condición de que os quedarais en el agujero y de que no nos viéramos. Y él me aseguró que sí, que ningún problema. Y vengo hoy aquí y te encuentro fumando un cigarrillo debajo de un árbol. Igual que una turista en un cámping. Sinceramente, no lo entiendo. Lo que haces es muy peligroso. Para todos.

Estaban muy cerca el uno del otro, y a Carlos —que era alto, casi tanto como Guiomar, y le llevaba a ella unos veinte centímetros— le llegaban directamente el perfume y el olor a sudor de la mujer.

—Desgraciadamente, tienes razón —dijo ella después de encender un nuevo cigarrillo. Carlos observó que le brillaba el escote. Entre los pechos que apenas tapaba la camiseta, corría un hilo de sudor—. Y lo peor es que nos han visto —añadió después ayudándose de una maldición—. Fue anteayer. Hacia las once de la noche, salimos Jon y yo hasta la fuente de ahí abajo, y cuando estábamos refrescándonos un niño de unos cinco años nos alumbró con una linterna. Casi le disparo, la verdad. Me faltó un pelo.

—¿Qué quieres decir? ¿Que sacaste la pistola?

—Ya te he dicho que estuve a punto de pegarle un tiro.

Se apartó de la puerta de la panadería y volvió a maldecir, contra el niño, contra los padres que le dejaban andar solo entre los árboles a esas horas de la noche, contra el clima del Mediterráneo que les había empujado a romper las normas de seguridad. Le costaba contenerse para no empezar a gritar.

—El niño era Pascal, el hijo de dos amigos míos. Es el único niño del hotel, y por eso se pasa el día dando vueltas por ahí, porque se aburre mucho. La fuente a la que fuisteis vosotros es su lugar de juego preferido.

Guiomar había bautizado la fuente como la Fontana de Derby, en recuerdo de la anécdota que uno de los hijos del cocinero había protagonizado al intentar lavar allí su moto. Pero la fuente acababa de perder su resonancia cómica. Se había convertido en el lugar donde Jon y Jone se habían encontrado con Pascal. Carlos se preguntaba acerca de las consecuencias que podía tener aquel incidente.

Jone volvió a quejarse del calor, cansinamente esta vez, e insistió en que la temperatura del agujero donde tenían que estar no bajaba nunca de los veinticinco grados. De noche era incluso peor, porque las paredes del sótano estaban recalentadas y resultaba difícil dormir, sobre todo por la necesidad de compartir aquel pequeño espacio con trastos, cojines, libros y todo lo demás, incluyendo en lo demás a Jon, su compañero.

—Esa mierda de prensa dice que Jon y yo estamos unidos sentimentalmente. Pero no es verdad, y eso hace las cosas todavía más complicadas —concluyó, empezando de nuevo a maldecir. Carlos dedujo que la mujer se acababa de acordar de los artículos que la prensa sensacionalista había publicado tras el tiroteo que Jon y ella habían sostenido semanas antes con la policía, artículos en que se les comparaba con Bonnie & Clyde. A pesar de todo, había algo en la frase de la mujer que no cuadraba. «La explicación era completamente innecesaria. Yo diría que te ha querido enviar un mensaje. Un mensaje personal», oyó en su interior. Sí, era probable que Sabino tuviera razón. Jone llevaba meses fuera de la zona que la prensa denominaba «el santuario francés de los terroristas», lejos por lo tanto de su posible amigo, y ese tiempo sería demasiado para una mujer obligada a vivir en continua tensión.

Carlos se la imaginó sin ropa y tumbada en el césped que rodeaba la Fontana de Derby, y vio sus pechos, su vientre, su sexo, sus muslos blancos, y un instante después esa primera imagen desapareció de su mente y apareció en su lugar una segunda que la corregía ligeramente: Jone seguía desnuda, pero ahora estaba de pie, y entonces él la tomaba del brazo y la alejaba unos metros del punto donde habían quedado apiladas sus zapatillas, sus pantalones, sus bragas, su camiseta de tirantes, y una vez allí introducía su mano entre los muslos de ella y le cogía el sexo con fuerza, golpeándolo un poco.

Las imágenes le excitaban, y tuvo el deseo de poner las manos en los hombros de la mujer para luego irlas bajando hasta aquellos pechos mojados de sudor y que casi no cabían en la camiseta de tirantes, pero el recuerdo de una de las enseñanzas de Sabino llegó a su mente y le hizo dudar. «Un activista no debe olvidar nunca las normas de seguridad —leía Sabino de un librillo de pastas blancas dirigiéndose a unos diez jóvenes que, como el mismo Carlos, acababan de entrar en la lucha armada y asistían a sus cursillos—. Si lo hace, si procede sin respetar punto por punto las normas, pone en peligro tanto su trabajo como el de todo el grupo. Es lo que ocurre cuando alguien se deja guiar por la comodidad. El activista cómodo acaba actuando con improvisación y desorden. Y no hay nada que sea más peligroso que la improvisación y el desorden. En otras palabras, hace más daño a la organización un militante aficionado a la comodidad que un chivato».

Sabino llevaba más de quince años enterrado en un cementerio al lado de Biarritz, y era imposible que los nuevos activistas como Jone llevaran la marca de sus cursillos de formación. La mujer sabía demasiado. Sabía que la escondían los propietarios de un hotel, sabía qué fisonomía tenía él, sabía aproximadamente en qué lugar de los alrededores de Barcelona se encontraba. Por otro lado —eso era lo peor—, Pascal los había visto, y había visto también la pistola. De estar allí, Sabino no podría dar crédito a aquella situación. No le cabría en la cabeza que unos activistas se portaran con tanta negligencia. A Sabino le bastaba advertir en alguien una ligera afición al alcohol o una cierta locuacidad para apartarlo del grupo que asistía a los cursillos. Y aun en tales ocasiones —como cuando debió alejar del grupo a su hermano Kropotky— Sabino actuaba con cautela, sin herir nunca la susceptibilidad del discípulo rechazado. Sabía que una persona despechada podía resultar muy peligrosa.

—¿Al final qué pasó con el niño? —preguntó Carlos.

—No sé si nos creyó. Nos preguntó si veníamos a entrevistar a ese futbolista polaco, Boniek o quien sea, y nosotros le dijimos que sí, pero que no lo sabía nadie y que guardara el secreto.

—Lo veo muy difícil. Cuando se pone a hablar, no calla. Además, habla con todo el mundo —dijo Carlos con un suspiro. Luego soltó una palabrota—. Realmente, no entiendo vuestra manera de actuar. Las normas de seguridad tienen que respetarse siempre, de lo contrario...

—Por favor, a mí no me vengas con sermones —le interrumpió ella levantando la voz. Luego, arrepintiéndose de su reacción, le puso una mano en el brazo y susurró unas palabras de disculpa—. Le dije que había encontrado la pistola en el suelo —añadió, ya más tranquila—, pero que no la necesitaba para nada y que la iba a enterrar. Y creo que fui muy convincente. De todos modos, ya estoy harta de esta historia.

Carlos pensó que Jon y ella estarían enfadados por el fallo cometido, y que quizás ésa fuera la razón de que se la viera tan irritable.

—Jon está un poco nervioso —continuó Jone después de un rato de silencio y hablando como para sí misma. Carlos pensó que era inteligente, que había adivinado lo que él estaba pensando—. Pero tampoco es de extrañar. Llevamos casi dos meses fuera de casa, desde principios de mayo, y la campaña, además, ha sido muy dura. Por poco nos liquidan en el tiroteo de Bilbao. Y luego, encima, no teníamos infraestructura y tuvimos que andar durmiendo en el monte unos diez días, hasta que nos trajeron aquí. Ése es el problema ahora, que no tenemos infraestructura. Resulta casi imposible conseguir un piso donde meterse.

—Quizá no debamos preocuparnos por lo del niño. Tampoco es tan grave —dijo Carlos.

«Es gracioso eso que acabas de decir —oyó entonces. La Rata se burlaba y ponía al descubierto la verdad que él se resistía a aceptar. Naturalmente, las consecuencias del incidente con Pascal podían ser graves. Hacía años que no pertenecía a la organización. No era más que un colaborador ocasional, un militante retirado que se había prestado a hacer un favor. Si la mujer o su compañero eran capturados con vida, allí en el hotel o un tiempo más tarde en cualquier otro sitio, él sería la pieza débil, el elemento que Jon y Jone sacrificarían para proteger a los verdaderos miembros de la organización—.

Efectivamente, me alegro de que te hayas dado cuenta, tú serás el primero en pagar los platos rotos. Y ya sé... —al llegar a este punto la Rata agudizó su tono de burla—, ya sé que tú no tienes miedo de nada y que no te importa, pero ¿qué me dices de Ugarte, Guiomar, Laura, Doro y todos los demás? Si la policía cierra el hotel, ¿adónde irán ellos?». Según hablaba la Rata, Carlos iba viendo la cara de todos sus amigos en blanco y negro, tal como figuraban en el retrato colectivo colgado en el vestíbulo del edificio.

—No creo que vaya a pasar nada —insistió Jone después de apagar el cigarrillo que había estado fumando—. Puede que el niño no se creyera lo que le dijimos, pero aunque se lo diga a alguien, ¿qué puede pasar? Si a mí me viene un niño de cinco años hablando de pistolas, en lo último que pienso es en una pistola de verdad.

—Tienes razón —asintió Carlos diciendo lo contrario de lo que estaba pensando. La suerte estaba echada, y era inútil darle vueltas a lo ocurrido. La imagen de una pistola estaba sumergida en la cabeza de un niño, y ese hecho introducía un componente de azar en el problema al que se enfrentaba. ¿Afloraría aquella imagen a la conciencia de Pascal? Y de hacerlo, ¿llegaría a comunicárselo a alguien? Y en ese caso, ¿a quién? ¿Cuándo? Eran preguntas ante las cuales sólo cabía estar atento y esperar.

—Y otra cosa —comenzó Jone después de una pausa. Su tono era ahora más íntimo—. No creo que nadie se extrañe si le dicen que la otra noche había una pareja en la zona de la fuente. Había una goma tirada sobre la hierba. Jon dijo que estaba usada.

A Carlos le pareció que la mujer abría los labios, tal como hubiera dicho Ugarte, «tenían ganas de chupar un caramelo». A la menor proposición, Jone se iría con él. Volvió a sentirse excitado. Le complacía la idea de tener su cuerpo en el mismo lugar donde había tenido el de María Teresa, porque ésa era justamente la explicación de que Jon encontrara la goma entre la hierba, que él había estado allí con María Teresa dos días antes. Sin embargo, la idea seguía sin convencerle del todo. A María Teresa le gustaba permanecer inmóvil —inmóvil, tumbada, desnuda— mientras él la observaba a la luz de una linterna, y su cuerpo reaccionaba al menor estímulo. Era fácil estar con ella. Pero con Jone no sería lo mismo. Presentía su negativa a adoptar una actitud pasiva. Además, María Teresa era una mujer menuda, y Jone, incluso en la oscuridad, daba la impresión de ser todo lo contrario. Parecía tener unos músculos tan fuertes y desarrollados como una deportista. Carlos pensó que la mujer habría pasado algún tiempo en la cárcel, y que de allí provendrían aquellos músculos, del gimnasio de la cárcel. De cualquier modo, no era el tipo de mujer que él necesitaba para sus juegos amatorios. Sí, quizá fuera mejor dejar las cosas tal como estaban.

«Un activista puede ser detenido cuando menos lo espera —oyó entonces. Sabino volvía a aparecer en su recuerdo leyendo el librillo de pastas blancas de los cursillos de formación—. En esos casos, la seguridad exige que la cadena se rompa allí mismo. El activista detenido debe decir a la policía que funciona por su cuenta, que nunca ha oído hablar de ninguna organización. Si le relacionan con otro activista, y luego le prueban esa relación con fotografías o cintas magneto-fónicas, entonces mencionará sus problemas personales para justificarla. Si los activistas que la policía relaciona son chico y chica, ambos alegarán problemas sexuales. Nada de activismo ni de organización, sólo un enamora-miento o deseo sexual».

—¿En qué estás pensando? —preguntó ella. Antes de que él pudiera contestar, un rugido procedente del hotel atravesó el aire y llegó hasta la panadería. Además de Pascal, todos los que en aquel momento estaban reunidos en el salón del hotel coreaban el segundo gol de Polonia.

—Parece que nuestro equipo está jugando bien —dijo Carlos inspirando con fuerza el aire que había traído la alegría del gol.

La imagen de un joven jugador de fútbol apareció en su memoria: el jugador, de apenas dieciséis años, corría hacia una de las bandas del campo y lograba alcanzar un balón que se iba por la línea de fondo; regateaba entonces a un defensa —que vestía una camiseta verdine-gra—, entraba en el área pequeña haciendo un pasillo a dos nuevos defensas, miraba al portero, golpeaba el balón con mucho efecto y, en el instante siguiente, el balón llegaba a la red y el gentío que estaba viendo el partido coreaba el gol. Y aquel jugador que había marcado el gol era él mismo, y gracias a aquel gol su equipo subía de categoría, y él oía los aplausos, veía los jerséis de la gente en el aire, y detrás de aquellos jerséis una fábrica con una chimenea muy larga, y en la chimenea el humo que subía formando una columna blanca, y al final de aquella columna el cielo de color azul.

El recuerdo le produjo un escalofrío de placer, y recuperó por un momento la emoción que le había embargado mientras contemplaba el mar helado de su sueño. Le pareció que el aire se volvía más delgado, el estridor de los insectos más vivo, la lejanía de la luna y las estrellas que la rodeaban, todavía mayor.

—Oye, Yul Brynner...

Carlos sintió que el cuerpo de la mujer se iba arrimando al suyo. El olor a sudor y a perfume se hizo más intenso. Sofocaba el olor de la panadería.

Sin lugar a dudas, Jone interpretaba mal el cambio de humor provocado por el recuerdo de su época de futbolista, y su primera reacción fue la de rechazarla. El rugido de la gente que estaba en el salón había deshecho —con la facilidad con que una ráfaga de aire deshace una pompa de jabón— el deseo que había sentido hacia ella. Sin embargo, decidió contenerse. Quizá fuera mejor seguir el juego que le proponía la mujer. Si llegaba a suceder algo, él hablaría de atracción sexual: «Jone me pareció una mujer muy atractiva desde la primera vez que vi su retrato en los periódicos, y cuando me pidieron que la escondiera perdí la cabeza. Luego quise echarme atrás, pero ya no podía. Las ganas de acostarme con ella eran superiores a mis fuerzas». No era la mejor razón del mundo, pero, como hubiera dicho Sabino, tampoco la peor. La policía toleraba más fácilmente unas debilidades que otras. Por otra parte, una confesión como aquélla les ahorraría muchas complicaciones a sus compañeros del hotel.

—No tengo la cabeza tan lisa como Yul Brynner. Sólo tengo el pelo un poco más corto que tú —le susurró.

A continuación, la tomó por los hombros y la hizo girar hasta colocarla de espaldas. La cabeza de Jone le quedaba ahora debajo de la barbilla. Sin mover ni un músculo de la cara, Carlos movió sus manos hacia abajo y le cogió los dos pechos con fuerza. Eran grandes.

—Se va a enfriar la cena —dijo ella muy excitada. Su respiración era gruesa.

—¿No quieres acompañarme a la fuente? Tengo que ir a llenar de agua el bidón. Además, llevaré una linterna y, no sé, a lo mejor encontramos otra goma entre la hierba. Una que esté sin usar, claro.

Ella le buscó los labios y pronunció un sí ahogado. Por la mente de Carlos cruzó una idea que parecía absurda: si no se entretenía demasiado, volvería al hotel a tiempo de ver la repetición de las mejores jugadas del partido.

Cuando la selección de Polonia metió el tercer gol, los dos se estaban vistiendo. Aunque la reacción de la gente del hotel fue menos ruidosa que las dos veces anteriores, la algarabía sobresaltó a la mujer. A la luz de la linterna, que colgaba de un olivo cercano a la fuente y que era de tres posiciones, como las que se llevan en el coche, Carlos la observó con inquietud: de pie, con el pelo corto recién mojado, fumando su quinto o sexto cigarrillo de la noche, la expresión de Jone era sombría. Parecía incómoda, o más exactamente, perdida. ¿Se acordaba de su amigo en el «santuario francés»? ¿Se arrepentía de lo que acababa de hacer? En cualquier caso, parecía sentirse fuera de lugar, a merced de alguien que, sin ser completamente extraño, vivía en un mundo diferente del suyo. Y eso no era bueno, ni para ella ni para él. Un activista, y aún más si se trataba de un miembro dedicado por entero a la organización, debía moverse siempre dentro de su círculo. Debía comer con sus compañeros, dormir con ellos, hablar con ellos. Andar entrando y saliendo del círculo era como estar cambiando constantemente de clima, ni la cabeza ni el sistema nervioso tenían tiempo de acostumbrarse. Sí, Jone y su compañero debían salir del hotel cuanto antes. De lo contrario sus errores se irían multiplicando.

Carlos se vio obligado a interrumpir sus reflexiones. Jone le hacía señas con la linterna que acababa de recoger de la rama del árbol. Había cambiado la posición del mando, y ahora daba luz larga.

—Espera un poco. Tengo que llenar de agua el bidón —dijo alzando la voz. Jone se alejaba por el camino que subía hacia la panadería.

—Si no regreso antes de que termine el partido, Jon empezará a pensar cosas raras —le contestó ella. Parecía fastidiada.

Carlos volvió a pensar en el programa deportivo. Durante los Mundiales solían repetir los goles cuatro y cinco veces. Los intercalaban en todas las entrevistas. Con un poco de suerte, conseguiría ver los tres que aquella noche había marcado Polonia.

—Me vas a dejar a oscuras —dijo Carlos haciendo que el chorro de la fuente coincidiera con la boca del bidón. Sin pronunciar una palabra, la mujer enderezó la linterna al camino y desapareció entre los árboles.

Todo lo que rodeaba la Fontana desapareció en cuanto la mujer se hubo alejado, y ya no hubo árboles, ni camino, ni arbustos, sino únicamente la oscuridad y el sonido que hacía el agua al entrar en el bidón; un sonido caprichoso que cambiaba constantemente, como la llama de una vela o la línea de un arabesco. Carlos se entretuvo en seguir las variaciones de aquel sonido, sus subidas y bajadas, sus engrosamientos, sus cambios de ritmo, y consiguió completar los diez litros del bidón sin pensar en ninguna otra cosa más. Luego, ya de vuelta a la panadería —con el mismo propósito de no pensar en nada—, concentró su atención en el estridor de los insectos, porque aquel sonido también era como el del chorro de agua, siempre cambiante y siempre igual. «Está muy bien esto de no enfrentarse a los problemas —oyó de pronto. Era la Rata—. De todas formas, los problemas ya están caminando hacia ti. No quisiera ser grosero ni hacer un chiste fácil, pero la cuestión es que Pascal vio la pistola de tu nueva amante con la misma claridad con que tu nueva amante ha visto tu pistola, y es muy probable que ahora ande por ahí diciéndoselo a todo el mundo. En fin, haces bien. Mejor que no pienses en todo lo que te puede venir encima».

Carlos sacudió la cabeza. Era un gesto característico suyo, desde la adolescencia. «Te quitas los malos pensamientos como si fueran gotas de agua que te han quedado en el pelo», solía decirle su hermano cada vez que lo sorprendía haciendo aquel gesto. Pero el método ya no le daba los mismos resultados.

—¿Por qué no me has esperado? —preguntó Carlos cuando volvieron a encontrarse en la puerta de la panadería.

45

—No quería que Jon se pusiera nervioso, ya te lo he dicho. Ahora está calentando la carne en el hornillo y completamente tranquilo, como debe ser —dijo Jone dando a sus palabras un tonillo alegre. Su humor parecía haber cambiado. Ya no era la mujer de gesto sombrío que él había observado en la Fontana.

—Me alegro —le dijo Carlos dejando el bidón en el suelo.

—Además, tenía que pensar en mis cosas —añadió Jone sonriendo abiertamente.

—Yo también, pero al final no lo he hecho —dijo Carlos devolviéndole la sonrisa. Pero la suya fue diferente.

—¿No vas a meter el bidón? —dijo Jone abriendo la puerta de la panadería.

La panadería era una pieza de treinta metros cuadrados, con dos ventanas en su pared derecha y con un viejo horno giratorio adosado a la pared del fondo. Los sacos de harina se apilaban cerca de la abertura del horno, mientras que la mesa de mármol que Carlos utilizaba para amasar el pan y la leñera —una especie de cuartucho al que le faltaba una de las paredes— ocupaban toda la zona central. Más acá, hacia la puerta, en los anaqueles de la pared izquierda o en el suelo, reposaban todos los objetos —aparatos de radio, balanzas, herramientas— que alguna vez habían servido para algo.

Nada más entrar en la panadería, Jone corrió a refugiarse detrás de la mesa de mármol. Lo hizo alegremente, como jugando a dar una carrerilla o unos pasos de baile, pero Carlos creyó adivinar la verdad: ella se avergonzaba de un cuerpo que ahora, a la luz cruda de la lámpara fluorescente, sin el amparo de la oscuridad que suavizaba las formas, dejaba ver unas caderas demasiado anchas, como si hubiera tenido muchos hijos, y unos muslos también demasiado grandes, desproporcionados. Por un momento se acordó de lo que había oído al paleontólogo de la televisión en su apartamento, cuando describía el frío y las penalidades que los hombres del Paleolítico soportaban por buscar aquellas *Nassa reticulata* que les servían para hacer collares, y pensó que había cierta relación entre los dos comportamientos: era difícil imaginar que las gentes que habían vivido cuarenta mil años antes pudieran ser presumidas y sentir tanta necesidad de adornarse, y exactamente lo mismo sucedía con aquella mujer que intentaba disimular la parte fea de su cuerpo escudándose detrás de la mesa. Pocas personas podrían imaginar esa actitud en alguien que pertenecía a un grupo armado. Si alguien hubiese preguntado a Jone qué la había impulsado a entrar en la organización, de dónde sacaba las fuerzas necesarias para afrontar un futuro que no le ofrecía más que la cárcel, el cementerio o el desprecio de gran parte de la sociedad, ella habría mencionado probablemente las ideas, las mismas que figuraban en los documentos y los panfletos del grupo. Pero, en ese cuadro, ¿dónde se situaban la vergüenza por su cuerpo y otros muchos sentimientos aparentemente banales? Considerando su propia experiencia, a Carlos le parecía a veces que no había jerarquías, que todo estaba en el mismo nivel: o bien todo era importante, o bien todo era banal. ¿Cuántas cosas había habido en su vida tan importantes como el gol que había marcado a los dieciséis años? Muy pocas. «Quizá no haya jerarquías —oyó entonces. La Rata no quería desaprovechar la ocasión de opinar sobre el tema—. Sin embargo, el precio de las cosas cambia mucho. Hay gente que paga poco y gente que paga mucho. ¿Dónde están ahora los diez años que pasaste en la organización o en la cárcel? ¿Y qué va a pasar si detienen a Jon y Jone y tienes que volver a la cárcel por otros diez años? En fin, pronto lo sabremos. No creo que podáis seguir con el juego durante mucho tiempo».

—Nunca había visto hacer pan —dijo la mujer. Carlos se había situado frente a ella y añadía agua y más harina a la masa que había sobre la mesa—. ¿Qué se pone a la masa?

—Humo no, desde luego —le dijo Carlos secamente al ver que iba a encender otro cigarrillo.

—Vale —dijo ella volviendo a guardar el cigarrillo. Fumaba rubio, Marlboro.

—No es difícil hacer pan —había calentado agua en una cocinilla de butano y mientras hablaba la iba sacando del recipiente con un cucharón—. Yo lo hago de una forma muy sencilla, mezclando agua y harina, y luego a esa masa le añado un pellizco de la masa de la víspera. Con eso basta para que fermente. Pero el secreto no está en los ingredientes, sino en el modo de vigilar el proceso. En seguirlo de cerca. Yo lo sigo muy de cerca. Vengo cuatro o cinco veces al día a mover la masa.

—Así que te gusta este trabajo —dijo ella después de escuchar la explicación. Parecía un poco sorprendida.

Muchas noches de insomnio, cuando repasaba su trayectoria vital —todo lo que le había ocurrido después de aquel gol de los dieciséis años—, le parecía que lo único que podía salvarse eran los cinco años que llevaba en el hotel trabajando por puro capricho y sin otra finalidad que la de hacer un pan de calidad; un pan que, junto con el pescado que preparaba Doro, se convirtiera en marca de la casa y fuera capaz de atraer clientela al restaurante.

«Maravilloso —le decía entonces la Rata—. Casi cuarenta años luchando en este mundo y luego resulta que el fruto de tanto esfuerzo es el pan que un pequeño-burgués usa para rebañar la salsa de tomate que le queda en el plato». Pero lo que la parte mala de su conciencia pudiera decir acerca de aquel punto no le importaba. A él le gustaba su oficio.

—Dicen que soy como el buen pastor, pero que en vez de ovejas cuido panes —confesó a Jone mientras ponía agua en el pequeño cráter que acababa de abrir en un montón de masa. La frase había sido acuñada por Guiomar, y era una queja por su actitud hacia el resto del grupo. Sólo se reunía con sus compañeros a la hora de cenar, y no todos los días. Cuando le reprochaban su comportamiento, él alegaba su trabajo en la panadería. No era un trabajo cualquiera, requería un horario especial.

—La verdad es que el pan que hemos comido estos días era muy bueno —dijo ella cogiendo con los dedos un poco de masa y llevándoselo a la boca. Salió de detrás de la mesa y se puso a curiosear en la habitación. Parecía cada vez de mejor humor.

—El agua tiene mucho que ver. La de la fuente es muy buena, un lujo que pocos panaderos se pueden permitir —explicó Carlos con cierta impaciencia. Se sentía cansado de hablar con Jone, y quería volver al hotel. No podía faltar mucho para el final del programa deportivo. Deshizo el montón de masa y comenzó a removerla.

—Sí, ya sé que el agua es buena —dijo ella llevándose las manos al pelo. Pero con el calor que hacía en la panadería ya casi se le había secado.

Carlos siguió trabajando la masa moviendo las manos con energía. Normalmente, cuando hacía aquella tarea solo, el tiempo pasaba de manera imperceptible, y él se dejaba llevar por sus pensamientos y contemplaba las ideas que acudían a su cabeza como si fueran nubes de un cielo lejano, nubes altas, blancas, tranquilas. Pero aquel día eso era imposible. La chica no quería renunciar a la intimidad que había surgido entre ellos, y le hacía preguntas y más preguntas. ¿Cómo era que había terminado allí, viviendo en un hotel y haciendo de panadero? ¿Tenía alguna razón para no volver al País Vasco? ¿Había pasado muchos años en la cárcel? Mientras tanto, no dejaba de curiosear, examinando los moldes de los anaqueles o moviendo la manivela del horno giratorio.

Carlos retiró las manos de la masa y volvió la cabeza hacia ella. No comprendía su conducta. Su desprecio por las normas de seguridad, incluso las más elementales, era excesivo. Aquella curiosidad estaba completamente fuera de lugar.

La mujer se acercó a la mesa. Carlos se quedó esperando una nueva pregunta.

—¿Qué opinas de la línea que lleva la organización esta última temporada? —dijo ella.

Le bastó oír aquello para comprender lo que estaba sucediendo, y sus ojos, que habían estado semicerrados y a la defensiva desde que Jone comenzara a interrogarle, se abrieron por completo. Le sorprendía el cuento que, con toda claridad, leía en los otros ojos, en los de Jone. El cuento decía: «A este hombre le falta muy poco para volver a entrar en la organización, por eso aceptó escondernos a Jon y a mí. Y a nosotros nos vendría muy bien que diera ese paso, porque dispone de la mejor tapadera del mundo, un hotel a pocos kilómetros de Barcelona y en un lugar prácticamente aislado. Sería una captación magnífica, nos solucionaría muchos problemas de infraestructura. No puedo dejar pasar la oportunidad. Todo será más fácil con la intimidad a que hemos llegado. Además...».

Carlos dejó de leer en los ojos de ella, porque la parte que faltaba se refería sobre todo a las pequeñas mentiras que él le había susurrado al oído cuando estaban en la Fontana. De cualquier forma, con lo que sabía tenía suficiente. El cuento lo explicaba todo, sus preguntas y su exceso de confianza. Incluso podía explicar —esta idea volvió a sorprenderle— la relación sexual. Su impresión era la contraria, es decir, que la chica había imaginado el cuento al volver de la fuente y no antes, y que ése era el origen de su cambio de humor. Pero no podía estar seguro. Para ella debía de ser muy importante conseguir una tapadera como el hotel. Además, ¿cómo había actuado él? ¿Acaso no había entrado en el juego para tener una coartada ante la policía? Sí, también ella había podido actuar por interés, pensando en la organización.

—Yo creo que vuestra lucha actual es absurda —le contestó Carlos secamente. La idea le pertenecía, pero el tono, áspero, estaba relacionado con las ideas que en esos momentos le rondaban por la cabeza.

Ella se quedó callada un momento, sin saber qué hacer. Luego, sacó su paquete de cigarrillos y sostuvo uno en la mano.

—Vale —dijo al fin. Luego hizo un gesto de disculpa y encendió el cigarrillo.

De pronto se hizo evidente la distancia que había entre ellos, y Carlos, como bajo un efecto óptico, vio a la chica muy lejos, al fondo de un túnel interminable. Podían conversar, podían acostarse juntos en la hierba, podían tener un origen, una educación y unas experiencias similares, pero todo eso no era suficiente para acortar la distancia que los separaba.

—Entonces, ¿por qué nos escondiste? ¿Viste mi foto en el periódico y quisiste contactar conmigo? ¿Fue por eso? —volvió a hablar ella después de dar varias chupadas al cigarrillo.

Carlos tuvo la impresión de que, realmente, le hablaba desde el fondo de un túnel.

—No nos enfademos —dijo hablando con autoridad—. Ahora os escondo, de acuerdo, porque cuando me lo pidieron me pareció que debía hacerlo. Pero no es una decisión que valga para siempre. Quizá la próxima vez no acepte la propuesta. Tenéis que convenceros de eso. Yo no pertenezco a la organización. Lo siento, pero así es.

—Por mí no lo sientas —contestó la mujer. También ella hablaba con autoridad.

La comunicación entre ellos estaba rota, incluso de un extremo a otro del túnel. Se volvió hacia la mesa y empezó a remover la masa otra vez.

—Muchas gracias por la cena. Cuando terminemos subiré las bandejas —concluyó Jone. Después, levantando la trampilla que había en la base de la leñera, comenzó a bajar los escalones de madera que llevaban al refugio situado bajo el suelo de la panadería.

—Si hay alguna novedad os llamaré por teléfono —le dijo Carlos.

—¿No es peligroso lo del teléfono? —dijo Jone volviendo a subir un escalón y asomando la cabeza. La cara era la parte más bonita de su cuerpo, rèdonda y de labios carnosos.

—Es un número interior. No creo que la policía lo pueda controlar.

La cara redonda suspiró, y en sus labios apareció un cigarrillo.

—A ver si la organización dice algo. Estoy harta de este agujero. Casi no se puede fumar con la ventilación tan mala que tiene —dijo.

—La culpa no es mía. Me dijeron que como máximo estaríais una semana, y ya han pasado casi dos.

—Ha habido muchas detenciones. Tienes que comprenderlo —dijo la cara redonda cerrando los ojos.

—Y ahora tenemos el problema del niño. El tiempo juega contra nosotros —añadió Carlos cubriendo la masa con un paño blanco.

—Vale, Yul Brynner, ya me darás las instrucciones —dijo la cara redonda con un gesto de fastidio. Junto a ella surgió enseguida un brazo que, alzándose, agarró la trampilla y la bajó hasta dejarla nivelada con el resto de la base de la leñera. La cara redonda y el brazo desaparecieron al mismo tiempo.

Carlos metió unos troncos de leña en el cuartucho y volvió a distribuir uniformemente el polvo y las cortezas que con las sucesivas entradas y salidas de Jone se habían acumulado en uno de los lados. Luego se limpió la harina adherida a la ropa y salió fuera. *Arriba y abajo anda errante mi alma*, leyó antes de apagar la luz.

A Greta y a Belle se les hacía larga la espera de la cena, y empezaron a quejarse en cuanto lo sintieron salir de la panadería.

—Volveré más tarde —les dijo Carlos al pasar por delante de la puerta del almacén. Luego aceleró el paso y se dirigió hacia el hotel. En su reloj eran las once y veinte de la noche. Con un poco de suerte llegaría a tiempo de ver la repetición de los goles con que finalizaba el programa deportivo.

El bullicio que reinaba en el salón del hotel —una mezcla de risotadas y murmullos— le llegó a los oídos incluso antes de poner el pie en el recinto urbanizado del hotel, y por un momento lamentó no haber seguido los consejos de Guiomar. Aquello parecía una verdadera fiesta. Esa impresión quedaba, además, reforzada por las luces que iluminaban la terraza del restaurante y por el tañido de las campanas de la iglesia situada al pie de Montserrat. Una idea cruzó por su cabeza: lo que veía y oía confirmaba la verdad de su reflexión. No existía una jerarquía firme en el corazón de la gente, no había cosas esencialmente importantes o esencialmente banales, y nadie que buscara la verdad podía negar que la victoria de Polonia fuera algo de suma importancia para todos los del hotel o para la gente que estaba tocando las campanas. Pero no, eso no era del todo cierto, no al menos en lo que se refería a las campanas. Como pronto descubrió, había que buscar la causa de que estuvieran sonando en el resplandor rojizo que se veía junto a la carretera de Barcelona, a varios kilómetros del pueblo. Se trataba de un incendio, de uno de los muchos que, debido a las altas temperaturas de aquel verano, asolaban la zona mediterránea. Los periódicos decían que el hollín de los incendios a veces llegaba hasta el campo de fútbol del Nou Camp, formando una especie de niebla negra que perjudicaba la visión de los partidos nocturnos. Pero quizá se tratase de una exageración periodística. En lo concerniente a los alrededores del hotel, el aire seguía siendo tan limpio como siempre. El murciélago que giraba alrededor del farol de la acera lo atravesaba con ligereza.

Carlos siguió hacia la entrada del hotel a grandes zancadas. Antes de abrir la puerta, echó una mirada a la terraza. Sí, allí estaban —limpias, relucientes, cada una en su sitio— todas las cosas necesarias para una cena de celebración: los platos blancos, los manteles también blancos, las servilletas azul oscuro, las banderitas rojas y blancas, las lámparas de color dorado, la bandera roja de paño...

—¿Dónde te metes? —oyó al pasar por delante del mostrador de recepción. Antes de que pudiera reaccionar sintió que unos labios finos le besaban en la mejilla—. No te preocupes, no nos ha visto nadie. Están todos ahí dentro.

Quiso corresponder al gesto, pero María Teresa se movió con más rapidez que él y desapareció tras la puerta del salón con una bandeja llena de cervezas y pequeños bocadillos de jamón. Era siempre así, bromista, nerviosa, rápida, capaz de hacer en un cuarto de hora lo que un hijo de Doro o cualquier otro camarero hacían en una hora. Aunque rondaba los cuarenta años y era madre de un hijo a punto de entrar en la universidad, su aspecto era el de una jovencita obligada a llevar zapatos de tacón para parecer mayor. Carlos le guiñó un ojo al entrar en la sala.

—Toma —le dijo María Teresa dejándole una cerveza fría en las manos y marchándose en dirección a la cocina.

Era un salón grande, con unas cincuenta butacas dispuestas como las de un teatro o un cine, y con un escenario que normalmente se utilizaba para las charlas que las empresas solían impartir a los vendedores. Pero con la llegada de la selección polaca su función había cambiado, y en el escenario había ahora un televisor de importación de pantalla gigante en el que los jugadores polacos estudiaban las jugadas que su entrenador Piechniczek tenía grabadas en vídeo. Por las noches, el uso del salón se hacía general, y la mayoría de los aficionados al fútbol que se movían por el hotel se reunían allí a ver los partidos.

El bullicio del salón cesó nada más entrar Carlos, y todos los que en aquel momento estaban sentados en las butacas se pusieron a mirar atentamente a la pareja que acababa de aparecer en el televisor. A la izquierda de la pantalla, un Piechniczek sofocado y sudoroso respiraba con dificultad; sentada a su lado, la intérprete Danuta Wyca parecía una figurilla de porcelana que no necesitara de aire para vivir. Cuando ya hacía un rato que todos permanecían callados, Pascal —estaba sentado en la primera fila, con Guiomar y los dos hijos del cocinero— se volvió hacia atrás y dio uno de sus chillidos característicos:

¿se habían dado cuenta de que Danuta Wyca estaba en la pantalla? Carlos aprovechó la carcajada general provocada por la ocurrencia del niño para ir a sentarse en la última fila, al otro lado de donde se sentaban cinco de los guardias —un teniente y cuatro números— encargados de la seguridad de los futbolistas.

—Cree que Danuta es su abuela. Una pena, pero no es el niño más listo del mundo —le dijo Ugarte después de acercarse por el pasillo y hablándole como si llevaran toda la tarde juntos y aquello fuera una mera continuación de lo que había dicho antes.

Mientras el resto de la gente, también el teniente de la policía, bebían cerveza, él llevaba en la mano un whisky recién servido. Los cubitos de hielo estaban enteros dentro de su vaso, y brillaban.

—¿Y para qué quiere ser el niño más listo del mundo teniendo un padre como tú? —le respondió Carlos en igual tono. Delante de Pascal, justo en el borde del escenario, había una linterna grande colocada verticalmente. La misma que había alumbrado la pistola de Jone, sin duda.

—Si hubiera salido a mí tendría alguna opción, pero por desgracia ha salido a Laura —insistió Ugarte, señalando con la cabeza a una mujer morena que se sentaba detrás de Pascal—. Y así le va. Tiene cinco años y todavía no es capaz de distinguir a su auténtica abuela.

—Habrá que mandarle a donde su abuela de verdad —le dijo Carlos fijando la vista en los gestos que Piechniczek hacía en la pantalla. Pero su atención seguía centrada en el niño. ¿Qué había en la cabeza de Pascal? O mejor dicho: ¿en qué zona de su memoria flotaba la imagen de la pistola? ¿En la más profunda? ¿En la más somera?

—Lo haría con mucho gusto, ya lo creo que sí. Le mandaría a nuestro querido País Vasco en coche, en tren, en avión, en barco, en globo, en fin, de cualquier manera humanamente posible. Porque, claro, aquí se cruzan dos cosas muy diferentes, la teoría y la práctica. O como se decía antes, la teoría y la praxis. Como la mayoría de los izquierdistas del sur de Europa, yo estoy de acuerdo con la teoría, y estoy convencido de que un padre debe cuidar siempre a su hijo. Pero luego llega la praxis, y resulta que casualmente soy yo el que debe cuidar de Pascal, y claro, con eso ya no estoy tan de acuerdo. Realmente, cada vez me parezco más a un auténtico izquierdista del sur de Europa.

Carlos sonrió por lo excesivo de la respuesta. Pero no le parecía que Ugarte hubiera bebido. Simular que estaba borracho —y valerse del derecho a decir verdades que se le concede al borracho— era una de las facetas de su personaje favorito. En aquel caso también decía la verdad. Desde que la selección de Polonia estaba en el hotel resultaba difícil soportar los nervios de Pascal y su parloteo incontrolable. Hasta los perros, sobre todo Belle, evitaban al niño cuando se les acercaba. En aquel mismo momento estaba de pie en la butaca, desgañitándose y pidiendo silencio a la gente de la sala.

—Vamos a callarnos, que va a hablar su abuela —dijo Ugarte en voz baja.

«Lato ha jugado hoy su centésimo partido defendiendo los colores de Polonia —dijo Danuta Wyca traduciendo la última respuesta de Piechniczek—. Por lo tanto la victoria de hoy ha sido para nosotros doble motivo de alegría. Por un lado, porque hemos jugado bien, y eso nos da ánimos para el partido que tenemos que jugar el próximo domingo contra Rusia. Por otro lado, Lato ha realizado un partido extraordinario, conduciendo el balón con fuerza e inspiración. Los tres goles de Boniek han partido de las botas de Lato».

Hablaba despacio y con voz muy clara, pero pronunciaba la erre demasiado fuerte.

—Es curioso, pero su verdadera abuela también suele llevar pendientes de color verde —comentó Ugarte levantando su whisky hacia la pantalla.

—Ahí tienes el motivo de que Pascal se confunda. No todo el mundo lleva pendientes de color verde —añadió Carlos. Los duelos verbales con Ugarte le divertían. Y desde hacía tiempo, desde que ambos habían coincidido en la organización.

—Te lo agradezco, de verdad —continuó Ugarte dándole unas palmaditas en la espalda—. Un padre siempre agradece que le consuelen, pero Pascal es un caso perdido. ¿Sabes lo que me preguntó ayer? Si Boniek es su segundo padre. ¿Por qué? Pues muy fácil. Como siempre ve a Danuta al lado de Boniek en las entrevistas, cree que Danuta es la madre de Boniek, y claro, si la madre de Boniek es su abuela, entonces... Es un razonamiento redondo, no cabe duda. No creía que fuera capaz de establecer semejante relación lógica.

¿Estaría afectado en realidad por la confusión mental de su hijo? Carlos no sabía cómo interpretar lo que estaba oyendo. Bajo la charla en apariencia incoherente de su socio siempre solía haber un hilo que antes o después mostraba un mensaje claro. Pero aún no lo veía.

—Lo siento, Pascal, le dije. Lo siento mucho —volvió a hablar Ugarte después de mojar los labios en el whisky. Parecía que recitaba un monólogo—. Pero tienes que saber la verdad, Pascal. Primero, que tu verdadero padre no mide 1,81 de altura ni pesa setenta y cinco kilos, sino que mide 1,72 y pesa sesenta kilos. Después, que nunca ha sido seleccionado, ni siquiera en la cárcel, para el partido anual de políticos contra comunes; el tío Guiomar y el tío Carlos sí, pero tu padre no. Y por último, que por tu padre nunca pagarían los ciento ochenta millones que la Juventus va a pagar por Boniek. Y que los tres millones que ha ganado Boniek esta semana del campeonato no los puede ganar tu padre, a no ser que... —Ugarte levantó los dos brazos teatralmente—, a no ser que encuentre a Jon y Jone, y los denuncie a la policía.

Carlos se puso alerta, pero no apartó los ojos del televisor. Ugarte se refería al anuncio que el Ministerio del Interior había insertado en todos los periódicos de gran tirada. Se ofrecían tres millones a quien pudiera proporcionar una pista fiable sobre los dos activistas. El anuncio incluía dos fotografías bastante grandes.

—¿Quieres comer algo, Carlos? —interrumpió Guiomar desde el pasillo, ahorrándole el trabajo de improvisar una respuesta.

Llevaba a Pascal debajo de un brazo, como si se tratara de un paquete, y con la mano libre señalaba la mesa del fondo del salón donde estaban las bandejas de comida.

—¡No sabes qué partido te has perdido! —añadió luego, al ver que Carlos negaba con la cabeza—. Has hecho una tontería en no venir. De verdad que ha sido un partido maravilloso. ¡Pregúntale a este mono, a ver qué te dice! —concluyó, levantando a Pascal en el aire casi hasta hacerle tocar el techo.

—Boniek ha metido tres goles —le informó Pascal desde aquella altura.

—Guiomar no es sólo el más alto de nosotros, también es el mejor. Siempre lo ha sido. *Un noi exemplar*, como dirían los catalanes —dijo Ugarte cuando volvieron a quedarse solos—. Haría muy buen papel como padre de Pascal. Como marido de Laura no sé, porque ya sabes cómo es Laura, se pasa la vida hablando de Lenin, y cuando no es Lenin, es la Kollontai o Rosa Luxemburgo. No, no creo que como marido de Laura me llevara mucha ventaja. Pero como padre, sin duda alguna. De verdad, a veces hasta me da vergüenza. Me da la impresión de que a Pascal le ha tocado un padre de lo más decepcionante. Por eso le solté el otro día el discurso sobre el asunto de Boniek. Que se decepcione cuanto antes. Que no espere hasta hacerse mayor para decepcionarse. Es mi punto de vista, y no me parece malo. De verdad.

—¡Silencio! —gritó Pascal desde los hombros de Guiomar agitando un trozo de jamón.

—Mirad cómo les aplauden los demócratas españoles —dijo Guiomar señalando la pantalla.

Solidarnosc y *Freedom for Walesa*, decían las pancartas del Nou Camp que en ese momento aparecían en pantalla, y un gran sector del público —también algunas personas del palco de autoridades— aplaudía a rabiar a los propagandistas. En el plano siguiente, ya en el estudio, Piechniczek y Danuta sonreían al periodista que dirigía el programa.

«Ya lo han visto, todos los que han seguido el partido han tenido oportunidad de verlo, el Polonia-Bélgica ha tenido un marcado tinte político. Por un lado, las pancartas y la presencia de algunos dirigentes del sindicato Solidarnosc en las gradas. Luego, como se ha podido saber, el interés manifestado por el papa Woytyla desde el Vaticano. Según parece, el Papa ha visto el partido de hoy en directo gracias a la retransmisión que han ofrecido nuestros compañeros de la RAI. Acerca de todo esto, y antes de seguir adelante, ¿qué tiene que decir Piechniczek?»

Danuta Wyca sonrió y tradujo la pregunta al entrenador, que parecía más sofocado que nunca. En el estudio debía de hacer mucho calor.

—Nosotrros no somos políticos, nosotrros estamos aquí sólo porr el deporrte —imitó Ugarte adivinando la respuesta.

«Hemos venido a Barcelona a jugar al fútbol, no a hacer política», tradujo Danuta pronunciando las erres con mucha más suavidad de lo que cabía esperar tras la caricatura.

—Mira, mira qué nervioso está Piechniczek. Para mí que le tiene un miedo tremendo a la abuela. Seguro que Danuta Wyca es la comisaria política de la expedición. Una agente de Jaruzelski, fijo.

Carlos sonrió involuntariamente ante la nueva ocurrencia de Ugarte. No era cierto que Piechniczek estuviera nervioso; en cuanto a Danuta, parecía realmente una abuela, algo aristocrática quizá.

—Pues sí, estoy muy preocupado con el papel que hago como padre —prosiguió Ugarte olvidándose del televisor y volviendo al tema que le interesaba—. Creo que le ayudo muy poco. Ahora que, eso sí, una cosa es ayudarle poco, y otra muy distinta dejarle tirado en este mundo. Por ejemplo, Carlos, supongamos que hago como esos turistas que vienen a Montserrat en esta época y me pongo a hacer una hoguera donde la piscina del hotel. Y supongamos que el fuego sube hasta aquí y arde el hotel de arriba abajo, incluida tu panadería, claro, porque el fuego es ciego. ¿Qué pasaría entonces? Pues que el seguro no pagaría, y Pascal, el *hereu*, como dicen aquí en Cataluña, se quedaría sin nada. Y eso supondría una gran decepción para Pascal, ¿no? Y claro, que se decepcione un poco lo veo bien, pero decepcionarle mucho, eso no lo quiero por nada del mundo. Porque ya sabes lo que pasa luego, que esa clase de hijos se pasan la vida hablando en contra del padre y dando unas pelmas de miedo a todo el mundo. ¿No te acuerdas de aquella temporada que pasó Guiomar? En todo el día no hablaba de otra cosa, que su padre era un cerdo, que sí, que lo era, un cerdo de verdad, que no sabíamos lo cerdo que era su padre. Y no, yo no quiero eso para mi hijo. Si Pascal quiere algún día dedicarse a dar la pelma, que la dé en nombre de otro.

Carlos se puso en guardia. Creía adivinar el extremo del hilo. Ugarte tenía razones claras y precisas para hablar como lo estaba haciendo.

—Si quieres decirme algo, procura que sea antes de la repetición de los goles. La verdad es que te alargas demasiado —dijo con su habitual voz tranquila.

Ugarte bebió un poco de whisky y se enderezó en la butaca.

—Me alegro de que te hayas dado cuenta, Carlos, de verdad que me alegro. Pues sí, tengo una cosa que decirte. Algo que me ocurrió el otro día —comenzó Ugarte hablando con más lentitud que hasta entonces—. Estaba en la oficina, haciendo la contabilidad, y de pronto me surgió una duda sobre la cantidad de pescado que se había empleado en el restaurante. Pensé entonces que como era viernes Neptuno andaría por aquí y que le podía pedir los datos.

Hizo una pausa para beber otro poco. Llamaba Neptuno al antiguo compañero de la organización que dos veces por semana les traía el pescado desde el País Vasco.

—Vi su furgoneta, pero no le vi a él —dijo Carlos.

—Así que llamo a Neptuno —continuó Ugarte—, viene él a la oficina, y ¿qué quieres que te diga? Ya sabes cómo es Neptuno, el rey de los mares, sin duda, pero aparte de eso más o menos como Pascal, y además, no se puede decir que se le dé muy bien el teatro, ya te acuerdas de lo peligroso que era tener citas con él... Aunque quedaras en un polideportivo el día de la final de baloncesto, la policía enseguida le echaba el ojo, y eso que animaba con más entusiasmo que nadie. Vete a saber, a lo mejor por eso resultaba sospechoso, por animar demasiado sin tener ni idea de baloncesto. Así pues, resumiendo lo ocurrido, aceptando tu crítica de que me alargo demasiado y resumiendo lo más posible, Neptuno se asustó un poco. Pensó que le llamaba por algún asunto que nada tenía que ver con las cuentas del pescado, y cuanto más intentaba disimular él, más seguro estaba yo. Y me pregunto ¿qué se traen entre manos Carlos y Neptuno? Porque, desde luego, Neptuno no mueve un dedo sin la aprobación del comandante. Eso está claro.

—Muchas gracias por llamarme comandante, pero no sé qué decirte. Todo lo que me cuentas me parece un misterio —Carlos cruzó los brazos y adoptó una postura más cómoda en la butaca.

«Ahora querría hablar un poco acerca del partido que debe jugar Polonia contra Rusia el próximo domingo, dentro de una semana justa», dijo el presentador de televisión. El programa deportivo estaba a punto de terminar.

—La verdad es que este mundo está lleno de misterios —insistió Ugarte agitando su vaso. Los cubitos de hielo estaban a punto de derretirse—. Por qué nos ha salido tan bien el negocio del hotel, ahí tienes un misterio. O por qué me casé yo con Laura, o por qué un hombre de acción como tú vive últimamente como un sonámbulo, pasándose la mitad del tiempo durmiendo y la otra mitad metido en la panadería. Pero, de todas formas, el misterio que he planteado no es para tanto. En mi opinión —Ugarte bajó un poco la voz—, Neptuno aceptó el encargo de recoger en el País Vasco a esos dos activistas tan famosos con nombre de dúo musical, y luego los trajo aquí en su furgoneta. O yo no he estado nunca en esa guerra, o eso es tal y como yo digo. Jon y Jone llegaron a este hotel entre cajas de merluza, y ahora andan por aquí.

—Neptuno ya no está en la organización, y yo tampoco. Ésa es mi respuesta. Estás inventando un cuento.

Carlos continuaba respondiendo parsimoniosamente, como un buey que se ve obligado a ahuyentar a las moscas. «Tranquilo, Carlos —susurró Sabino desde su interior—. Ugarte casi no habla con su hijo, y no creo que el niño tenga la oportunidad de contarle lo de la pistola. Mucho se tendrían que torcer las cosas para que eso ocurriera».

—O sea que estoy equivocado y mis consideraciones no son más que delirios de borracho —dijo Ugarte.

—No creo que seas un borracho, pero la militancia te dejó un poco tocado. Estate tranquilo, no va a pasar nada.

—Qué pena no poder darle esa noticia a mi mujer —suspiró Ugarte depositando en el suelo del pasillo el vaso que tenía en la mano—. Si no estuviera adoctrinando al teniente de la policía, iría donde ella y le daría la buena nueva inmediatamente. De verdad, estoy contentísimo. Lástima que no pueda compartir mi alegría con nadie.

Ugarte miró hacia las butacas donde se sentaban los policías y levantó la cabeza en señal de saludo. Saludaba como un borracho.

—No creo que compartas muchas cosas con Laura. ¿Le has hablado de la terrible atracción que sientes por esa mujer que has metido en la cocina? Ya sabes quién te digo, esa mujer del pueblo que contrataste diciendo que era comunista. Dicho sea de paso, yo no creo que sea comunista, sino de Cáritas. Por lo menos habla como los de Cáritas.

No se trataba sólo de una respuesta guiada por la irritación que Carlos sentía en ese momento, también era una pregunta para sondear qué sabía Ugarte realmente. Si la mujer de la cocina le había mencionado lo de la comida que él supuestamente daba a los perros, Ugarte podía tener algo más que sospechas. Ugarte sabía bien lo que de verdad cenaban Belle y Greta.

—Nuria, dices, la gordita de Nuria. Pues mi mujer está encantada con ella, por lo bien que trabaja en la cocina y por el excepcional par de oídos que tiene. Los oídos de Nuria lo aguantan todo. Para que te hagas una idea, el otro día Laura quiso contarle cómo funciona el servicio sanitario en Rusia, y ella aguantó la explicación sin dar una sola señal de fatiga. La verdad, yo me alegro por Laura. Creo que nunca ha sido tan feliz. Cuando no tiene a Nuria, tiene a un teniente de policía como oyente, y cuando no dispone de ninguno de los dos, tiene a la abuela de Pascal. Encima la abuela le discute, porque Danuta está muy enterada, y ahí suelen andar las dos a vueltas con Rosa Luxemburgo. Ciertamente, mi mujer habla demasiado de comunismo, pero ella no tiene la culpa, ya sabes que de pequeña se cayó al caldero donde se cocían las obras completas de Lenin.

En la pantalla, Kupcewicz pasaba el balón a Lato, y éste corría hacia el área pequeña llevándose a dos defensas belgas. Luego pasaba el balón hacia atrás y allí aparecía Boniek para meter el primer gol de Polonia de un derechazo impresionante.

—Pero con el tiempo, Laura se ha vuelto como yo —continuó Ugarte—. La teoría de Lenin le parece muy bien, pero le encuentra algunas pegas a la praxis. Por ejemplo, no querría perder el trocito de propiedad que le corresponde en el hotel, porque, claro, ese trocito a ella le ha costado mucho trabajo y muchos sudores. Quiere que las plusvalías generadas por ella sean un día para Pascal.

—Me parece muy lógico —admitió Carlos sin apartar la mirada del televisor. En la pantalla, Boniek metía el segundo gol de un cabezazo perfecto.

—Y en el hotel no estamos solamente Pascal y nosotros dos —insistió Ugarte con una voz en la que se advertía el cansancio—. También está Guiomar, nuestro tercer socio y tu más íntimo amigo. Y luego está Doroteo, nuestro querido jefe de cocina Doro, además de sus dos hijos, claro, porque ya sé que parecen mudos y que no tienen otra ideología que la moto, pero a pesar de todo siguen siendo personas, y sería muy cruel que se quedaran sin sus Derbys o sus Montesas. Y también habría que hablar de los empleados, de María Teresa y de Beatriz, sobre todo de Beatriz, que es la más guapa del hotel. Sería una pena que *la nostra bellissima Beatriu*, como la llama Guiomar...

—¿Sabes qué estoy pensando? —le interrumpió Carlos.

—No —dijo Ugarte secamente.

—Pues que ya no controlas bien el alcohol, y que tu tendencia a sacar las cosas de quicio se está agravando. Todos sabemos que cerrar el hotel supondría un desastre para mucha gente. Si no me equivoco, yo mismo tendría mucho que perder, y lo mismo otra persona que tú ni siquiera has mencionado. Pero la hipótesis no tiene sentido, ya te lo he dicho antes.

Carlos hizo una mueca de disgusto, como si le molestara no poder concentrarse en la pantalla donde justo en aquel momento Boniek marcaba su tercer gol. Pero lo que realmente le había molestado era la parte final de la invectiva de Ugarte, cuya lengua, como la de una serpiente, acababa de causarle dos pequeñas heridas en alguna zona de su interior: la primera al omitir el nombre de su hermano. «Si no me equivoco, yo mismo tendría mucho que perder, y lo mismo otra persona que tú ni siquiera has mencionado.» La segunda, por el tonillo con que Ugarte había bañado los nombres de María Teresa y de Beatriz. Sólo Guiomar conocía su relación con María Teresa; en cuanto a Beatriz, su trato con ella se había limitado a un tanteo, y nadie del hotel podía tener noticia de lo sucedido entre ellos. Sin embargo, el tonillo de Ugarte o la pregunta que horas antes le había hecho Guiomar en el apartamento —«¿Quién es tu nueva amiga? ¿Beatriz?»— acababan de demostrar algo que él nunca había sospechado: sus compañeros de hotel hablaban de él con frecuencia, y en cierto modo, quizá por su empeño en hacer vida aparte, le vigilaban.

El programa deportivo había terminado. Carlos se puso de pie, dispuesto a marcharse.

—Te lo repito por última vez —dijo a Ugarte esforzándose en controlar su voz. Se le escapaba un poco—. Tus especulaciones no tienen sentido, y debes olvidarlas.

—Eso es lo que me gustaría, que no lo tuvieran —dijo Ugarte. También él se puso de pie—. Pero si tienen sentido, por favor, que esos dos salgan cuanto antes de aquí. Que se vayan directamente a sus trincheras.

El teniente de policía y Laura se dieron cuenta de que discutían, y levantaron la vista hacia ellos. Ugarte bajó la voz.

—Por favor, no hagamos locuras —añadió—. Si pasa algo y empiezan a husmear puede ser muy grave para nosotros. Y no sólo por lo de la colaboración con banda armada. Ya sabes que corremos un riesgo extra.

Ugarte hablaba ahora sin la estridencia de su personaje. Lo del riesgo extra se refería a los dos atracos que, nada más salir de la cárcel, unos dos meses después de ser amnistiados, habían llevado a cabo para comprar el hotel. El tema era tabú, y la alusión de Ugarte acababa de romper una regla que se había mantenido firme durante años.

—Siempre te lo he dicho. Hablas demasiado —dijo Carlos. En su frente había un poco de sudor.

—Vale, me callo. Por favor, no me rompas la nariz —le dijo Ugarte recogiendo el vaso que había dejado en el pasillo y dirigiéndose a la mesa donde estaban las bebidas y los bocadillos de jamón.

De la sala al mostrador de recepción del hotel había unos diez metros, y otros tantos desde el mostrador hasta la puerta principal; pero a Carlos, por el tumulto que se había organizado al final del programa, y por sus ansias de salir de allí cuanto antes, la distancia se le hizo eterna, y tuvo la sensación, mientras la recorría, de estar atravesando una maleza en la que no faltaron las apariciones: primero la de Guiomar —aparición amistosa—, quien le preguntó si acudiría a la celebración de la victoria aquella noche, informándole a continuación del campeonato de ping-pong —Polonia contra País Vasco— que estaba organizando para aquel mismo miércoles; después la de Laura —aparición desagradable— haciéndole reproches por su agresión a Nuria, a ver si no le daba vergüenza, a ver cómo había sido capaz de darle con la puerta a una mujer que no podía defenderse; poco después —aparición agradable— la de María Teresa, comentándole que probablemente aquella noche en la fiesta con los futbolistas habría baile, y que pensaba bailar con Boniek, pero que no se pusiera celoso por eso, que lo quería hacer sólo para contárselo después a su hijo; por último —una auténtica aparición, pues a aquella hora no estaba en el hotel—, la de Beatriz. En su imaginación, *la nostra bellissima Beatriu* le miraba con indiferencia desde detrás del mostrador de recepción. En su blusa blanca, el dibujo del sujetador que llevaba debajo se distinguía con claridad.

Cuando consiguió atravesar la maleza y salir del edificio, caminó hasta la farola donde volaba el pequeño murciélago y se detuvo a respirar. Se sentía como un nadador que ha permanecido demasiado tiempo bajo el agua. Pero ni el aire, ni el silencio que en aquel momento reinaba en la explanada, le ayudaron a tranquilizarse. Estaba furioso. La tensión que le había creado la conversación con Ugarte, unida a la que había acumulado antes al recibir las malas noticias de Jone, le trastornaba y le daba dolor de cabeza.

«Hay que tener mucha precaución con tres clases de gente: con los que no son inteligentes, con los que son muy nerviosos, y con los que son un poco charlatanes —oyó entonces. Sabino volvía a aparecer en su memoria con el librillo de pastas blancas en la mano—. Esa clase de personas se hace notar, y antes o después comete alguna indiscreción».

Carlos siguió hacia la panadería maldiciendo en silencio. Aquel Neptuno que les traía el pescado —y que, como bien había sospechado Ugarte, también había traído a Jon y Jone— correspondía perfectamente al tipo de militante que Sabino desaconsejaba. Tarde o temprano, Neptuno se pondría en evidencia; aún más que antes Ugarte. Pero la culpa de lo que estaba sucediendo no era de Neptuno, porque, como también decía Sabino, a inteligencia limitada responsabilidad limitada; no, la culpa era suya, por asumir una acción que Neptuno había aceptado por su cuenta. Neptuno había dicho: «Si no les echamos una mano les van a estampar contra la pared, como a moscas». Sus palabras habían sido: «¿Cuánto tiempo estarían escondidos en el hotel?». Neptuno: «Como mucho, una semana. En cuanto se normalice la situación en Bilbao, los meto en la furgoneta y me los llevo. Sin hacer más ruido que el zorro cuando roba gallinas». Y él: «Si es así, adelante. Recordemos los viejos tiempos y vivamos una semana intensa».

Carlos volvió a maldecir. Carecía de imaginación, y se comportaba como las personas que sólo aprenden cuando algo les afecta en carne propia. Y por otra parte ¡qué frases! «Recordemos los viejos tiempos y vivamos una semana intensa.» Era ridículo. Parecían de broma. Pero aquellas frases podían costarle muy caras. Cuatro años de cárcel por colaboración con banda armada, y bastantes más si los temores de Ugarte se materializaban y los atracos de cinco o seis años atrás salían a relucir. Sí, era posible que todo aquello ocurriera. «Dios no hace milagros a favor de los que militan en grupos armados, y el que no actúa con prudencia y siguiendo las normas de seguridad cae enseguida», solía decir Sabino. Y era verdad. También en su caso, las cosas habían empezado a torcerse: en lugar de la semana acordada, Jon y Jone llevaban casi dos. Si Neptuno no se los llevaba antes del domingo siguiente, serían casi tres. Desde cualquier punto de vista, demasiado tiempo. Pascal había visto la pistola y su padre —¿sólo él?— había empezado a sospechar.

72

Vio las bandejas de la cena nada más encender la luz de la panadería, una de ellas vacía, con sólo los restos, y la otra con la comida prácticamente intacta. En esta segunda —Carlos pensó que era la de Jone— había una hoja de papel mal impresa. El panfleto se titulaba *Esta democracia no es más que pura fachada*, y parecía un resumen de las ideas que en aquel momento manejaba la organización. Lo guardó en el bolsillo de la camisa, y distribuyó el contenido de las bandejas en dos platos. Un minuto después abría la puerta del almacén y se preparaba para recibir el saludo de sus dos perros.

Greta, un braco del Pirineo que no había cumplido los dos años, se lanzó a su plato inmediatamente, después de dar un brinco y golpear a Carlos en el pecho con las dos patas delanteras; en cambio, Belle —un setter que Carlos había adquirido durante la estancia del grupo en Francia a la salida de la cárcel— se paró delante de él y se quedó esperando el permiso para empezar a comer. Era más disciplinada que Greta, y no únicamente a causa de su mayor edad.

—Vamos, Belle, come tú también —dijo Carlos con impaciencia. Quería salir a andar, perderse en la amplia zona de matorral que rodeaba el terreno del hotel. Si no se cansaba, los pensamientos que en aquel momento se movían por su cabeza necesitarían de toda la noche para asentarse.

Belle devoró los trozos de carne en un momento, antes de que Greta terminara con su parte, y dejó los restos de marisco después de olisquearlos ligeramente.

—¿Qué miras, Belle? —preguntó Carlos al percatarse de que el animal le observaba. A Belle le gustaba salir por la noche y andar campo a través, alejándose de los caminos y sin otra guía que el rastro de los pájaros que se escondían en la maleza o en los huecos de los árboles. En cuanto vio que Carlos cogía un bastón, salió corriendo en busca de su primera presa. Greta le siguió inmediatamente, pero sin saber muy bien adónde o a qué iba.

Alejándose de la zona de los árboles, Carlos caminó durante cerca de una hora. A pesar de la luna —poca— y las estrellas —muchas—, a pesar también de que la claridad de Barcelona confería al cielo una tonalidad de color gris oscuro, la noche recuperaba en aquel paraje deshabitado el poder de los tiempos remotos, y volvía a ser la misma noche que habían conocido los hombres de cuarenta mil años antes. A veces, cuando una ráfaga de aire se alzaba cerca, o cuando Belle o Greta tropezaban con él inesperadamente, Carlos creía sentir un temor idéntico al de los caminantes nocturnos y solitarios que habían pasado por allí con sus hachas de piedra y sus collares de conchas, un temor que se localizaba sobre todo en la piel. Y su piel se estremecía, y el vello de la piel se le erizaba con el vago presentimiento de un peligro, y él iba olvidando, cada vez más ajeno a los pensamientos que se agitaban en su mente, cada vez más firme en su decisión de acallar la voz de la Rata... Y seguía avanzando con fuerza, casi corriendo, utilizando su bastón como un ciego para apartar los arbustos o cualquier otro obstáculo que se opusiera a su marcha, pero arañándose a pesar de todo con los abrojos y los pinchos del matorral. De pronto, cuando pasaba junto a un muro de piedra, su bastón golpeó un bulto ligero; no una rama, ni una corteza, sino algo que le pareció de la consistencia de un trapo. Carlos se detuvo en seco, y permaneció a la escucha. Un momento después, oyó a Belle que escarbaba en la base del muro. Antes de que el perro se le acercara, ya había comprendido que aquel bulto, aquel trapo, era un pájaro al que había acertado con su bastón en el instante en que, sorprendido por él en pleno sueño, intentaba salir de entre la hierba y levantar el vuelo. Sintió la calidez del pájaro nada más quitárselo a Belle de la boca. Pero el pájaro estaba muerto, y la piel de sus manos ahora no tenía memoria, y no podía decirle qué habría hecho en su caso un hombre de cuarenta mil años atrás.

—¡Fuera, Greta! —le gritó Carlos apartándola de su lado con una patada. Pero el braco estaba muy excitado intentando quitarle el pájaro de las manos, e insistía en su empeño. Al fin, decidió dejarlo sobre el muro de piedra—. No te esfuerces, Greta. Aunque te pases toda la noche saltando no vas a coger el pájaro —le dijo poniéndose de nuevo en camino. Tenían que volver. Después del incidente, ya no tenía ganas de continuar andando.

Cuando las luces del hotel volvieron a quedar ante su vista, se desvió un poco y tomó la dirección de una charca que llamaban la Banyera de Samsó con la intención de darse un baño nocturno. Pero al llegar al sendero que conducía allá y dirigirse los perros colina abajo, cambió de idea y les silbó para que volvieran: que no, que por fin no iban, que ya irían al día siguiente después de que él hubiera hecho los cien panes para el restaurante. En aquel momento no sentía tanta necesidad de tumbarse en el agua y relajarse. La respiración y el ritmo de su corazón ya se habían sosegado, y sus pensamientos, aunque continuaban siendo sombríos, ahora eran nubes sueltas que podía seguir sin dificultad.

—Parece que os habéis cansado un poco —dijo a los perros cuando éstos entraron en el almacén sin un asomo de protesta.

Después de cerrar la puerta del almacén, y cuando ya subía hacia el hotel, oyó primero el ruido del motor de un autobús, y a continuación una música bulliciosa —bombo y clarinete— mezclada con exclamaciones de júbilo. Le extrañó aquel ambiente de fiesta, pero sólo por un instante, hasta que se acordó del partido y de los tres goles que había marcado Boniek. Sí, la selección polaca acababa de llegar al hotel acompañada de un montón de periodistas y aficionados.

Carlos evitó la entrada principal del hotel y, rodeando el edificio, se encaminó hacia la puerta trasera de la cocina. Antes de entrar, saludó a los dos hijos de Doro. Estaban en el garaje que había frente a aquella puerta trasera, desmontando el motor de una Montesa a la luz de una lámpara protegida por una red de alambre.

—Veo que no habéis caído en la tentación —les dijo después de acercarse a ellos—. Toda la gente de fiesta y vosotros arreglando una moto vieja.

—Es vieja, Carlos, pero muy bonita. Me la ha comprado mi padre para mí solo —contestó Juan Manuel, el mayor de los dos hermanos. Tenía veintidós años, y era ligeramente retrasado.

—Ya ves cómo son las cosas, Carlos. Dice que la moto va a ser para él, y sin embargo soy yo el que trabaja. ¿Qué te parece eso? —dijo su hermano dejando de

76

aflojar una tuerca. Se llamaba Doro, igual que su padre, y a Carlos le parecía una persona de otra época, un muchacho como los que vivían en las montañas de su pueblo natal y sólo bajaban a la calle Mayor el día que debían cortarse el pelo. De hecho, ni Doro ni Juan Manuel bajaban nunca a Barcelona.

—Que vuestro padre os mima demasiado, eso es lo que me parece —les dijo alejándose hacia la cocina.

—Eso sí que es verdad —se rió Juan Manuel—. Hoy nos ha dado fiesta. Dice que Laura y María Teresa bastan y sobran para servir las cenas de esta noche.

—Una excusa, Carlos. La cuestión era dejarnos sin banquete, y al final lo ha conseguido —dijo su hermano, y los dos volvieron a reír.

Carlos envió un saludo rápido a todos los que estaban trabajando en la cocina —Doro, Laura, Nuria, María Teresa—, y desapareció tras la puerta que daba a las escaleras del apartamento antes de que nadie tuviera tiempo de corresponderle. Sentía el estómago vacío, pero no le apetecía unirse al banquete. No quería tomar parte en la celebración. A él —la idea le sobrevino subiendo las escaleras— le gustaba la clase de alegría que observaba en los hijos de Doro. Una alegría tranquila, lenta.

Permaneció en la ventana de la sala del apartamento, comiendo una manzana y dejando que las luces de los alrededores del hotel y el bullicio que subía desde la terraza entraran en sus ojos y en sus oídos. Pero, después de la caminata, ya no le interesaba mucho lo que pudiera suceder en el exterior. Todo su pensamiento estaba ocupado por la figura de su hermano. Aquélla era la única nube que quería seguir.

«Y en el hotel no estamos únicamente Pascal y nosotros dos, también está Guiomar. Y luego están Doro y sus dos hijos, y los socios que nos ayudaron a comprar el hotel, y María Teresa, y Beatriz...» ¿Cómo podía olvidar Ugarte lo que le debía a su hermano? Al mencionar a los que resultarían perjudicados por el cierre del hotel, ¿cómo no había nombrado a Kropotky? Sí, era cierto que si la policía encontraba a Jon y Jone el negocio del hotel se tambalearía, porque una investigación a fondo sacaría a la luz el montaje económico que estaba en su base. Pero eso ocurriría únicamente en el caso de que la investigación fuera realmente a fondo, y sólo en tal caso, pues el capital obtenido en los atracos que habían realizado después de la amnistía estaba muy bien camuflado. Y precisamente en ese camuflaje era donde intervenía Kropotky. Él era una de las piezas de las que se había servido el grupo. Ugarte, eufórico tras el éxito de los dos atracos, había dicho: «Ahora voy a proponer una cosa que tiene que ver con la organización económica del grupo, porque así como tú, Carlos, eres el rey de los atracos, y tú, Guiomar, alias Fangio, alias Foxi, eres el rey del volante, yo soy el rey de las finanzas. Bueno, yo creo que si queremos comprar el hotel con una seguridad total, lo primero, Carlos, y te lo voy a decir sin remilgos, y si no estás de acuerdo entonces cierro la carpeta y nos olvidamos del tema... Lo primero que tenemos que hacer es ingresar a tu hermano en un sanatorio psiquiátrico. Sí, Carlos, en un sanatorio psiquiátrico, déjame que termine de explicar. Tenemos que meterlo en un sanatorio, o sea, convertirle en loco a efectos legales, entiendes, Carlos. Ya sé que esto te resultará duro pero tienes que comprender que Kropotky lleva dos o tres años bastante trastornado, y que hasta la gente que hacía yoga con él le ha denunciado, y que a este paso acabará mal. Así pues, yo creo que por un lado vamos a hacerle un favor declarándole legalmente loco y llevándole a un sanatorio, a un sanatorio privado, como aquel que se llamaba La Rosairie y que estaba cerca de Biarritz. Por otro lado, y éste es el aspecto que nos conviene a nosotros, y me siento como un buitre al decir esto, pero a pesar de todo tengo que decirlo... Pues por otro lado, uno que legalmente está loco no puede gastar, no puede manejar dinero, no puede firmar documentos, en el terreno económico no puede hacer nada por su cuenta, y por tanto, tú, Carlos, serías en este caso el administrador de sus cuarenta o cincuenta millones, ¿me comprendes?». «Sí, Ugarte —había dicho él después de la larga explicación de su compañero—, ya sé adónde vas a parar. Quieres camuflar el dinero que les hemos sacado a los bancos como herencia de Kropotky y mía. Pero, por una parte, es mucho dinero, y por otra, estás equivocado en eso de que Kropotky está loco. A mí no me da esa impresión cuando hablo con él. De acuerdo en que es insociable, y que ese orientalismo suyo aquí resulta extraño, pero no me parece que la cosa vaya más allá. Y lo digo con toda frialdad, ya sabes que desde hace mucho tiempo no me llevo bien con mi hermano». Y de nuevo Ugarte: «La verdad, Carlos, aquí hay dos cosas, una fácil y la otra difícil. La fácil sería camuflar el dinero. Supongamos que Kropotky está en el sanatorio y que tú tienes toda la responsabilidad sobre la herencia familiar. Entonces vendes el restaurante de tu familia, vendes la casa y los terrenos, vendes la panadería y todo lo demás, y cada venta la inflamos, nos ponemos de acuerdo con los compradores y les hacemos un precio especial si redactan el contrato como nosotros les digamos. Añade a eso lo del oro que guardaba tu abuelo en su casa, porque esa leyenda se la he oído a mucha gente de tu pueblo, que tu abuelo compraba los lingotes en Suiza y los guardaba en un arca de su cuarto, y claro, yo podría conseguir que alguien me pasara unos lingotes de verdad por la frontera para aprovechar la leyenda e incrementar todavía más tu herencia. Con todo ello, con lo que es tuyo de verdad y con lo que los bancos nos han obsequiado, creo yo que podremos llegar a los cien millones. Y en la actual situación, recién salidos de la dictadura como estamos, es imposible que alguien se dé cuenta del camuflaje. Van a hacer falta todavía otros diez años para que el Estado se organice y ponga los medios para controlar la economía. Así es que, en ese aspecto, no hay problema. Dejad a mi cargo la dirección de la operación, ya os he dicho antes que he salido de la cárcel hecho un rey de las finanzas. Ahora bien, la parte difícil, difícil sobre todo para ti, Carlos, es la otra, ingresar a tu hermano en un sanatorio psiquiátrico. Tú dices que no es un loco, sólo asocial y seguidor de doctrinas raras. Pero no es eso lo que piensa la gente. Perdona, pero es así. Desde que tu hermano hizo aquel experimento con LSD y puso patas arriba a medio barrio de Obaba, todos le tienen por loco. Si entonces no llegó a ir a la cárcel fue precisamente porque los abogados alegaron acceso de locura, trastorno mental transitorio. Pero, claro, se trata de tu único hermano, Guiomar y yo no podemos intervenir en eso. Pero te lo repito, estará mejor en un sanatorio». «Mejor, mejor... No digas que mejor, Ugarte —había contestado Guiomar tomando la palabra por primera vez—. ¿Cómo va a estar mejor en un sanatorio que en su comuna? Di que estará más seguro, eso sí, o que allí estará a salvo de los ataques de la gente, porque yo creo que ése es el verdadero problema de Kropotky, que un día la gente va a lincharle, fíjate cuántas veces le han pegado con la excusa de una pelea. O sea que di eso, pero por favor, no digas que estará mejor en un sanatorio. No has hecho más que salir de la cárcel y ya estás cantando las ventajas de una institución represiva». «Yo no estoy cantando las ventajas de una institución represiva —de nuevo Ugarte—. A fin de cuentas, tú mismo has dicho que allí estaría más seguro, ahí tienes una ventaja. Pero, bueno, yo no voy a decir nada más, porque de lo contrario va a parecer que sólo a mí me interesa comprar ese hotel, y que soy yo el que anda detrás del dinero, y eso no es verdad. A pesar de que Laura se ha quedado embarazada y que de ahora en adelante debo preocuparme más del porvenir, eso no es verdad. Yo solamente digo que tenemos la posibilidad de vivir el resto de nuestros días sin preocupaciones. Y que para ello, antes hay que declarar loco a Kropotky. Porque, si no, está claro, necesitaríamos su complicidad. Y yo no me fío. En primer lugar, no sé si guardaría el secreto, y luego, seguro que fundiría en un año su parte de la herencia, incluidos los obsequios de los bancos. Y llegado a este punto, el jefe de las finanzas del grupo se calla y deja la decisión a Carlos. A fin de cuentas, siempre has sido tú el responsable de zona».

Cinco años después, Ugarte no daba muestras de acordarse de su hermano. Pero ¿cómo podía olvidarse?

Entonces ¿qué podía pasar? En caso de que él acabara en la cárcel por aquella cuestión de Jon y Jone, ¿no se iba a ocupar nadie de su hermano? Los informes procedentes de la residencia donde estaba hablaban del agravamiento de su confusión mental, y de la creciente dificultad para comunicarse con él. Con todo —también lo decían los informes—, su salud física era buena, y parecía satisfecho de tener una habitación propia y de poder disponer de un parque donde pasear. Pero si no se pagaban las facturas, lo llevarían a un psiquiátrico público. ¿Qué pensaría Kropotky entonces? Porque, claro, Kropotky se daba cuenta de todo. Que no quisiera hablar era una cosa; que fuera tonto, otra.

Carlos percibió los destellos azules y rojos de la gasolinera, y acto seguido —como si dicha combinación de colores fuera la clave para volver a la realidad— vio todas las demás luces, la de la iglesia iluminada del pueblo, la de los autos que en aquel momento pasaban por la carretera, la del incendio que se mantenía activo en una de las laderas de Montserrat. Luego, a medida que también sus oídos iban volviendo a la realidad, escuchó el ruido de platos y el murmullo que llegaban desde las mesas de la terraza, y un instante después, el timbre del teléfono. Comprendió de pronto que lo que le había sacado de su ensimismamiento no eran las luces de la gasolinera, sino la llamada del teléfono. Al principio pensó que sería Jone, que ella o Jon tendrían algún problema. Pero no, en la zona de la panadería no se notaba nada anormal, y además, era mucho más lógico que la llamada fuera de Guiomar y no tuviera otra finalidad que la de invitarle a tomar el postre en la terraza. Sí, Guiomar era un buen amigo. En caso de necesidad, sería él quien asumiera el cuidado de Kropotky. Pero Guiomar siempre hablaba de irse a vivir a Cuba, y tampoco aquella solución parecía segura.

Cuando el teléfono dejó de sonar, Carlos fue a su habitación y se tumbó en la cama. Sus pensamientos giraban ahora en torno a lo que había sucedido en su caminata. Pensó que el pájaro que había golpeado con el bastón era el segundo que mataba en toda su vida, y que el primero, un martín pescador, lo había derribado en su pueblo natal hacía veinticinco años. Por un momento, también le llegó la voz de la Rata, pidiéndole cuentas por lo sucedido con su hermano: que era inútil que pretendiera culpar a Ugarte, que al fin y al cabo los papeles para meter a Kropotky en el psiquiátrico los había firmado él, y que si Kropotky en su tiempo había tenido fama de Caín, él era otro Caín. Pero estaba muy cansado: los pensamientos pasaron por su cabeza como nubes diminutas; los reproches de la Rata, como un soniquete amortiguado por varios filtros. Al final, se durmió con la ropa puesta.

El nacedero de agua que recibía el nombre de la Banyera de Samsó se encontraba a veinte minutos andando desde el hotel, y a primera vista parecía una charca que la lluvia hubiera dejado en medio de los arbustos y la maleza. Sin embargo, no era el lugar inofensivo que su apariencia y el calificativo de *banyera* daban a entender. Como enseguida advertían quienes conseguían acercarse hasta allí, sus aguas carecían de reposo y un continuo temblor agitaba su superficie. Aquel aparente contrasentido —el movimiento del agua en un espacio cerrado— se atenuaba cuando el visitante descubría las burbujas que surgían del fondo y caía en la cuenta de que la charca era, efectivamente, un nacedero, y quedaba completamente resuelto cuando el mismo visitante hacía su segundo descubrimiento: la supuesta charca no era en realidad un círculo cerrado, sino que tenía un punto de ruptura, justo donde había una grieta que se tragaba el agua; tragándosela, además, para siempre, hacia una sima de donde nunca volvía a salir a la luz del sol. Existía, eso sí, un cauce para aquellas aguas, que además tenía un nombre —la Riera Blanca—, pero ninguna de las personas que se acercaban allá recordaba haberlo visto lleno. De cualquier forma, eran escasos los visitantes que se animaban a ir a la charca. Bañarse allí estaba prohibido, y el acceso era difícil. El sendero que la unía con la carretera llevaba años cubierto por la maleza, y quien quisiera acercarse debía atravesar forzosamente el terreno del hotel.

A Carlos le gustaba la charca, y solía bañarse en ella, y no en la piscina del hotel. Al igual que la panadería y su habitación en el apartamento, la Banyera le parecía un lugar silencioso, protegido, separado del mundo, y solía visitarlo cuando, aburrido de la panadería y aburrido de su habitación, no quería, sin embargo, estar con nadie; o bien cuando el modo de vida que llevaba durante los últimos cinco años le resultaba excesivamente monótono y deseaba paladear el peligro que suponía nadar cerca de la grieta. Y cuando necesitaba defenderse de las acusaciones de la Rata, la Banyera también le ayudaba, porque le bastaba sumergir la cabeza y sentir el ruido del agua en los oídos para que aquella voz interior se hiciera casi inaudible.

Al día siguiente de la victoria de Polonia sobre Bélgica, Carlos cumplió la promesa que durante la caminata de la víspera había hecho a los perros y bajó a la Banyera nada más terminar su jornada de la mañana en la panadería. Llevaba un cuarto de hora bañándose cuando Belle y Greta se pusieron a ladrar anunciándole la cercanía de alguien que, probablemente, venía por el sendero. Aunque tenía la mayor parte de la cabeza sumergida en el agua —estaba haciendo la plancha— y no podía oír los ladridos con claridad, advirtió inmediatamente que los perros no ladraban a Guiomar ni a ninguna otra persona conocida. Los ladridos eran agresivos.

Al principio decidió hacer caso omiso de la advertencia y seguir tumbado sobre el agua. Pero los ladridos de Belle y Greta fueron en aumento, cada vez más hostiles, y al final no le quedó más remedio que incorporarse y prestar atención. Entonces vio a una mujer que, desde la orilla de la charca, le saludaba y le pedía que siguiera con su baño. Era la intérprete de la selección de Polonia, Danuta Wyca, la *abuela* de Pascal. Se cubría la cabeza con una pamela de rafia y llevaba un vestido de algodón blanco. Como Carlos no hacía ademán de moverse, ella le mostró el libro que tenía en la mano: que no se preocupara por ella, que se sentaría a leer en una de las rocas de la orilla mientras él terminaba de bañarse.

—Guiomar y Pascal vienen hacia aquí —anunció sin forzar mucho la voz. Agitaba el libro delante de los dos perros. La curiosidad de Belle y Greta era una amenaza para la blancura impecable de su vestido.

Guiomar y Pascal tardaban más de lo previsto en llegar, y al final, cuando habían pasado diez minutos desde la llegada de la mujer, Carlos decidió salir del agua. No podía concentrarse teniendo testigos. Tumbarse en el agua con las piernas y los brazos extendidos, sentir las gotas del líquido en los orificios de la nariz, sostener la mirada en el cielo azul hasta que le lagrimeaban los ojos, todo ello constituía una parte importante de la ceremonia de su baño; pero la ceremonia sólo podía llevarse a cabo en soledad, o en una compañía amistosa como la de Guiomar o María Teresa.

Carlos se puso una camisa de manga corta y fue a sentarse frente a Danuta. Durante un rato, hablaron del tiempo: sí, hacía menos calor que los días anteriores, y el cielo estaba más limpio. De vez en cuando, la conversación decaía y ambos se quedaban en silencio. En uno de esos intervalos, ella dejó el libro en su regazo y le señaló las prohibiciones de bañarse colocadas en todo el contorno de la Banyera.

—Yo tampoco obedecería la ley. Bañarse aquí parece más interesante que hacerlo en la piscina del hotel —dijo marcando las erres. La impresión que había tenido Carlos al verla en televisión se confirmaba viéndola de cerca. Sí, la mujer tenía un cierto aire aristocrático, y era una abuela *bonita*, una figurilla de porcelana. Estaba exquisitamente maquillada en tonos malvas y sus pendientes eran dos lágrimas verdes sujetas a un engarce de plata—. ¿Le parece que estoy bien? —le preguntó de pronto Danuta, irguiéndose y sonriendo abiertamente como para una fotografía. Carlos se sintió un poco turbado. Pensó que su examen a Danuta se había prolongado más de lo conveniente.

—Muy bien. Es muy bonito su sombrero. Y sus pendientes también son muy bonitos —respondió. Su voz seguía siendo tranquila, pero la situación le resultaba incómoda. Le sorprendía el comportamiento de Danuta. Las mujeres de cierta edad que él había conocido jamás hacían ese tipo de preguntas.

—No son más que bisutería. Ya sabe usted, en Polonia vivimos muy pobremente, y no nos podemos permitir el lujo de tener joyas auténticas.

Mientras lo decía, Danuta le puso en la mano uno de sus pendientes. No pesaba nada.

—Son más bonitos que muchos auténticos —acertó a decir Carlos devolviéndole el pendiente.

—Tiene razón, son muy bonitos. Pero no exageremos. Unas esmeraldas auténticas serían otra cosa. Y ahora que me doy cuenta, ¿qué le ha pasado en los brazos? Los tiene llenos de arañazos.

—Ayer anduve quitando zarzas. No es nada.

Los perros se pusieron a ladrar de nuevo, pero oyeron un silbido y salieron corriendo hacia el sendero. Guiomar y Pascal aparecieron unos segundos más tarde: Guiomar con una cesta de mimbre al brazo, Pascal con una correa de dos tiras para atar a los perros.

—Me parece que Guiomar quiere hacer un picnic —dijo Danuta dejando el libro sobre una piedra y levantándose para saludar. El libro era de un autor llamado Cyprian Kusto, y, por lo que podía entender, se trataba de un libro de poemas.

—Sándwiches de tres clases, cerveza, un poco de fruta y ocho tazas de café bien caliente en el termo. ¿Qué, será suficiente para celebrar la victoria de Polonia? Lo digo porque aquí hay alguien que todavía no lo ha celebrado —comentó Guiomar mientras abría la cesta. Como casi siempre, estaba de muy buen humor—. ¿Dónde has andado para tener así los brazos? —le preguntó a Carlos cuando advirtió los arañazos. Recibió la misma respuesta que Danuta.

—¿Y yo no lo voy a celebrar? —dijo Pascal acercándose a los sándwiches. Pero los perros le resultaban más atractivos que la comida y se fue tras ellos sin esperar respuesta.

Belle y Greta no querían que nadie las atara y, más ágiles que el niño, huían de la doble correa que llevaba Pascal escabulléndose entre las rocas y los arbustos que salpicaban la orilla de la charca. Pero el niño no cejaba en su empeño, y los perros acabaron refugiándose en la zona de la grieta. Greta —más por el ímpetu de sus dos años que porque le inquietaran los gritos y amenazas del niño— saltó a la roca del borde superior de la grieta y empezó a recorrerla por su extremo. Por un momento, todos los presentes —Carlos, Danuta, Guiomar, incluso Belle y Pascal— se quedaron mirando al braco conteniendo la respiración: un resbalón, y la cascada que se formaba justo allí la arrastraría al fondo de la sima.

—¡Greta! —gritó Carlos mientras le mostraba en el aire uno de los sándwiches de la cesta. Por toda respuesta, Greta ganó suelo seguro en sólo dos saltos. Luego dio otros diez más y, pasando junto a Pascal, llegó hasta el grupo—. Es difícil que un perro inteligente se despeñe por sí mismo —añadió Carlos después de darle al braco la mitad del sándwich—. Claro que Greta no es muy inteligente. La que es inteligente de verdad es Belle, y por eso no la ha seguido hasta la roca. ¿No es verdad, Belle?

Belle se tragó la segunda mitad del sándwich con la misma rapidez que Greta. Luego, a una señal de Carlos, se apartaron del mantel extendido por Guiomar y fueron a tumbarse a la sombra. Habían comido antes de salir hacia la Banyera, y no les importó obedecer la orden.

Volvería la tranquilidad a la Banyera de Samsó, y conversarían los tres como verdaderos interlocutores, de una manera que a Carlos, por lo agradable, por lo serio, se le haría casi extraña. Pero antes de eso tuvieron que dedicarle una media hora entera al niño: primero, para que se recuperara del susto que se había llevado con Greta y dejase de llorar; después, para que comiera un sándwich; a continuación, para que dejase en paz a los perros. Por último, Guiomar consiguió que se tumbara en una sombra próxima a la de los perros y se pusiera a dormir. Había llegado el momento de hablar tranquilamente.

Mientras duró la comida fue Danuta quien más habló, sobre todo a instancias de Guiomar, que le preguntaba acerca de los futbolistas que habían venido con ella, sobre Boniek, sobre Lato, sobre Mlynarczyk. Para cuando se sirvieron la primera taza de café del termo, la conversación entre ellos no carecía de acentos íntimos. Todo favorecía la palabra, tanto el frescor que emanaba de la charca como el sonido del agua o la limpidez del cielo.

—Claro que, hasta ahora, me he referido a nuestros futbolistas de una forma determinada —dijo Danuta algo pensativa. Mantenía la taza de café a dos centímetros de los labios—. Pero desde un planteamiento más serio del tema... en fin, ya saben que el aroma del café estimula la confianza entre amigos... entonces diría que son unos cerdos.

Tanto Guiomar como Carlos la miraron sorprendidos, por lo inesperado de la opinión, y por la suavidad que prestaban al calificativo su voz y su forma de hablar. *Cerdos*, en su boca, se convertía en una palabra melancólica.

—Sí, la mayoría son gente sin espíritu —continuó Danuta con la vista puesta en el agua de la charca—. No lo digo porque no sientan el socialismo, lo digo en un sentido más general. Se mueven siempre a ras del suelo. A veces les veo preocupados y con ganas de luchar por algo, pero su meta siempre resulta ser algo material, algo ordinario, algo por lo que también podría luchar un cerdo. A mí me parece inconcebible que esos muchachos sean de la misma nación que Rosa Luxemburgo. ¿Conocen ustedes a Rosa Luxemburgo? Es una de las más grandes mujeres que ha dado Polonia.

—No muy bien —dijo Guiomar. Carlos también negó con la cabeza, aunque recordaba haber leído algún pasaje suyo acerca del problema de las nacionalidades.

—La madre de Pascal dice que Lenin comprendió mejor que Rosa Luxemburgo la situación de las pequeñas naciones, y que tiene muy pocos seguidores entre los catalanes y los vascos. Puede ser, claro, habría que verlo, ¿no? La situación a comienzos de siglo era especial, muy distinta a la de ahora. Pero así y todo, Rosetta fue grande, fue una Juana de Arco de la revolución socialista, o más que eso, una figura muy compleja, de muchísimo espíritu. Recuerdo, por ejemplo, como prueba de esto que estoy diciendo, una carta que ella escribió a una amiga...

Danuta cerró los ojos como para recordar mejor. Durante un instante, se dejó oír el chapoteo del agua contra las piedras de la orilla. El matorral que rodeaba la charca estaba silencioso. Los insectos parecían tan dormidos como Pascal y los perros.

—Cuando surgieron las revueltas de 1906 —continuó Danuta después de la pausa—, Rosa Luxemburgo no estaba en Polonia, y cuando le contaron lo que sucedía escribió una carta que más o menos decía lo siguiente: «Me han dicho que las cosas están muy mal en Varsovia y que constantemente se corre peligro de muerte, así que estoy deseando ir allá enseguida. ¡Eso es diez veces más interesante que este Petersburgo dormido! En este Petersburgo, nadie reconocería la revolución, ni aun viéndola pasar por la calle». ¿Qué les parece? —preguntó Danuta con una sonrisa que cambiaba la expresión de su cara y la hacía parecer más joven—. Cuando yo hablaba de espíritu, me refería a eso. ¿Que allí se puede perder la vida haciendo la revolución? Ah, entonces, allá voy. ¿No es una actitud magnífica?

—Sí, claro que lo es —dijo Guiomar haciendo el gesto de colocarse bien las gafas—, pero lo que usted dice me sorprende. Yo creo que a Boniek o a Lato no se les puede pedir que arriesguen su vida por la revolución. A ellos se les pide lo que se les pide, que jueguen bien al fútbol, y no es justo que luego se les compare con Rosa Luxemburgo. Además, en la medida en que yo les conozco, es gente muy noble. Les sugerí lo de jugar un campeonato de ping-pong con el personal del hotel y todos dijeron que sí, sin ningún problema. Seguro que los jugadores de la selección de España no habrían aceptado.

Guiomar estaba un tanto molesto. Apenas hacía una semana que se relacionaba con los jugadores de Polonia, pero en su caso, ese tiempo era suficiente. Mientras durasen los Mundiales, los hombres de Piechniczek eran su equipo, y estaba dispuesto a defender su nombre ante quien fuese. Incluso ante la intérprete que había venido con ellos.

—Me parece que has tomado demasiado literalmente las frases de Danuta —le dijo Carlos. Quería que la mujer continuara con su reflexión. No era fácil tropezarse con alguien que hablara como lo estaba haciendo ella.

—No sé, es posible que Guiomar tenga razón, y es posible también que yo haya abusado de su confianza...

—Entonces, tome más café. A más café, más confianza —le dijo Guiomar sirviéndole un poco de café del termo.

Danuta se lo agradeció con una inclinación de cabeza.

—Pues sí, es posible que yo sienta agresividad contra los jugadores de la selección de mi país, contra esos muchachos que a usted le parecen nobles, Guiomar, y que quizá lo sean. Y a lo mejor no hay aquí ningún misterio ni ninguna razón filosófica, a lo mejor mi agresividad sólo tiene que ver con mi calidad de intérprete. Ustedes no se imaginan lo que es trabajar de intérprete con una selección de fútbol. Sin ir más lejos, ¿cuántas veces habré dicho esta mañana que Rusia tiene un excelente juego defensivo y que será difícil meterle un gol en el partido del domingo? Veinticinco veces, por lo menos. Con eso lo he dicho todo.

Danuta sacó un paquete de tabaco de su bolso. Fumaba Marlboro, la misma marca que Jone. Era un detalle trivial, pero a Carlos le sorprendió la coincidencia.

—¿Qué creía, que no fumaba? Pues sí fumo. No mucho, pero fumo —le dijo a Carlos al advertir que miraba el paquete.

—No, no pensaba en eso. He pensado que yo también voy a fumar. El primero en los dos últimos meses.

—Carlos tiene mucha fuerza de voluntad, fuma lo que se propone. Si es un cigarrillo al mes, un cigarrillo; si son cinco, cinco. A mí me resulta imposible —añadió Guiomar. Él estaba fumando ya, pero tabaco negro.

—Siguiendo con el tema de antes, ¿saben lo que verdaderamente me da rabia, lo que no puedo soportar? —dijo Danuta reanudando la conversación. En contra de lo que sus palabras daban a entender, parecía más serena que nunca—. Pues que esos jugadores, todos los jóvenes de Polonia en general, sean tan impermeables como son. Es gente nacida durante el socialismo, gente educada por el socialismo, gente que debería ser nueva, diferente, y sin embargo nada les ha calado. Para mí es un misterio. ¿Cómo es posible? ¿Cómo puede una persona ser tan impermeable, tan reacia? Rascas un poco en su superficie, y te das cuenta de que siguen aferrados a la fe simplona y a las supersticiones de sus abuelos, y que su modelo no es precisamente Rosa Luxemburgo, sino la Virgen de Chestokowa. ¿Y qué pasa luego? Pues ya lo vieron ayer en las gradas del Nou Camp. Los capitalizan los reaccionarios.

Cuando acabó de hablar, la rabia de Danuta parecía real. Se quitó la pamela y empezó a abanicarse con ella.

—Yo creo que a los futbolistas los utiliza todo el mundo —intervino Guiomar—. También Jaruzelski los utilizará a veces, siempre que pueda. Si el equipo sigue haciendo un buen papel, seguro que el Gobierno de Polonia hará suyas las victorias. Y, claro, los del sindicato Solidarnosc intentan lo mismo. Pero yo no veo qué pueden hacer Boniek y sus compañeros ante una cosa así.

—Pero Danuta no está hablando de eso, Guiomar. Está hablando del fracaso de una revolución. Creo que te complicas la vida con detalles de segundo orden —intervino Carlos.

—Así es, creo que estoy hablando de un fracaso —dijo Danuta en tono de duda—. Lo que quiero decir es que no han recogido los mensajes transmitidos por nuestra generación. Que no han leído una sola línea de Rosa Luxemburgo.

—Por un lado, es normal —dijo Guiomar algo cansado y con ganas de zanjar la discusión. No le disgustaba la charla, pero tenía sueño. La fiesta de la noche anterior se había prolongado mucho.

—Sí, seguramente es normal —dijo Danuta tras beber el café que quedaba en su taza—. Pero, por decirlo de algún modo, me resulta duro ver todos los días a estos chicos que representan el fracaso de mi generación. En fin, hablemos de otro tema —suspiró Danuta cambiando de tono—. Además, ya no hay café, así que tampoco hay crédito para seguir hablando en confianza. Pero, de verdad, esta conversación me ha venido muy bien. Me hace sentirme persona después de haber repetido veinticinco veces lo del juego defensivo de Rusia.

—A mí ya no me queda ni tiempo —dijo Guiomar mirando el reloj—. A las cinco tengo que estar en Barcelona para hacer unas compras. Y antes tengo que dejar al niño con su madre.

—Entonces, ¿por qué no nos ponemos ya en marcha poco a poco? —propuso Danuta—. Podemos seguir charlando mientras andamos. Por el niño no se preocupe, ya me encargo yo de llevárselo a Laura. Los periodistas no llegan hasta las siete, y estoy libre hasta entonces.

Guiomar y Carlos estuvieron de acuerdo, y empezaron a recoger las cosas. Enseguida —bastó que dos botellas vacías de cerveza chocaran en la cesta—, Belle salió de la sombra y comenzó a dar vueltas alrededor de Carlos muy inquieta, como si de pronto le corriera prisa regresar al hotel. Siguiéndole los pasos, pero más perezosa, Greta se acercó a la orilla de la charca y se puso a beber agua. Por su parte, Pascal recibió con lloriqueos a su abuela y a Guiomar. No quería darles la mano, no quería moverse, no quería ir donde su madre ni comer algo rico en la cocina del hotel. Quería seguir durmiendo.

—¡Qué mal despertar tienes, Pascal! —le dijo Guiomar cuando los lloriqueos del niño se hicieron estridentes.

—Dale la correa de dos tiras —aconsejó Carlos.

Resultó una buena solución. El niño cogió la correa y comenzó a perseguir a los perros.

El sendero que llevaba desde la Banyera de Samsó al hotel era demasiado estrecho para que los tres pudieran caminar juntos, y la conversación decayó. De vez en cuando, Danuta —que abría la marcha y que, con su libro de

Cyprian Kusto bajo el brazo, tenía el aspecto de una maestra jubilada— volvía la cabeza y hacía algún comentario sobre los arbustos o las plantas que veía al pasar, y tanto Guiomar como Carlos completaban aquel comentario con otro más breve. Pero a medida que avanzaban, empezó a pesarles el calor y se resignaron a caminar en silencio.

—Se me había olvidado el calor que hacía. Aquí hay tres o cuatro grados más que en la charca —dijo Danuta cuando llegaron a la zona donde el camino, ensanchándose, discurría entre dos campos de olivos. Se detuvo a respirar—. Pero eso no es lo peor. Lo peor es que al bajar se me ha olvidado que luego habría que subir la cuesta.

Tenía el maquillaje descompuesto y parecía bastante cansada. En aquel momento, y contra la impresión que había tenido Carlos hasta entonces, sí aparentaba ser la mujer de más de sesenta años que en realidad era. Sacó del bolso el pañuelo y un espejito, y empezó a retocarse la cara.

—Estamos llegando —le dijo Guiomar señalando las casetas, el almacén y la panadería, que se entreveían después de los árboles.

Nada más terminar la frase apareció Greta, y al cabo de un rato, sujeta a un extremo de la correa de Pascal, Belle.

—Eres un animal muy inteligente, Belle, pero demasiado dócil —le dijo Guiomar al advertir que el niño la llevaba atada.

—Se lo habrá permitido por nosotros. Para que hiciéramos el camino en paz —respondió Carlos soltando a Belle.

—¡Oh, Carlos, qué malo es usted! —exclamó Danuta, a la vez que le daba una palmada en el brazo. Fue un gesto juvenil.

Poco después, mientras Carlos encerraba a los perros en el almacén, se acercó a la segunda caseta y dio un grito:

—¡El pan!

Aspiró el aire de forma ostensible, y se volvió hacia Guiomar.

—¡Así que es aquí donde hacen ese maravilloso pan que nos sirven en el restaurante! ¡En el mismo hotel! —se acercó a la puerta y volvió a aspirar con fuerza—. ¡Hacía años que no sentía este olor a panadería!

—Lo hace Carlos. Él es el panadero del grupo —le informó Guiomar.

Carlos salió del almacén y se encontró a ambos esperándole delante de la panadería, mientras Pascal daba patadas en la puerta y hacía esfuerzos por abrirla. Por un instante, permaneció indeciso: no sabía si dirigirse a Pascal y apartarle de la puerta de un tortazo, o bien emprenderla con Guiomar y decirle las cuatro cosas que se merecía. Lo que más deseaba era esto último. Guiomar sabía bien que aquél era su territorio, un lugar muy íntimo, y también estaba al corriente de lo poco que le gustaba ver gente extraña por allá. En realidad, todos los que trabajaban en el hotel estaban enterados de ello. Ugarte jamás se presentaba allí, y Laura lo mismo. Los únicos del hotel que conocían la panadería eran el propio Guiomar y María Teresa. «Beatriz también la conoce, ¿no?», le susurró de pronto la Rata, recordándole la desagradable sorpresa que meses antes había recibido allí. La sorpresa quedaba resumida en la última frase pronunciada por *la nostra bellissima Beatriu*: «Todavía no se me ha pasado por la cabeza engañar a mi marido, y en caso de que decidiera hacerlo, no le engañaría contigo».

—Dígame la verdad, Carlos, ¿estoy abusando de su confianza? Quizá le estamos pidiendo demasiado —oyó de pronto, cuando todavía no había acabado de salir de sus pensamientos. Danuta estaba a su lado. Parecía un poco agitada, y cada vez que movía la cabeza las dos lágrimas verdes le bailaban en las orejas.

—¿De veras le interesa ver la panadería? —le preguntó Carlos.

—Como dijo Rosa Luxemburgo, todas las cosas que producen alegría me interesan. Además, se lo digo en serio, pocas veces he comido un pan como el suyo. Y, no crea, he visto mucho mundo. Conozco muchas naciones además de nuestra pobre Polonia —le respondió Danuta.

A Carlos le gustó la actitud que adoptó Danuta en el interior de la panadería. Ya no se deshacía en exclamaciones o grititos, y se movía por la pieza como por una capilla, guardando un silencio casi completo y dedicando miradas atentas a todos los objetos que había allí: los moldes, los sacos de harina, la pala en forma de remo para manejar los panes en el horno. Además, logró que todo el grupo se contagiara de su actitud, y hasta Pascal se sosegó y se puso a jugar con la manivela del horno. Según todas las apariencias, Danuta sabía, o bien presentía, la peculiaridad del lugar: que no se trataba sólo de una caseta construida con ladrillos y cemento, sino que allí había una segunda construcción, superpuesta a la primera, una construcción inmaterial cuyas paredes estaban hechas con el olor del pan y de la harina. Y que de esa manera, caseta más caseta, aquel lugar se convertía en un refugio, apartado del mundo de los vivos, sí, pero directamente comunicado con los lugares felices del pasado; con la panadería familiar, con la cabaña del monte que una vez tuvo con su hermano en Obaba, con cierta casa solitaria de un pueblo francés llamado Brissac.

—Pasé tanta hambre de pequeña, que me parece que no hay olor más maravilloso que el del pan —confesó Danuta deteniéndose junto a la puerta.

Carlos estaba sentado en el suelo, con la espalda apoyada en una de las paredes de la leñera. Guiomar también se había sentado, pero en el rincón donde reposaban los sacos de harina. Danuta se quedó mirando el folio clavado en la puerta. Luego empezó a leer en voz alta:

—*Arriba y abajo anda errante mi alma, implorando reposo: de esta manera huye el ciervo herido hacia los bosques...* ¿Puedo continuar? —preguntó. Carlos y Guiomar asintieron—. *Pero el lecho de musgo ya no le ofrece deleite a su corazón, y se queja insomne sintiendo miedo de la flecha, e inútiles son ya para ella el calor de la luz o la frescura de la noche, inútilmente también baña sus heridas en las aguas del río...*

Danuta no hizo ningún comentario, pero acentuó el sigilo de sus movimientos cuando cogió su silla y fue a sentarse junto a la mesa de amasar el pan. Carlos se acordó de Jone. Ella no había mostrado el menor interés por el poema. Fumaban la misma marca de tabaco, pero el parecido entre las dos mujeres terminaba ahí. ¿Qué estarían haciendo Jone y su compañero en aquel mismo momento, justo debajo de él? ¿Dormirían? ¿Redactarían algún informe? ¿Repasarían los artículos que sobre ellos había publicado la prensa? Una segunda asociación le hizo acordarse de Neptuno. Como todos los martes, se presentaría en el hotel hacia las siete, y traería la prensa del País Vasco para la pareja. Y traería también la respuesta de la organización, afirmativa o negativa. En el caso de que fuera afirmativa, Neptuno se los llevaría al día siguiente.

—Pensándolo bien —empezó a hablar Danuta suavemente—, ustedes forman un grupo muy peculiar. Y la verdad es que estoy muy sorprendida, no lo esperaba en un hotel. Sorprendida y muy contenta, claro, porque venir aquí ha sido como entrar en un oasis, una oportunidad de salir del desierto intelectual que es el deporte. Pero no cabe duda de que es un grupo muy peculiar. Primero supe que la madre de Pascal es una leninista entusiasta. Después, Pascal mismo me dijo que había nacido en Francia porque su madre estaba allí como refugiada, y que su padre había pasado unos años en la cárcel. Ahora mismo, voy a leer el poema de la puerta y veo que el papel lleva arriba el sello de una prisión. ¿Qué pasa? ¿Es que todos ustedes han tenido la misma trayectoria que Ugarte y Laura?

—Más o menos —respondió Guiomar sin mucha convicción. Tras el paseo a la hora de la siesta, estaba somnoliento—. Pero Pascal mezcla las cosas. No nació en Francia, nació aquí poco después de que el grupo cogiera el hotel. Pero, bueno, sí, el nombre le viene del hijo de unos amigos que nos acogieron en Francia, que también se llamaba Pascal.

Al acabar de hablar miró hacia el niño. Pero Pascal estaba jugando a atar unos leños con la correa de los perros, y se encontraba en otro mundo.

—Y Belle también es Belle por la misma razón, claro —dedujo Danuta.

—Belle nació en Brissac, el pueblo donde estuvimos. La trajimos de allí. O mejor dicho, la trajo Carlos —dijo Guiomar bostezando.

—De todas formas —intervino Carlos—, nuestro grupo no tiene nada de particular. La mayoría de los vascos de nuestra edad han pasado por la cárcel o por la comisaría. Así fueron las cosas en el País Vasco mientras España estuvo bajo la dictadura. La verdad, no es nada digno de mención. El que tiene una biografía más interesante entre nosotros es Guiomar. Nació en Cuba, y cuando tenía siete años, Fidel Castro le despachó de allí. A pesar de ello, siempre ha sido un defensor acérrimo de Fidel Castro.

—¡Patria o muerte! ¡Venceremos! —gritó Guiomar bromeando, con el puño en alto.

Danuta abrió los ojos y le miró riendo.

—¿Sí? ¿De verdad? —se animó—. Pues ahora les voy a decir algo. Que yo también he vivido en Cuba. Tres años. Y les voy a decir más. Estuve casada con un cubano casi ocho años.

—¿Hace mucho? —preguntó Carlos.

—Sí, hace mucho. Llegué a Cuba en 1962, el año de la segunda declaración de La Habana. Lo recuerdo muy bien, porque un día estaba en Varsovia con un frío de quince grados bajo cero, y al día siguiente escuchando el discurso de Fidel Castro con un calor de veinticinco grados. Fue un momento muy intenso de mi vida...

En la panadería había los veinticinco grados de La Habana y otros diez cuando menos, y el calor engrosaba el sueño que sentía Guiomar. Fruncía los párpados hasta casi cerrarlos tras las gafas.

—Continúe —rogó Carlos.

Danuta había interrumpido su narración al ver que Guiomar estaba a punto de dormirse.

Durante los minutos que siguieron, Danuta habló en voz muy baja y sólo para Carlos. Le dijo que había llevado una vida agitada, y que conocía los mejores y los peores aspectos que ofrece la vida: había pasado hambre, sí, pero también había vivido en el III distrito de París; había estado muy sola en algunas ocasiones, sí, pero también había pasado épocas en las que no podía atender todas las invitaciones que se le hacían. Y tampoco habían faltado desgracias en su vida, entre ellas la muerte de un hijo, pero los últimos años habían sido muy felices, porque los había pasado en compañía de otro hijo suyo y de sus nietos. Había aceptado venir como intérprete de la selección precisamente por ellos, para conseguir algo de dinero para aquella familia suya.

—Sin embargo, y recuerdo lo que ha dicho antes, acerca de que no son un grupo tan particular... Yo opino igual, no creo que mi vida haya sido especial —concluyó Danuta abriendo el libro que tenía en la mano.

Mientras tanto, Guiomar dormía con la espalda apoyada en un saco de harina, y Pascal, tan ensimismado como antes, murmuraba algo sobre la correa que tenía entre manos.

—Yo creo que todas las vidas son agitadas —prosiguió—. Lo que sucede es que las describimos de una forma muy simple. En este libro que ahora estoy leyendo se dice algo muy interesante acerca de eso.

Danuta hizo una pausa y cerró el libro. Dudaba entre seguir con la explicación o dejarla.

—La escucho con interés —dijo Carlos.

Danuta volvió a abrir el libro.

—Es de un poeta llamado Cyprian Kusto, uno de los mejores poetas polacos —continuó Danuta—. Él dice que la vida no transcurre sobre la tierra, sino sobre el agua. Que nos equivocamos cuando la imaginamos como un viaje que parte de un punto y termina en otro; y que nos equivocamos igualmente cuando vemos nuestras épocas felices como momentos de reposo sobre una pradera primaveral o cuando, al contrario, interpretamos las épocas de sufrimiento como estancias en un bosque oscuro. Kusto dice que la vida es algo mucho más peligroso que todo eso, que a la vida no se le puede atribuir la solidez que todas esas imágenes suponen, «como si la vida», le traduciré palabra a palabra, «como si la vida tuviera dos pies, y cada pie su zapato, y cada zapato una base firme sobre la que caminar en cualquier dirección». ¿Qué hago? ¿Sigo? —le preguntó Danuta levantando la vista del libro. Carlos hizo un gesto afirmativo—. «Pero la vida, como bien saben aquellos que son capaces de volver la vista atrás, no tiene una base firme, y vivimos como quien nada solitario en el mar. Debemos estar siempre alertas, sin permitirnos un solo instante de reposo. Y un día un golpe de mar nos lleva a un sitio, y de allí a poco llega otro golpe y vuelve a cambiar nuestro rumbo.

Y, sobre todo, nunca podemos pensar "iré a donde quiera ir". No, serán las fuerzas del mar las que regirán nuestros movimientos, nuestra conducta, nuestros logros, y debemos alegrarnos cuando nuestra voluntad consigue corregir el itinerario en algún punto.»

—¿Qué hora es? ¡Para las cinco tengo que estar en Barcelona! —gritó de pronto Guiomar despertándose. Con el sobresalto, a Danuta se le cayó el libro al suelo—. Oh, lo siento, Danuta. Creo que me he quedado dormido —añadió al ver el resultado de su reacción.

—No pasa nada. Es que estaba muy concentrada traduciéndole a Carlos unas reflexiones que vienen en este libro —dijo Danuta—. ¿Ha podido descansar algo en estos minutos? ¿Y tú, Pascal? ¿No has dormido nada? —añadió luego, al ver que el niño dejaba la correa y se levantaba del suelo.

Pascal negó con la cabeza. Estaba un poco atontado.

—Eso son las consecuencias de la fiesta de ayer, Pascal —le dijo Guiomar pasándole la mano por la cabeza y despeinándole—. Él y yo fuimos casi los últimos en dejar la fiesta —explicó luego secándose el sudor de la frente y arreglándose la ropa.

—Yo no me quedé hasta el final, pero así y todo me voy a descansar. Quién sabe cuántos periodistas pueden venir hoy. La Juventus quiere fichar a Boniek, y todos andan detrás de la noticia —dijo Danuta levantándose y tendiendo la mano a Pascal.

—Algo me dijo ayer el padre de Pascal. Parece que lo quieren fichar por ciento cincuenta millones —dijo Carlos.

—¡Por ciento ochenta! —gritó Pascal cuando Danuta ya lo llevaba hacia fuera.

—¿Se queda aquí, Carlos? —preguntó Danuta desde la puerta.

—Tengo que remover la masa —dijo Carlos señalando hacia la mesa de mármol.

—¿Y vendrá luego a cenar con nosotros? Si fuera una chica joven no me atrevería a hacerle esta proposición, pero una mujer de sesenta años puede tomarse ciertas libertades. Es que en la terraza suele haber muy buen ambiente, ¿verdad, Guiomar? Los futbolistas y los periodistas se sientan en mesas aparte, y nosotros en la mesa ovalada. ¿No va a venir? Podemos organizar una tertulia parecida a la de esta tarde en la Banyera.

—No lo sé. Quizá vaya.

—Carlos conoce muy bien la mesa ovalada de la terraza —informó Guiomar—. Antes todos cenábamos allí. Pero últimamente, y sobre todo desde que llegaron los futbolistas, casi hemos abandonado esa costumbre. Y en gran medida por culpa de Carlos.

—De todas formas, de vez en cuando se pueden hacer excepciones —dijo ella brindando su sonrisa a Carlos. Luego se despidió y salió de la panadería con Pascal. Greta y Belle comenzaron a ladrar cuando los sintieron pasar frente a la puerta del almacén, pero se callaron enseguida.

El sol caía de plano sobre la ladera de la colina, y los olivos que rodeaban la panadería, cargados ya de aceitunillas, tenían algo de mineral: más que árboles, parecían rocas en forma de árbol. Su inmovilidad acababa por impregnarlo todo, y el mismo sol parecía clavado para siempre en el trozo de cielo que iba de la panadería al almacén.

—¿Tendrás tiempo de hacer un encargo para mí en Barcelona? —le preguntó Carlos a Guiomar. Los dos estaban fuera de la panadería.

—Supongo que sí. ¿Qué quieres?

—Los libros de Rosa Luxemburgo. Si los encuentras, me los traes.

—Desde que llegó Danuta, Rosa Luxemburgo se ha puesto de moda en el hotel. Laura la cita mucho más que antes. Hasta Ugarte habla de ella.

Guiomar se quedó pensativo, con la mirada fija en la pared del almacén.

—Es una mujer especial, esta Danuta. Ha leído mucho, no cabe duda. Según Laura, conoce perfectamente incluso la letra pequeña del marxismo —prosiguió, sin apartar la vista de la pared—. Pero no sé si me gusta. Mira lo que ha dicho en la Banyera acerca de los futbolistas. Hablaba como con desprecio, ¿no? Y eso no resulta correcto en una persona que convive con ellos. Boniek y sus compañeros no se merecen ese desprecio.

—No sé qué decirte —respondió Carlos levantando los hombros. Tenía ganas de quedarse solo para ponerse a pensar en algunas cosas que habían surgido en la conversación de aquella tarde. Además, la actitud de Guiomar le parecía algo excesiva. A fin de cuentas, ¿qué importancia darían Boniek y los demás a las opiniones de su intérprete? Probablemente la consideraban una simple empleada a su servicio.

—Yo veo una contradicción en lo que ha dicho Danuta —continuó Guiomar—. Ella dice que los futbolistas han sido impermeables, que a pesar de haberse educado en el socialismo no les ha quedado ni rastro

106

del pensamiento socialista. Pero, a otro nivel, lo mismo puede decirse de ella, ¿no? Porque ha pasado esta última temporada entre futbolistas, ha estado metida hasta el fondo en el mundo del fútbol y, sin embargo, no ha asimilado nada, no les ha cogido ninguna simpatía, no ha captado la belleza que puede tener ese mundo. En una palabra, que también ella ha tenido la piel muy espesa y ha sido impermeable.

—No te falta razón, Foxi —bromeó Carlos.

—Sí, ya sé lo que quieres decir, pero igual ha llegado la ocasión de resucitar a Foxi. No por el asunto de Danuta, sino por ti. Estás muy intratable últimamente. Todos sabemos —Guiomar cerró teatralmente los ojos y adoptó un tono de burla— que te gusta la soledad, como dice María Teresa, pero que ayer te quedaras sin ver el partido fue demasiado. Eso fue raro.

Guiomar levantó el dedo índice hacia Carlos. No era fácil adivinar si hablaba en serio o en broma. Carlos se aferró a la segunda posibilidad.

—Creía que ese punto había quedado claro. Ya sabes, *la nostra bellissima Beatriu* y todo lo demás...

—Lo que me interesa a mí es todo lo demás —dijo Guiomar malignamente—. De hecho, se me hace difícil creer que estuvieras con Beatriz. A esa hora Beatriz estaba en su casa. ¿Y sabes por qué lo sé? Porque esta mañana ha estado comentando el partido. Que le hizo mucha ilusión ver en la pantalla a unas personas que todos los días acuden a ella en recepción, eso es lo que me ha dicho. Y que vio el partido en su casa mientras su marido le preparaba la cena. Sinceramente, Carlos, tú eres aquí el único que no vio el partido.

—La chica que estuvo conmigo tampoco lo vio. También te lo digo sinceramente —respondió Carlos con la misma sonrisa.

—De verdad, no creía que fueras tan desconfiado. En fin, qué le vamos a hacer, algún día sabremos la verdad.

—Vamos a hacer una cosa —dijo Carlos a modo de despedida—. Ayer me dijiste que tú también tienes un secreto. Pues cuando tú me digas el tuyo, yo te diré el mío. ¿Te parece bien?

Guiomar se llevó la mano a la barbilla.

—Si mis cálculos no me fallan —dijo a continuación—, eso sucederá durante el campeonato de ping-pong de mañana por la tarde. Para entonces ya me habré enterado de lo que quiero saber y podré contar mi secreto.

—De acuerdo. Jugamos un partido de ping-pong entre nosotros, y el que pierda que empiece a confesar.

—Muy bien. Y puesto que las cosas han quedado claras, me voy a Barcelona.

—No olvides los libros de Rosa Luxemburgo, por favor.

Guiomar se dirigió hacia el garaje del hotel y Carlos entró en la panadería y se puso a remover la masa del pan. Muy pronto, cuando se olvidó de lo que sus manos estaban haciendo, o mejor, cuando aquel movimiento de sus manos —siempre diferente pero siempre el mismo, como el sonido de un chorro de agua o el movimiento de una llama— le ayudó a concentrarse, comenzó a repasar los temas que habían surgido durante la conversación de la tarde.

El repaso le resultó agradable. A pesar de que las preguntas y la inquietud de Guiomar acababan de recordarle a Jon y Jone, sus pensamientos no derivaron hacia los terrenos de la duda o la angustia. Fueron, por el contrario, pensamientos dulces, nubes blancas que atravesaban su cabeza muy despacio, sin despertar a la Rata, impregnadas a veces de cierta congoja. Y en una de aquellas nubes, Carlos reencontraba la reflexión del poeta polaco, y le parecía que equiparar la vida con el movimiento de un nadador perdido en el mar era un acierto, y que eso era precisamente lo que le había sucedido a él: una ola le había puesto, veinte años antes, en el trance de ser detenido, y esa ola le había llevado luego a la organización. Y también había sido una ola la causante de que el secuestro de un empresario se complicara y de que el hombre elegido por la organización para matarle tuviera que ser él. Y una ola, también, se había llevado lejos a su hermano. Y una ola, por fin, había metido a Jon y Jone en el hotel. ¿Qué podía hacer su voluntad para corregir aquella trayectoria? Estaba seguro de que muy poco. Él no tenía la culpa de nada. Cierto que aquella parte de la conciencia que le hablaba con voz de rata decía lo contrario, pero en sus reproches no había verdad alguna, sólo debilidad, su propia debilidad. De haber tenido otra infancia y otra educación, aquella voz no habría tenido fuerza suficiente para hacerse oír.

Sin acabar de salir de su ensimismamiento, Carlos reparó en el paquete de Marlboro que había junto a la ventanilla del horno. ¿De quién podía ser? Había dos personas en el hotel que fumaban aquella marca, Danuta y Jone. Realmente era una coincidencia, y de las que a su hermano Kropotky le solían parecer significativas. Sin embargo, no era ése su caso. Encendió uno de los cigarrillos del paquete y comenzó a seguir al pensamiento, a la nube, que en aquel momento le rondaba la mente.

Recordaba la frase de Rosa Luxemburgo que había citado Danuta, «todas las cosas que producen alegría me interesan», y pensó que ésa era la actitud correcta, y no la que él había adoptado nada más llegar a Barcelona. Como quien se ha habituado al encierro y no acierta a moverse en espacios amplios, había convertido el hotel en una segunda cárcel; había preferido volver la espalda al mundo a integrarse en él y vivir con normalidad. «Es una actitud muy vasca. Recuerda lo que os explicaba de los marineros», le dijo Sabino refiriéndose a la anécdota que solía contar a los militantes que acudían por primera vez a sus cursillos:

«Antes de nada, os voy a decir algo que os va a animar mucho —decía Sabino con fingida seriedad—. Parece que se ha hecho un estudio con los marineros que andan en barcos grandes y que, entre otras cosas, se ha investigado el comportamiento de estos marineros al llegar a un puerto. Y fijaos qué interesante, fijaos qué diferencia entre los marineros andaluces, gallegos y vascos. Los andaluces, al llegar a un puerto después de haber pasado en el mar cerca de un mes, por lo visto suelen ser los primeros en bajar del barco. Y cuando bajan, se alejan del puerto lo más posible, y se pierden en la ciudad. Los gallegos, en cambio, bajan del barco y se quedan en el puerto, dando vueltas por allí cerca. ¿Y los vascos? Pues, por lo visto, los vascos se quedan a bordo, sin salir. Unos se dedican a arreglarse la ropa, otros hacen una

110

comida especial, otros juegan a cartas... Pero, hagan lo que hagan, todos permanecen en el barco. ¿Y eso qué quiere decir? En mi opinión, que el vasco tolera muy bien los espacios pequeños, que le basta con cien metros cuadrados para pasear. En otras palabras, y esto, ja, ja, os interesa mucho a vosotros, que los vascos estamos muy bien preparados para estar en la cárcel».

Carlos esbozó una sonrisa al recordar las palabras de Sabino, y pensó que la anécdota llevaba su parte de razón, y que algo tenía que ver con la vida recluida y regular que llevaba. Sin embargo, le bastó recordar lo que su hermano le había escrito en una carta para distinguir otro factor que también contribuía a su aislamiento. Y ello era que no tenía verdaderos amigos, que ya había cruzado la frontera donde, para decirlo con la misma teatralidad que su hermano, figuraba la siguiente leyenda: «Quienes habéis llegado hasta aquí, abandonad vuestras ilusiones. Hasta ahora habéis conocido padres, hermanos, amigos y amantes, y muchos de ellos os escuchaban, se preocupaban por vosotros, daban por bien empleadas las horas transcurridas resolviendo vuestros problemas y vuestras preocupaciones. Desgraciadamente para vosotros, esos tiempos se han acabado. Ahora os habéis adentrado en La Tierra Sin Amigos, y de aquí en adelante guardaos vuestras palabras importantes, no importunéis a nadie con vuestros problemas y preocupaciones, y dad gracias si la indiferencia que os rodea os resulta cómoda».

Sí, él ya había cruzado esa frontera, ya se había adentrado en La Tierra Sin Amigos. ¿Dónde estaba su propio hermano, con quien tantas horas había compartido? Estaba en un sanatorio psiquiátrico, y llevaba dos años negándose a hablar... —precisamente él, que había tenido una facilidad de palabra extraordinaria—. ¿Y Sabino? Sabino —su maestro, su amigo— estaba muerto. ¿Y Guiomar? Guiomar vivía en su mismo apartamento y, en el sentido corriente de la palabra, seguía siendo su amigo; pero Guiomar no tenía grandes aspiraciones, le pedía muy poco a la vida, y cada vez que él le planteaba algún problema, le contestaba que no eran más que «ganas de complicarse la vida». ¿Y Doro? A él le gustaba mucho la forma de ser del cocinero del hotel, pero aquel hombre, y no sólo por la edad, era de otro mundo. Y algo parecido le sucedía con María Teresa, porque la historia de María Teresa, una emigrante que había tenido que trabajar duro para salir adelante, viuda además, y con un hijo ya bastante mayor, tenía muy poco en común con la suya. ¿Y Ugarte? Ugarte no era más que un arrepentido. ¿Y Beatriz? Hasta hacía unos meses, él la buscaba, inventaba cualquier pretexto para pasar por delante de la recepción del hotel y ver —la expresión era de Guiomar— su «conjunto blanco», es decir, qué tipo de sujetador llevaba bajo su camisa siempre blanca, hasta qué punto se le marcaba o dejaba de marcar el dibujo de la lencería. Pero después de la respuesta que había recibido en la panadería, «en caso de engañar a mi marido, no le engañaría contigo», la veía muy lejos; tan lejos que ni siquiera conseguía introducirla en sus fantasías sexuales.

Carlos —ya había fumado el cigarrillo y trabajaba la masa— se inclinó sobre la mesa de mármol diciéndose que tenía que acabar con aquella situación. Sí, adoptaría la actitud de Rosa Luxemburgo, se ocuparía de las cosas que podían proporcionarle alegría, y de un modo sistemático, además, con el esmero de quien cumple un programa. En la práctica, su plan sólo podía tener una consecuencia: el cambio de vida.

Tenía sobre la mesa de mármol un poco de agua rodeada de harina, y durante un rato la labor de mezclarlas acaparó toda su atención. Pero pronto se dedicó a imaginar en qué se concretaría su nuevo modo de vida. Lo primero, y eso era imprescindible, empezaría a ir a la ciudad con más frecuencia, o mejor aún, alquilaría un apartamento en el centro de Barcelona, él solo o si no con Guiomar, eso habría que considerarlo. Y una vez en Barcelona, por qué no, recuperaría su verdadero nombre, y al fin abandonaría el seudónimo de Carlos que le había puesto Sabino y que, desde la muerte de sus padres, era el único nombre por el que todos le conocían. Y la segunda tarea consistiría en empezar a ir al cine de nuevo. Y después, quizá se pondría a aprender catalán, porque una vez aprendida la lengua le resultaría más fácil conocer otros ambientes y a otras personas. Además, debía emprender el nuevo modo de vida cuanto antes, en cuanto se resolviera el problema de Jon y Jone...

«¡Qué entusiasmo! —exclamó la Rata desde su interior—. ¡Y qué bonito tu cuento de la lechera! No sé, quizá tengas fiebre».

Carlos dejó la masa y echó la cabeza hacia atrás. No tenía fiebre, pero sí una sensación similar: las ideas, los recuerdos, los deseos, todo se mezclaba en su cabeza, y la mezcla le resultaba enervante. Incluso el corazón le latía deprisa, como si hubiera dado una carrera. Empezó a andar de un lado a otro de la panadería, respirando

113

con toda la capacidad de sus pulmones. «Tranquilo, Carlos —le dijo Sabino—. Lo que sucede es que últimamente hablas demasiado poco con la gente, y la conversación de hoy te ha dejado un poco tocado. Además, desde que llegaron Jone y su compañero estás sometido a mucha presión».

Sus idas y venidas en el interior de la panadería consiguieron calmarle, pero sus recuerdos siguieron girando en torno a Sabino. Como tantas veces, lo primero que acudió a su memoria fue una imagen de los cursillos, y la exposición humorística que su amigo había hecho en una de las clases:

«Hay ocasiones en que los pies piensan mejor y más rápido que la cabeza. Cuando se encuentran en un peligro inesperado, los pies se dan a la fuga mientras la cabeza todavía está dudando. Y como casi siempre están pegados al suelo, suelen ser más realistas.»

En una segunda imagen —su memoria seguía trabajando—, Sabino tenía otro nombre, Hemingway, el alias con que le habían bautizado cuando dejó sus labores de formación y volvió a integrarse en el frente militar, y aparecía en la fotografía de un periódico, caído boca abajo en medio de una calle. «Hemingway muerto en una emboscada.» Más de quince años después, Carlos podía revivir aquel momento en todos sus detalles, y se veía a sí mismo en la estación de esquí adonde había acudido para preparar un secuestro, sentado ante el periódico, rodeado de parejas ataviadas con ropas brillantes, obligado a escuchar por los altavoces una canción de moda que parecía una burla: *Tombe la neige, et ce soir tu ne viendras...*

Carlos sacudió la cabeza, algo perplejo ante la excitación que en aquel último rato se había apoderado de él, y decidió que debía animarse y, por qué no, aplicar la humorística norma que acababa de pasarle por la memoria. Se dejaría guiar por sus pies. Haría lo que a ellos les conviniera. Y era indudable —lo pensó mientras miraba el reloj— que a sus pies les convenía salir en busca de Neptuno y oír lo que la organización había decidido sobre la cuestión de Jon y Jone. Ya eran las seis, y antes de una hora su furgoneta cargada de pescado dejaría la carretera de Barcelona para recorrer el kilómetro de calzada que conducía al hotel. Lo más prudente parecía adelantarse aquel kilómetro; encontrarse con Neptuno en el cruce de la carretera y la calzada, y no en el hotel, donde Ugarte podía verles.

Sus pies encontraron primero la correa de dos tiras que Pascal había abandonado en el suelo de la panadería, y luego le llevaron hacia el almacén en busca de Belle y Greta. A continuación, moviéndose siempre con prisa, se orientaron hacia la carretera, pero dejando la calzada a un lado y metiéndose por entre los campos de olivos y de almendros. Por último, después de haber recorrido lo equivalente a medio kilómetro, cambiaron ligeramente de dirección y se dirigieron hacia un muro de piedra que había junto al cruce de la carretera y la calzada. Justo entonces, un segundo antes de que su cabeza se percatara de nada, los pies —zapatillas blancas bajo pantalones vaqueros— frenaron en seco y Belle y Greta comenzaron a ladrar. Detrás del muro de piedra —era bajo, como de un metro de altura— había un guardia. Tenía en las manos, levantada hasta la altura del pecho, una metralleta que parecía de juguete.

—¡Calla, Belle! ¡Calla, Greta! —gritó. Pero los perros no estaban habituados a los uniformes, y tardaron

115

en obedecer la orden. Dejaron de ladrar, pero siguieron con el cuerpo tenso y gruñendo amenazadoramente—. Soy del hotel, uno de los dueños del hotel —dijo Carlos al policía controlando bien su voz.

El policía, un hombre corpulento de labios gruesos y un poco prominentes, movió la cabeza afirmativamente, pero no porque aceptara lo que él acababa de decir, sino por ganar tiempo y hacerse cargo de la situación. Sus ojos volvían una y otra vez a las zapatillas o a los pantalones vaqueros. No, aquella ropa no casaba bien con lo de ser dueño de un hotel. Además, ¿por qué venía por la ladera de la colina en vez de por la calzada?

—Tengo que ir hasta el pueblo a comprar harina, y he pensado que podía aprovechar la caminata para pasear a los perros. Me encargo de hacer el pan del hotel —explicó Carlos al policía dando unos pasos hacia el muro. Su cabeza y sus pies volvían a coincidir.

Con un movimiento mecánico, el policía enderezó su metralleta y la apuntó hacia Carlos. Luego cogió un silbato de metal que llevaba colgado al cuello y lo hizo sonar.

—¡Calla, Belle! ¡Este cerdo es imbécil! —le susurró Carlos al perro cuando éste empezó a gemir. Luego se sentó en el suelo a esperar—. ¿No me conoce? Soy uno de los socios de Laura y Ugarte. Nos encontramos ayer en el hotel, viendo el programa de después del partido —le dijo Carlos levantándose y yendo hacia el responsable de la patrulla, que acababa de llegar. Se trataba del teniente que había estado hablando con Laura.

—¡Ah, sí, es verdad! ¿Se puso por fin de acuerdo con su socio? Me pareció que estaban discutiendo —le dijo el teniente ofreciéndole la mano desde el otro lado del muro. Pese a todo, el guardia de los labios gruesos y otros dos que habían llegado con el teniente mantuvieron las metralletas en alto. A Carlos le inspiraban desconfianza. Más que policías corrientes destinados a cuidar un equipo de futbolistas, parecían pertenecer a un cuerpo especial.

—Llevamos quince años discutiendo —le dijo Carlos echando a andar. No quería darle pie para una conversación.

Tras el incidente no cabía esperar a la furgoneta de pescado en el cruce mismo, así que sujetó con la correa a Belle y Greta y siguió andando por la carretera hasta llegar a la altura de un restaurante para camioneros. Era un buen sitio. Allí acababa una pendiente —de subida para los que venían de Barcelona o de la autopista— y se ensanchaba el arcén.

—Calma —dijo a los perros. Era una hora de tráfico intenso, porque la gente volvía de su trabajo en la ciudad, y el ruido de los motores los asustaba. Carlos encendió su tercer cigarrillo del día, y se puso a esperar a la furgoneta, una Volkswagen de color blanco. Tenía que llegar de un momento a otro.

Con la naturalidad de un taxista, Neptuno se desvió al arcén y se acercó hasta ponerse al lado de Carlos. Antes de que la furgoneta se detuviera movió el dedo índice de la mano derecha como un limpiaparabrisas: que no, que la organización no daba permiso para sacar a Jon y Jone del hotel.

—¿Cómo que no? —exclamó Carlos poniéndose a maldecir. Era una mala noticia—. Sigue hasta la gasolinera —le ordenó a continuación, abriendo la puerta de la furgoneta y ayudando a Belle y Greta a subir adentro.

Neptuno le miró inquieto desde detrás de unas gafas que resultaban demasiado pequeñas para su cara. Como les sucede a muchas personas que engordan en poco tiempo, tenía la cara un poco abotargada.

—¿Qué pasa? ¿Hay policías en el hotel? —preguntó.

—Están los de siempre, los que han venido a proteger a los futbolistas —le contestó Carlos mientras palmeaba suavemente las cabezas de Belle y Greta. El nerviosismo de los perros iba en aumento a causa del fuerte olor a pescado de la furgoneta.

En la parte de atrás de la gasolinera había una explanada revestida de una capa de asfalto. Neptuno aparcó en ella, entre dos camiones contenedores. A pesar de su aspecto fofo, movía el volante con mucha energía. Sus brazos eran muy fuertes.

—No tenemos necesidad de andar escondiéndonos, Mikel. No hacía falta que aparcaras justo en este hueco —se rió Carlos al abrir la puerta a los perros. Mikel era un alias anterior a Neptuno. Lo de Neptuno venía de un par de años antes, y era una invención de Ugarte.

—La he dejado ahí para que los camiones le den algo de sombra, Carlos —protestó Mikel—. He hecho el viaje a pleno sol, y si me descuido el pescado se va a quedar sin hielo. ¡Primero sin agua, y ahora sin hielo!

Mikel se rió de su ocurrencia. La tranquilidad que mostraba Carlos le animaba y le ponía de buen humor.

—Lo mismo que nos va a pasar a nosotros —comentó Carlos siguiendo la broma. También su risa era tranquila.

—Pues ¿qué pasa? ¿Tan mal están las cosas? Porque si están mal, ¡yo me largo de aquí! —gritó Mikel llevando la broma más lejos y haciendo ademán de montar otra vez en la furgoneta. El movimiento fue brusco, y las llaves del vehículo se le escaparon de la mano y fueron a parar al suelo. Un instante después estaban en la boca de Greta.

—¡Eh, tú, perro! —le gritó Mikel, sujetándole por el cuello y recuperando las llaves. Greta se quedó un poco acoquinada después de sentir sus manazas, y se alejó cabizbaja.

Carlos entró en el pinar que había detrás de la explanada en busca de sombra. Debía de haber unos treinta grados. Por otro lado, y en lo que a aquel lugar se refería, el olor de la gasolina hacía más agobiante la pesadez del calor.

—Así que mañana te vuelves a ir de vacío, y dejas aquí a nuestros amigos —dijo Carlos sentándose bajo un pino y cambiando de tono. A lo lejos, el cielo continuaba azul, pero se veían seis o siete nubes en la zona que poco más o menos quedaba en dirección al País Vasco. Una de las nubes tenía la forma de un pan hecho al estilo tradicional, con los tres cortes de rigor en la parte abombada.

—Yo quiero llevármelos, pero no puedo —dijo Mikel abriendo los brazos—. Tienes que comprenderlo, Carlos. Ya sé lo que supone para ti tener aquí a esos dos, pero el tipo este de la organización dice que es imposible y que la operación tiene que retrasarse un poco. Y tiene razón, después de que a ese niño le estallara la bomba las cosas están peor que nunca. Según dicen, ayer mismo detuvieron a más de cuarenta personas. Además, las fotos de Jon y Jone han aparecido en todas partes, hasta en la televisión. La verdad, Carlos, son más conocidos que Boniek, y ya sabes que por tres millones hay mucha gente que vendería hasta a su madre...

Carlos olvidó lo que Mikel le estaba diciendo atropelladamente, y se concentró en los coches que habían parado a coger gasolina, dos Renault y un Citroën. Cuando se aburrió de mirarlos, levantó la vista hacia la nube en forma de pan. Uno de sus tres cortes se iba desdibujando.

—Ahora deja que hable yo —dijo al fin, viendo que Mikel ya se había callado. Luego le expuso lo sucedido durante los últimos días, pero brevemente, relacionando toda su preocupación con Ugarte. Sí, el mayor problema era Ugarte, porque se olía algo y estaba al acecho—. Él sospecha algo. Ya sabes, Ugarte lee tres o cuatro periódicos al día, y conoce el caso de Jon y Jone hasta el más mínimo detalle. Y parece que la prensa ha publicado que los dos pueden estar en Barcelona. Y quizá por eso, o quizá porque se ha dado cuenta de que nuestro comportamiento ya no es el mismo de antes, ha empezado a atar cabos. Y claro, Ugarte no ha nacido ayer. Es un veterano que sabe muy bien cómo funcionan estas cosas. El caso es que la idea no le gusta nada. Me lo dijo ayer claramente. Si estuviera seguro de que la pareja se esconde en el hotel, no sé lo que haría. De verdad que no lo sé.

El tono que Carlos había dado a sus últimas palabras insinuaba ciertas respuestas posibles a aquel «no sé lo que haría», y en el repertorio de sugerencias no faltaba la sombra de la traición. Sí, Ugarte podía delatar a Jon y Jone, y por muchas razones, no sólo para defender a su familia y el hotel o por los tres millones ofrecidos por la policía, sino también por puro despecho. Al fin y al cabo, la decisión de esconder a los activistas la habían tomado sin haber consultado antes con el resto del grupo, de una forma que, por la relación que les había unido en el pasado y que todavía mantenían en parte, resultaba irregular e inaceptable.

Era un mensaje perverso, y también una calumnia tratándose de alguien como Ugarte, pero de no plantear así las cosas —pensó Carlos—, se vería obligado a contar a Mikel los dos incidentes peligrosos: la disputa que había mantenido con Nuria en la cocina a propósito de las bandejas de la cena, y el encuentro nocturno de Jon y Jone con Pascal. Desde el punto de vista de la seguridad, esta segunda opción era desaconsejable. Lo que había que meter en la cabezota de Mikel era la idea de un cierto peligro. Que la situación era delicada y que había que tomar medidas cuanto antes. Los demás detalles estaban mejor fuera de su cabezota.

—¡Estoy harto de Ugarte, completamente harto! —estalló Mikel poniéndose a gesticular de un modo que ahuyentó a los perros, sobre todo a Greta—. ¿Sabes lo que le pasa a Ugarte? Pues que está quemado, quemadísimo por lo mal que le van las cosas con Laura. ¡Eso es lo que le pasa! ¡Y por eso anda siempre a ver a quién fastidia! ¡Pues que se ande con cuidado! ¡En este caso que se ande con mucho cuidado! ¡Si no, le descabezo como a un atún!

—No digas burradas, Mikel —dijo Carlos acomodándose bajo el pino—. Ugarte quiere lo que querría cualquiera. Vivir en paz con sus periódicos y sus traguitos de whisky. ¿Quién te crees tú que tendría un par de activistas escondidos en casa? Tal como están las cosas, nadie. Ugarte es más listo que nosotros.

—Si fuera más listo, el responsable de zona habría sido él, y no tú. Yo no creo que sea listo. Sólo que tiene la lengua afilada —dijo Mikel con el ceño fruncido. Después, apoyó la espalda en el tronco de un pino y permaneció con los brazos cruzados.

—Yo creo que aquí hay que hacer dos cosas —prosiguió Carlos volviendo de nuevo al tema—. Yo haré la primera, y tú la segunda.

—Di primero lo que tengo que hacer yo —pidió Mikel dejándose resbalar por el tronco del pino hasta quedar medio tumbado en el suelo. Comenzaba a acusar el cansancio del viaje.

—Tienes que hablar con los de la organización. Tienes que decirles que los de Barcelona están nerviosos con tanto retraso y que...

Carlos tuvo que interrumpir su discurso porque el ruido que llegaba desde la carretera tapaba su voz. Los coches pasaban en oleadas perfectamente marcadas, y el estruendo se agigantaba o se desvanecía a intervalos que seguían el ritmo de su paso. Cuando el ruido se desvanecía, el aire se impregnaba de un silencio inane que traía a primer plano los jadeos de Belle y Greta, y tanto la carretera como la gasolinera adquirían la calidad de los lugares abandonados.

—Tienes que decirles que estamos nerviosos, y que no podemos esconder a Jon y Jone por mucho tiempo —continuó Carlos en el silencio que siguió a la oleada y al estruendo—. Si quieren que los saquemos en tu furgoneta, en tu furgoneta; si quieren de otra forma, pues de otra forma. Pero dentro de siete días la pareja tiene que estar lejos del hotel. Di que les damos ese plazo, una semana. Y que si no hacen nada para entonces, que será su responsabilidad. Yo ya he decidido lo que voy a hacer. Les saco del agujero con cualquier historia y los llevo a un cámping del Pirineo, a alguno que esté cerca de la frontera francesa. Y a partir de ahí, será su problema.

—¿Le digo eso al de la organización? Que vas a dejarles en un cámping...

—No pueden estar en el hotel más de tres semanas, y ya llevan dos. Es peligroso desde todos los puntos de vista. Y más ahora que somos sospechosos para Ugarte. Y ya que he mencionado a Ugarte...

El tráfico le obligó a callar de nuevo. Esta vez era el turno de los camiones, los únicos vehículos que en aquel momento llenaban los dos lados de la carretera. Mikel y Carlos miraban al suelo, en tanto que Belle y Greta miraban a Carlos. Estaban ansiosas por marcharse del pinar, y cada silencio de su dueño lo interpretaban como el anuncio de que la reunión había terminado.

—Hay que neutralizar a Ugarte —prosiguió Carlos, para decepción de los perros—. Yo creo que lo mejor será decirle una pequeña mentira. Le diré que llevaba razón, que Jon y Jone estuvieron en el hotel, pero que consiguieron escapar y que ya no están. Supongo que se enfadará, pero también se quedará más tranquilo.

—Me parece muy bien. Pero puede que Ugarte se niegue a creerlo —dijo Mikel sin apartar la vista del suelo.

—Eso ya lo veremos. Pero en cualquier caso haré que dude...

No parecía que Mikel quisiera hacer más comentarios, y Carlos aprovechó el intervalo proporcionado por un nuevo aumento del tráfico para revisar el plan que acababa de proponer a Mikel. El plazo que concedía a la organización era realmente muy amplio, pero no quedaba más remedio. Si la organización estaba tan débil como parecía, las prisas no eran convenientes. En cuanto a Ugarte, todo dependía de su habilidad a la hora de contarle la mentira. Si conseguía que la creyese, lo que le pudieran contar Nuria o Pascal no importaría. A Ugarte le parecerían viejas historias, recuerdos de un problema ya superado.

«Tú siempre te has considerado mejor que Ugarte —oyó entonces. Era la Rata—. Pero Ugarte no te ha traicionado nunca. Jamás ha quebrantado vuestra antigua confianza como tú lo acabas de hacer. La verdad, yo creo que deberías ir cambiando de opinión».

—¿Qué? ¿Nos vamos? —le dijo Mikel pasándose las manos por el pelo—. Estoy rendido. Me he tenido que levantar a las cinco de la mañana, y luego encima el viaje por la autopista con un calor de treinta grados.

—Entonces sigues el mismo horario que los panaderos —le dijo Carlos sonriendo y levantándose del suelo—. Pero recuerda todo lo que te he dicho. Y por favor, Mikel, no andes por el hotel con cara de circunstancias. Si Ugarte te ve preocupado no se va a creer la

124

mentira. Tienes que estar alegre, como después de recibir una buena noticia. ¿De acuerdo?

—De acuerdo —dijo Mikel—. Le quitaré a Guiomar una botella de ron cubano, y a partir de ahí no tendré ningún problema.

Fueron hasta la furgoneta con Belle y Greta dando saltos tras ellos. En el cielo, la nube en forma de pan se estaba torciendo por las puntas, y sólo uno de sus tres cortes se mantenía con precisión. Los otros dos estaban hinchados, como con demasiada levadura.

—¡Vámonos al hotel! —exclamó Mikel poniendo en marcha la furgoneta. Ya había adoptado la actitud alegre que le había aconsejado Carlos.

—Ten cuidado —le dijo Carlos cuando se dispusieron a salir a la carretera. Pero era uno de los intervalos sin tráfico, y enseguida enfilaron hacia el hotel.

Se encontraron con el control de la policía nada más tomar el cruce y entrar en la calzada. El guardia que les dio el alto era el mismo que se había encarado con Carlos tres cuartos de hora antes.

—Muévete un poco si no te importa, Morros —susurró Mikel deteniendo la furgoneta dos metros más allá del guardia. Era una broma con la que disfrutaba mucho, y la repetía en casi todos los controles de policía—. Ya perdonará usted. Se me ha enganchado el zapato y no he podido frenar tan rápido como quería —le dijo al guardia cuando éste se puso junto a la ventanilla. Su humildad resultaba excesivamente teatral.

—Abra la portezuela de atrás, por favor —dijo el guardia moviendo sus gruesos labios lo menos posible.

—Lo único que llevo es pescado —le explicó Mikel con el mismo tono de falsa humildad. Luego abrió la portezuela y enumeró caja por caja todo lo que traía—. Ya ve lo que hay aquí. Atún, merluza, rape, lenguados, langostas, cabrachos, más merluza, más langostas, almejas, de todo. A los jugadores de Polonia les vendrá muy bien todo este fósforo. ¿No le parece? A mí me parece que sí, la verdad.

—¿Y la harina? —preguntó el guardia.

—¿Qué harina? —preguntó Mikel un tanto desconcertado.

—La harina me la traerán ellos, los del almacén. Hoy sólo he ido a encargarla —dijo Carlos asomando la cabeza por la ventanilla de la furgoneta.

—Antes me ha dicho que iba a por harina —se obstinó el guardia acercándose a Carlos.

—Ponga la metralleta mirando a otro sitio —le dijo Carlos mirándole fijamente a los ojos. El arma que el policía sostenía bajo el brazo apuntaba directamente a su cuello—. Si le he dicho que iba a por harina, me he equivocado. Como comprenderá usted, es difícil hablar como es debido teniendo un arma delante. Calma, Belle —terminó acariciando al perro en la cabeza.

El setter estaba muy inquieto.

—Ahora resulta que las armas le ponen nervioso. ¡Quién lo iba a decir! —rió el guardia tras un momento de silencio y cambiando en quince grados la dirección de su metralleta. Detrás de aquellos labios gruesos, los dientes eran anormalmente grandes. Carlos pensó que quizá por ello procuraba abrir la boca lo menos posible—. No esperaba algo así, la verdad. Nos han contado historias muy bonitas sobre la gente de este hotel. Historias de indios y vaqueros —concluyó el policía.

—Fuimos amnistiados hace cinco años. Supongo que también le habrán contado eso. Y ahora, ¿podemos ir al hotel? Tenemos que descargar el pescado.

—Es verdad. Y además yo me he levantado a las cinco de la mañana. No puedo quedarme aquí todo el día —colaboró Mikel desde el otro lado de la furgoneta.

Sin mediar contestación, el guardia retrocedió un paso y les ordenó seguir adelante con un movimiento de su metralleta.

—¡Hasta luego, cerdo! —gritó Mikel cuando se alejaron del control.

—¡De los auténticos! ¡Un cerdo de verdad! —gritó también Carlos un poco fuera de sí. Se acababa de disolver el nudo que había ido creciendo en su interior desde su primer encuentro con aquel Morros.

Odiaba a los policías. De las ideas que había tenido en el pasado sólo algunas, muy pocas, permanecían íntegras en su interior, y una de ellas era precisamente aquélla. Los odiaba, y su opinión acerca de ellos seguía siendo la misma que diez o doce años antes. En España, con el pretexto de que la democracia era muy reciente, los periódicos aprovechaban cualquier circunstancia para elogiarlos, y eso era, justamente, lo que estaban haciendo aquel verano con lo del Campeonato Mundial de Fútbol. Decían que la policía defendía la democracia y no guardaba relación con el cuerpo represivo de la dictadura, que eran pura y simplemente unos ciudadanos, unos ciudadanos al servicio de otros ciudadanos. Pero eso era mentira, no se podía describir así a la policía, los describía mejor Mikel llamándoles *cerdos*. Eso lo sabía todo el mundo, en España y en todas partes, pero reaccionar como Mikel ya era otra cosa. Para eso había que tener valor, o bien ser un inconsciente, o un loco. O lo que era igual, había que tener en la cabeza algún antídoto contra el miedo. Pero la mayoría de las cabezas carecían de ese antídoto, y la gente temía a la policía con un miedo sordo, profundo y silencioso, y los elogios que se podían leer en los periódicos no eran sino la expresión grasienta de aquel miedo. Pretendían disimular su miedo igual que el pulpo para disimular su presencia se rodea de una nube de tinta negra. Pero, paradójicamente, la nube hacía más evidente la verdad: la presencia del pulpo cerca del agua sucia, la presencia del miedo en el corazón de la gente.

Le vinieron a la cabeza las líneas de una carta que su hermano Kropotky le había enviado a la cárcel: «Esa gran revolución vuestra nunca triunfará, y aún menos en esta parte de Europa. Aquí no se da un elemento fundamental que influyó en todas las revoluciones clásicas, me refiero a la desesperación. En otros tiempos la gente estaba desesperada, porque tenía hambre, o porque estaba condenada a trabajar en las minas hasta reventar, o porque un tirano la humillaba hasta la locura, como hace poco Somoza... Recuerda las imágenes que televisaron cuando el terremoto de Managua, por un lado la gente miserable que moría aplastada en sus chabolas y por otro Somoza sentado bajo una sombrilla comiéndose un racimo de uvas grano a grano. Y la gente, cuando está desesperada, no ve a la policía, no ve al ejército, no se inquieta por su vida, y entonces puede llevarse a cabo la revolución. De lo contrario, cuando la gente vive medianamente bien y tiene que moverse sólo por las ideas, la gran revolución de la que habláis vosotros es imposible. Ya sé que tú y tus amigos os reís de mí, pero a fin de cuentas, yo soy más realista que vosotros. Yo también quiero hacer la revolución, pero dentro de una comunidad pequeña. Y ya lo verás, yo todavía haré la mía, y vosotros no haréis la vuestra».

—¿Qué? ¿Te has dormido? —le preguntó Mikel empujándole con el hombro. Estaban pasando por delante de la piscina del hotel, y Belle y Greta se sostenían sobre dos patas mirando por el parabrisas. Sabían que estaban otra vez en casa.

—No, pensaba en ese policía. ¿No parece de algún cuerpo especial? No es el policía español barrigudo de siempre —le dijo Carlos.

—Y, además, están muy bien informados. Morros quería demostrarnos que conocía nuestro pasado.

—Eso no me ha sorprendido. Antes de que llegaran los polacos anduvieron haciendo preguntas. Y en parte me parece normal. Lo que no me parece tan normal es el aspecto que tienen. Parecen policías de elite. ¿No te has fijado en las manos de Morros? Parecían las de un karateka.

—Habrán traído a los mejores —opinó Mikel mientras aparcaba la furgoneta en la parte trasera del hotel, junto a la puerta de servicio de la cocina—. Yo creo que se juegan mucho en este campeonato de fútbol. Imagínate que le pasara algo a un jugador, qué ridículo ante el mundo entero. En Barcelona hay periodistas de todas las naciones.

—Quizá lo que me pasa es que he vivido muy apartado y no me he dado cuenta de la evolución de la policía.

Pero, en cualquier caso, tendremos que andar con cuidado a la hora de sacar a esos dos.

—No te preocupes, Carlos. Haré un buen escondite dentro de la furgoneta y los meteré allí. No creo que Morros me obligue a sacar todas las cajas. Y si me pide que lo haga, le soborno con dos langostas y asunto terminado —bromeó Mikel.

—No sé. No me preocupo, pero hay que pensar sobre este asunto. En fin, ya veremos.

Mikel apagó el motor de la furgoneta. Sacó una bolsa de plástico de debajo del asiento y se la ofreció a Carlos.

—He traído la prensa del País Vasco para nuestros amigos. ¿Qué tal aguantan en el agujero? Cuando los llevé allí se metieron muy contentos. Dijeron que el olor del pan les gustaba mucho.

—Pues ahora ya no están tan contentos. Pero aguantan.

Carlos cogió uno de los periódicos de la bolsa.

—Al final, ¿cómo sucedió lo de ese niño? —preguntó mientras leía los titulares.

—Por lo visto la bomba estaba en una mochila abandonada en la calle, y estalló cuando el niño le dio una patada. Según dice ahí, hubo diez llamadas al 091 pidiendo que la retiraran. Por parte de quienes la habían abandonado, quiero decir.

—¿Sí?

—Y será cierto, porque la policía municipal examinó la mochila, y creo que incluso la regaron con agua para ver lo que pasaba. Como no pasó nada, la dejaron donde estaba. Y de allí a unas horas, va y le estalla al niño.

La organización asegura que no fue ella la que puso la bomba.

—¿Quién, entonces?

—Los Autónomos, o los de Iraultza, o los de la VIII Asamblea, o los del Batallón Vasco-Español. Ya ves, ¡el País Vasco está lleno de grupos armados! Tenemos un menú muy variado —dijo Mikel riéndose ante su propio comentario.

—Jon y Jone ya tienen un nuevo tema para discutir. Creo que últimamente no se llevan muy bien y discuten por cualquier cosa.

—Dos semanas en ese agujero no es ninguna broma, desde luego.

Se quedaron un rato en silencio, y Belle y Greta empezaron a quejarse, ansiosas por salir. La furgoneta estaba parada y con el motor apagado, y sin embargo —esto era lo que no entendían— las puertas seguían cerradas.

—El sitio es seguro, ¿no? —preguntó Mikel bajando la voz.

—Muy seguro —le respondió Carlos abriendo la puerta y dejando bajar a los perros. Libres por fin, Belle y Greta se dirigieron directamente a los matorrales de detrás del garaje. Mikel hizo sonar la bocina de la furgoneta—. Una cosa, antes de dejar este asunto —añadió Carlos apeándose del vehículo y mirando hacia el interior de la cocina. Allí no había nadie, ni siquiera Doro.

—Ya, no se me ha olvidado. No te preocupes, andaré por el hotel como si todos los problemas se me hubiesen resuelto de golpe.

—Todo irá bien mientras no exageres. Pero yo te quería decir otra cosa. Según nuestra versión, la pareja salió del hotel ayer, durante el partido entre Bélgica y Polonia. No aparecí a ver el partido, y les resultará muy creíble.

—¿Se lo vas a decir a Guiomar?

—Ya veré. Tampoco he decidido cuándo se lo diré a Ugarte.

Dieron por terminada la conversación, y se pusieron en la puerta de la cocina a esperar a que viniera alguien. Pero no acudió nadie. Toda aquella zona del hotel —sin el entrechocar de los pucheros y los platos, sin la charla de los que habitualmente trabajaban allí— parecía un lugar triste. El hecho de que el garaje que utilizaban los hijos de Doro también estuviera en silencio reforzaba la misma impresión.

—Pero ¿dónde se ha metido la gente? Me gustaría descargar las cajas cuanto antes —dijo Mikel a punto de perder la paciencia. Luego se metió los dedos índice y anular de la mano izquierda en la boca y dio un largo silbido. Pero lo único que consiguió fue que Belle y Greta volvieran corriendo desde detrás del garaje.

—Ya te ayudo yo —se ofreció Carlos.

Descargaron la mayoría de las cajas y las llevaron adentro. Pero Mikel, repitiendo una y otra vez que se había levantado a las cinco de la mañana, se mostraba cada vez más reacio a seguir trabajando. Finalmente, cuando llegó el momento de colocar el pescado en uno de los compartimentos de la cámara frigorífica, abrió de un golpe la puerta que unía la cocina y el comedor y se encaminó hacia la terraza. No estaba dispuesto a seguir con una tarea que correspondía a otros. Carlos fue tras él.

El comedor tenía tres ventanas, y en la del medio —pero al otro lado, en la terraza— estaba la gente que faltaba de sus puestos. Laura, Doro, sus dos hijos, también Beatriz, todos rodeaban a un hombre joven vestido con un chaleco de color fucsia. Carlos, que por un momento se había inquietado, respiró con alivio al contemplar la escena y comprobar que las cosas seguían en su sitio. Después, se quedó mirando a Beatriz, que estaba de espaldas. La espalda de ella era una blanca superficie satinada, cruzada a media altura por la tira aún más blanca del sujetador.

Mikel salió a trompicones de la puerta giratoria que unía el comedor con la terraza, y se dirigió gesticulando hacia la mesa donde estaba el grupo. ¿Se podía saber qué pasaba? ¿Tenía que ser él, que se había levantado a las cinco de la mañana y que luego había hecho un viaje de seis horas bajo un sol de justicia, el encargado de meter el pescado en la cámara? ¿Estaban acaso de vacaciones? Acompañaba cada pregunta con un par de palabrotas. Laura y el hombre del chaleco fucsia empezaron a protestar, y el hombre agitó en el aire una grabadora. Como única respuesta, Mikel le señaló el trasero, que se metiera la grabadora por allí. Ante las nuevas protestas de Laura, Beatriz y la mayor parte del grupo, Mikel repitió el mismo gesto de forma aún más expresiva que la vez anterior.

Carlos se rió por dentro de la reacción de Mikel. No era una persona educada, y a veces se comportaba como el aldeano de los chistes clasistas, pero su sentido de la independencia personal era envidiable. Lo que otros pudieran pensar de él no le importaba en absoluto. Siempre que alguien contestaba con excesiva cortesía a una ordinariez suya —como diciendo «qué forma de hablar»— él aprovechaba la ocasión para inventar alguna réplica aún más ordinaria. A Carlos le divertía la situación creada en la terraza. ¿Qué estaría pensando Beatriz, con lo refinada que ella era?

El alboroto de la terraza iba en aumento. Todos los del grupo —el hombre del chaleco, Laura, Beatriz, Doro, los dos hijos de Doro— increpaban a Mikel y le señalaban la puerta giratoria alargando brazos y dedos. Carlos pensó que aquella discusión resultaría beneficiosa para los nervios de Mikel, y regresó a la cocina para hacerse con algo de comida para los perros. Primero llenó con arroz la mitad de una cazuela; después, fue buscando trozos de carne aquí y allá y lo mezcló todo.

—¡Resulta que tienen una entrevista! ¡Muy bonito! —vociferó Mikel al entrar en la cocina. Se sentía agraviado—. Parece que el tipo del chaleco está haciendo un reportaje de cómo vive la selección de Polonia, y quiere coger informes de todos los del hotel. Así que ellos no pueden ponerse a trabajar, y soy yo el que se tiene que encargar de colocar el pescado. ¿Qué te parece?

Carlos se encogió de hombros, y Mikel siguió bufando a la vez que intercalaba expresiones y gestos que trataban de imitar el comportamiento de los entrevistados. Sí, todos eran unos presuntuosos, y había que ver cómo se inflaban, sobre todo Laura; había que ver con qué boba seriedad explicaba al del chaleco las preferencias gastronómicas de los jugadores polacos, y qué señora se había puesto al decir a los hijos de Doro: «No, no, vosotros os quedáis aquí porque lo digo yo, en la cocina mando yo y no Neptuno». Carlos sonreía al escucharle.

No pasaba nada. Después de haber descargado su enfado, recuperaría el humor habitual en cuestión de segundos.

—Esperad un momento, ya os ayudo —les dijo Doro entrando en la cocina y empezando a meter el pescado en las bandejas y recipientes de la cámara frigorífica. Era un hombre de unos cincuenta y cinco años, delgado y huesudo, que había sido jugador de Jai-Alai en América y antes de incorporarse al hotel había tenido un restaurante en las proximidades del puerto de Barcelona. Era de pocas palabras. «Porque le pasó lo que a mí, que enviudó. Pero a él le afectó más. Parece ser que su mujer era quince años más joven que él», decía María Teresa.

—No tenías por qué venir, Doroteo. Después de las voces que ha dado, Mikel se ha quedado a gusto. Está dispuesto a trabajar todo lo que haga falta —le comentó Carlos.

Cuando estaban frente a frente, Carlos siempre le llamaba por su nombre completo, Doroteo. Los dos se tenían afecto.

—Este pescadero se nos está volviendo cada vez más burro —dijo el cocinero mientras miraba a Mikel. Hablaba con seriedad, pero como si se refiriera a un niño.

—Si lo que quieres decir es que trabajo como un burro, te doy la razón —contestó Mikel al tiempo que cogía una caja de langostas del suelo y la introducía en la cámara.

—Ya no entiende nada —continuó el cocinero sin tomar en consideración las palabras de Mikel—. No comprende que a los jóvenes les hace mucha ilusión salir en televisión, y que vale la pena esperar veinte minutos para dar a esos jóvenes un poco de alegría.

—¿El del chaleco es de la televisión? —dijo Carlos.

—Por lo visto es el director del programa, y tiene que preparar el terreno antes de traer a los cámaras. Eso es lo que intentaba decir, Carlos, que estas oportunidades no se presentan todos los días. Además, con todo esto de los polacos, el programa servirá de propaganda para el hotel. Pero los burros no comprenden nada.

—¿Nos podemos quedar, padre? —preguntó Juan Manuel asomando por la puerta del comedor.

—¿Qué debo hacer, negárselo?

—Por supuesto que no, Doroteo, que se queden con el periodista —le dijo Carlos. Con un gesto de la mano, indicó al chico que volviera a la terraza—. Y tú lo mismo, ya te puedes marchar. Como ves, Mikel está acabando de meter el pescado.

—Voy a cambiarme de ropa, entonces. Tengo que empezar a preparar la cena. Vas a bajar a cenar, ¿no? Me han dicho que sí.

—Estaba indeciso, pero sí, creo que voy a bajar.

—Será una cena bonita. Quizás un poco ruidosa, pero bonita.

—¿Por qué ruidosa?

—Parece ser que Boniek ha llegado a un acuerdo con la Juventus. Y a Zmuda lo ha fichado algún otro equipo. Y ya sabes cómo es esta gente. No se van a quedar sin celebrarlo. En total, cenaréis unas treinta personas en la terraza.

—Incluido yo, claro —gritó Mikel desde la puerta de la cámara.

—O sea, que después de todas las burradas que has dicho en la terraza, todavía pretendes cenar. ¿Y por qué

136

te habría de preparar yo la cena? ¿Por haber dado mal ejemplo a mis hijos? —replicó Doro. Seguía tratándole como a un niño.

—Dime ahora mismo si me la he ganado o no —le desafió Mikel mostrándole las manos. Las tenía manchadas con la sangre del pescado y amoratadas por el frío.

—Sí, tendré que darte algo. ¿Qué te parece un poco de paja? —dijo Doro guiñándole un ojo a Carlos. Luego se dirigió hacia la tercera puerta de la cocina, la que daba a las escaleras que subían a su apartamento. Él y sus hijos vivían justo debajo de Guiomar y Carlos, en el segundo piso.

—Y además, ¿tú qué te crees? —le interpeló Mikel antes de que tuviera tiempo de alcanzar la puerta—. ¿Que tus hijos tienen algo que aprender? Vives en la inopia, Doro. Pero pregúntales, pregunta a esos dos hijos tuyos qué es lo que saben y qué es lo que dejan de saber. ¿Tú qué te crees? ¿Que sólo piensan en motos?

—Sigue hablando así y te quedarás sin cenar —le dijo Doro desde la puerta. Y añadió, dirigiéndose a Carlos—: ¿Habrá vuelto Guiomar de Barcelona? Tenía que traer las bombillas para la escalera. Este mediodía se han fundido todas, no sé por qué.

—No le he visto. Si le veo ya se lo preguntaré.

—Si no queremos andar a oscuras, mejor arreglarlo antes —concluyó Doro antes de cerrar la puerta.

Mikel cerró la puerta de la cámara frigorífica dando un giro de noventa grados a la manivela, y luego se acercó al fregadero a lavarse las manos. Por un momento, el sonido del agua que salía del grifo se apoderó de toda la cocina; pero enseguida, en cuanto Mikel terminó de lavarse, todo volvió a quedar en silencio. Sin embargo, no era un silencio como el que habían encontrado al llegar en la furgoneta. Ahora, todos los objetos de la cocina parecían alertas y dispuestos a ponerse a trabajar: se intuía ya la llama que iba a surgir de las rosetas de la cocina Steiner; la alacena y los cajones parecían a punto de abrirse; los pucheros y las bandejas de acero hacían pensar en el humo que pronto saldría de ellos. En toda la cocina, sólo las cajas de pescado que se habían quedado delante de la cámara estaban fuera de lugar. Molestaban a la vista, y el hielo granizado de su interior se iba fundiendo rápidamente formando un charco en el suelo.

—Las cajas que las quiten Juan Manuel y su hermano —dijo Mikel acercándose a Carlos—. Yo quiero ducharme y echar una cabezada antes de bajar a cenar. Supongo que mi habitación estará preparada.

Casi todos los martes y viernes —los días que traía el pescado— Mikel se quedaba a dormir en el hotel.

—Claro que está preparada —contestó Carlos cogiendo la cazuela para los perros—. Yo también me voy. Tengo que pasar por la panadería y luego darles de cenar a los perros. Nos veremos luego.

—Ahí los tienes esperándote —le dijo Mikel. Belle y Greta estaban junto a la puerta de servicio de la cocina y alargaban el cuello hacia el interior.

—No estaría mal que continuaras con el mismo tono apasionado de hace un momento, Mikel. Si Ugarte te ve así pensará que eres el mismo de siempre, y que no tienes problemas —le dijo Carlos dándole una palmada en la espalda. La broma expresaba sudeseo. Aquél era el papel que mejor podía representar Mikel.

En la puerta de servicio, Belle y Greta se movían indecisas. Por un lado, no querían perder de vista la cazuela que Carlos agarraba con las dos manos; por otro, se sentían obligadas a prestar atención a alguien que les estaba llamando con un silbido.

—¿Te vas a casa? ¿No vas a hablar con ese periodista de la televisión? —preguntó Carlos cuando salió fuera y vio que la persona que llamaba a los perros era María Teresa. La mujer llevaba unos pantalones vaqueros y una camiseta veraniega de rayas azules y blancas.

—Iba a coger el coche y he visto a los perros en la puerta de la cocina. He pensado que estarías dentro —le dijo María Teresa—. ¿Y tú? ¿Vas a ir a hablar con ese periodista?

—Yo he preguntado primero —dijo Carlos, caminando hacia el coche de la mujer. Era un Mini blanco, y Belle y Greta correteaban ya a su alrededor.

—A mí también me ha llamado ese tipo, pero no he querido ir —dijo María Teresa con un gesto de desdén en los labios—. Pero sé más cosas de los polacos que todos los demás del hotel juntos.

—¿Ah, sí? ¿Y por qué? —la sorpresa de Carlos era sincera.

—Porque yo soy quien hace las habitaciones del hotel. ¿Por qué, si no? —María Teresa le miró con cierta dignidad, como si la pregunta de él hubiera sido motivada por los celos—. Cuando arreglo las habitaciones veo muchas cosas. Pero no corro a contárselas a nadie. Eso lo dejo para los chismosos.

—Muy bien dicho, María Teresa.

—Mira cómo nos reciben Belle y Greta —dijo María Teresa cambiando de tono—. Al menos para ellos nuestra relación es oficial.

Estaban al lado del Mini, y los perros se movían nerviosamente mirando hacia la cazuela que llevaba Carlos.

—¿Pasa algo? —preguntó Carlos.

Había creído advertir una sombra en la cara de María Teresa. Un pensamiento cruzó su mente, esta vez velozmente, como una piedra: no se comportaba bien con ella. Frustraba todas sus ilusiones y sólo la utilizaba como una muñeca para la cama.

—Danuta, Laura y todos los demás han estado hablando de ti esta tarde. Danuta te ha dedicado muchos elogios y ha dicho que cenaréis juntos en la terraza. Eso es todo.

—No te lo vas a creer —dijo Carlos—, pero antes de que me dijeras eso he estado haciendo planes para ir a cenar contigo en La Masía.

La Masía era un conocido restaurante del pueblo situado al pie de Montserrat, pensado sobre todo para la gente que venía a pasar el fin de semana en las urbanizaciones de la zona. Unos meses antes, todos los del hotel habían celebrado allí la fiesta de cumpleaños de Doro.

—No te creo —le dijo María Teresa. Pero la expresión abatida de poco antes había desaparecido de su cara.

—Si no quieres no te lo creas, pero es cierto. Mira, mañana no puedo por esa competición de ping-pong que ha organizado Guiomar, pero si quieres que vayamos pasado mañana, por mí de acuerdo.

«Últimamente sólo abres la boca para mentir», dijo la Rata en su interior. Pero Carlos olvidó el reproche tan pronto como lo hubo oído. El lado malo de su conciencia unas veces se dejaba oír débilmente y otras veces con más fuerza; en aquel momento, lo hizo más débilmente que nunca.

—¿Hablas en serio?

Cuando Carlos asintió, María Teresa se puso de puntillas y le dio un beso en la mejilla.

—Totalmente en serio —dijo Carlos. Y le devolvió el beso.

—Qué amable estás hoy. Pareces otra persona —le dijo María Teresa un tanto sorprendida. Y luego, rectificando lo que acababa de decir—: No es que otras veces seas desagradable, ni mucho menos. Sólo que te veo cambiado, más cariñoso. Entiendes, ¿verdad?

—Claro que te entiendo. Entonces, quedamos así. El jueves a las ocho y media en La Masía. No te olvides —acabó Carlos, cogiendo la cazuela de encima del coche.

—¿Olvidarme de la primera invitación en seis meses? —le gritó poniéndose al volante. Acto seguido, y en lugar de salir directamente por la parte de atrás, condujo el Mini hacia la explanada principal del hotel. «Porque una vez terminado el trabajo soy tan persona como los clientes», solía decir ella.

Camino del almacén, con Belle y Greta pegadas a los talones, Carlos pensó que María Teresa tenía razón, que también él se veía a sí mismo un poco cambiado, con una buena disposición de ánimo. Y, pensándolo bien, ¿a qué se debía aquel cambio? ¿Qué lo había provocado? ¿El pasaje sobre el mar y la vida que le había leído Danuta?

¿Su proyecto de iniciar una nueva vida? ¿El encuentro con Morros?

Intentó responder a aquellas preguntas mientras daba la cena a los perros y en el tiempo que empleó en remover —por tercera vez aquel día— la masa del pan. Finalmente, cuando llegó la hora de volver al hotel y comenzó a sacar conclusiones, le pareció que todas ellas admitían una respuesta afirmativa: por una parte, las reflexiones del libro de Cyprian Kusto le habían influido, de la misma manera que solían influirle en la infancia las fábulas que aprendía en la escuela, creando la imagen exacta de su problema... Después de leer las fábulas y ver retratados en ellas al envidioso de la clase, o al murmurador, al cobarde, al tramposo... ¡Qué descanso! ¡Qué alivio! Algo parecido, en ocasiones, a quitarse una espina de pescado clavada en la garganta. Y lo mismo le sucedía ahora con aquella metáfora del mar, que le mostraba, de manera comprensible hasta para un niño, lo que él no había podido expresar durante años. Pero, por otro lado —y éstos eran los otros dos factores que contribuían a su cambio de humor—, también era cierto que el proyecto de coger un piso en Barcelona le animaba, y más cierto aún que el encuentro con Morros le había dado cierta euforia. Aquel encuentro le rejuvenecía, y además, sobre todo, le hacía sentirse ante una prueba. Si era capaz de superarla, podría, entonces sí, emprender una nueva vida.

Recorrió el trecho desde la panadería hasta el hotel sin abandonar la reflexión, pero apresuradamente. Según sus cálculos sólo faltaba media hora para que diera comienzo la cena de la terraza. Entró en el hotel y se dirigió a su apartamento.

—No te esfuerces, Carlos —oyó cuando estaba pulsando el interruptor. La voz de Ugarte venía del primer rellano—. Se han estropeado las luces, y todos los que vivimos en esta torre estamos condenados a andar en tinieblas. En fin, que por una razón u otra siempre estamos condenados.

—¿No ha traído Guiomar las bombillas nuevas? —dijo Carlos subiendo la escalera agarrado a la barandilla. Dentro había mucha menos luz que en el exterior, y apenas se distinguía nada.

—Eso mismo digo yo, por qué no habrá traído las bombillas para que toda la escalera se ilumine con ellas. Porque tendrías que ver lo impresionante que estoy. Pero espera, voy a abrir la puerta del apartamento y así podrás verme...

Carlos estaba ya a su altura, pero Ugarte le impedía seguir escaleras arriba agarrándole por un brazo. Lo mantuvo así hasta que logró abrir la puerta y que la luz del apartamento le iluminara. Llevaba un traje marrón tostado, que le quedaba muy holgado, y un niqui amarillo por debajo.

—¿Qué te parece, Carlos? ¿A que estoy bien? Ya sabes que no soy muy dado a emperifollarme, pero esta tarde han venido Laura y Nuria, las dos juntas, sí, a decirme que andan los de la televisión por aquí haciendo un reportaje, y que me arreglara por si acaso. Y yo me he emocionado, la verdad...

—Sí, claro, por supuesto. Pero tranquilo, no me agarres, que te voy a escuchar hasta el final —contestó Carlos deshaciéndose con un gesto del brazo que le presionaba.

—Muchas gracias por el favor, Carlos. Te agradezco de verdad que me escuches, porque lo que me ha pasado hoy no me pasa todos los días. Pues sí, me he emocionado, porque he pensado que esas dos mujeres todavía me consideran un hombre interesante. Y, la verdad, me he sorprendido mucho. Fíjate, tengo casi cuarenta años, peso sesenta kilos, tengo la nariz demasiado larga... Y a pesar de todo, esas mujeres me consideran interesante. Y lo he sabido nada más decirles que iba a ponerme el traje marrón: «Oh, sí —ha dicho Laura—, oh, sí, ese traje te sienta muy bien, con ese traje pareces italiano»; y Nuria ha dicho muy discretamente: «Oh, sí, seguro que ese traje te sentará muy bien»; *te sentará*, ¿entiendes?, hablando siempre como si no supiese de qué va la cosa. Así que he pensado que mientras ande por aquí la televisión no me voy a poner otra ropa...

—Termina pronto, por favor. Tengo que ir arriba a ducharme. Y ya sabes que me gusta ducharme sin prisas —le dijo Carlos subiendo dos escalones.

—¿Y vestirte? ¿No te vas a poner elegante? Porque tú, bien vestido, pareces un actor. Las cosas como son.

—Sí, también voy a vestirme.

—Sí, Carlos, vístete. Si los de la televisión nos cogen bien vestidos, luego la gente dirá: pero ¡cómo puede ser que esta gente tan elegante tuviera algo que ver con miembros del comando que en los últimos dos meses ha cometido más de siete atentados! ¡Quién iba a pensar semejante cosa! Y realmente, ese tipo de comentarios será un consuelo enorme para todos, sobre todo para nuestras familias. Por eso te lo digo, Carlos, vístete bien, que no se quede la televisión sin un par de imágenes tuyas.

—Ya que lo mencionas —dijo Carlos con cierta indiferencia—, Jon y Jone ya se fueron. Hicieron una parada aquí, pero ayer mismo los saqué del hotel, mientras estabais viendo el partido. Y ha sido una excepción, no volverá a pasar.

Ugarte calló por un instante.

—¿Por qué me mientes? Anoche sólo tenía sospechas, pero hoy estoy seguro —dijo finalmente. De pronto, parecía cansado.

—Es imposible que puedas estar seguro. Y si lo estás, te equivocas completamente.

—Tengo información —dijo Ugarte bajando la voz.

—Lo definitivo es lo que te acabo de decir. Y, por favor, no le des más vueltas al asunto.

Sin detenerse a esperar la respuesta, Carlos siguió hacia su apartamento. No sabía a qué información aludía Ugarte, si a la que podían darle Nuria o Pascal o a la de alguien que no había entrado en sus cálculos; pero, como solía repetir Sabino, el activista que no avanzaba poco a poco, no avanzaba nunca. En lo que se refería a Ugarte, el primer paso de la táctica prevista estaba dado, y todavía no había llegado el momento de dar los siguientes. Pero no le preocupaba demasiado, daría también aquellos pasos. Estaba convencido de ello.

Con la llave en la mano, se acercó a la puerta preguntándose si sería capaz de acertar con la cerradura sin ayuda de la luz. Hizo un movimiento con la mano y la llave se deslizó con precisión en la ranura. Aquel logro banal le alegró. Sí, conseguiría superar la prueba. Todo saldría bien.

Después de ducharse, y mientras se secaba frente a la ventana de la sala, Carlos buscó la nube en forma de pan. Pero para entonces todas las nubes se habían desmigajado completamente y tenían el color de las manchas de vino. Sin embargo, el cambio que percibía en el cielo era una excepción, pues todas las demás cosas se encontraban en su lugar, en su tiempo, en su medida: el estridor de los insectos que vivían entre los árboles o en el matorral seguía siendo regular, las luces azules y rojas de la gasolinera destellaban con la misma intensidad de siempre; la iglesia del pueblo ya estaba iluminada en la base de Montserrat, la montaña era una muralla gris. Y cuando abrió la ventana para que entrase la brisa, su apreciación tomó consistencia: sí, todas las cosas estaban en su sitio. Incluido el pequeño murciélago, que giraba alrededor del farol con la misma ligereza de siempre. Sí, comenzaría a vivir de otra manera, costara lo que costase. No le asustaba la maleza que habría de atravesar hasta llegar a un nuevo territorio.

Al volver a su habitación, el reloj de la mesilla le indicó que no faltaban más que cinco minutos para las nueve. Tenía que apresurarse. Si llegaba tarde a la mesa de la cena, quizá no pudiera sentarse cerca de Danuta, o, lo que era peor, tendría que colocarse enfrente de Ugarte o de Mikel. Abrió el armario deprisa, y sacó primero unos pantalones vaqueros de color azul claro y una chaqueta negra de lana fría; después, de los cajones, una camisa morada de manga corta y unos calcetines negros.

Mientras se vestía, su memoria le devolvió imágenes del pasado, y se vio a sí mismo sentado en la mesa ovalada de la terraza del hotel rodeado por los de su grupo —Guiomar, Ugarte, Laura y Mikel— y por otra gente que había ido a visitarles desde el País Vasco, y todos bebían y comían con la apetencia del que quiere desquitarse de los penosos días de cárcel, y todos estaban bien trajeados, Ugarte y Guiomar incluso con pajarita, y Guiomar hacía discursos e improvisaba brindis contra los funcionarios de la cárcel y los chivatos, «brindemos por que Jiménez se convierta en sapo. Y que cuando se convierta en sapo lo aplaste un camión en la carretera. Y brindemos también por Luisillo, para que se quede paralítico justo un poco antes de dar el siguiente chivatazo».

No, él no se estaba vistiendo para el reportaje de televisión, sino porque se sentía como ante las cenas de cuatro o cinco años atrás. Era un sentimiento que encajaba en uno de los términos de su hermano Kropotky, el de *shâanti*, el cual, según su hermano, expresaba un estado espiritual lleno de energía y equilibrio. «Pero tú nunca lo alcanzarás, Carlos. Tú nunca alcanzarás ese silencio. Porque no se trata de una ausencia de ruido, sino de plenitud espiritual.» A él, tanto en el pasado como entonces mismo, la mentalidad de su hermano le parecía ridícula; pero, con todo, quizá por el tiempo que había pasado desde la última vez que se vieron, ya no le resultaba tan antipática. Podía adoptar tranquilamente una palabra como *shâanti*. Después de todo, no disponía de otra mejor.

En el reloj las agujas habían pasado de las nueve, y Carlos, tras comprobar su aspecto en el espejo, se dirigió a la cena con el mismo apresuramiento con que se había duchado y vestido. Nada más cerrar la puerta del apartamento y quedarse a oscuras, presintió algo anormal en el hueco de la escalera, unos susurros, la vislumbre de una luz, pero su nuevo estado de ánimo no le incitaba a mantenerse alerta y siguió hacia abajo dejándose guiar por la barandilla. Pero, enseguida, cuando alcanzó el rellano del segundo piso y giró hacia el siguiente tramo de escaleras, las señales se intensificaron de golpe, y Carlos vio un ojo luminoso que se acercaba enfocándole, un ojo que era simplemente una linterna, pero que al principio, a causa de la extrañeza, al no poderlo identificar, le asustó y le hizo ponerse tenso. Y justo entonces, cuando tenía el ojo luminoso todavía a dos o tres metros, tropezó con el cuerpo de alguien que subía.

—¡Cuidado!

El grito de Guiomar le tranquilizó de golpe. Pero para entonces sus pies ya estaban dando un salto a ciegas. Y después del primero, debido a la inercia, tuvieron que dar un segundo.

—¡Cuidado! —gritó Carlos cuando vio la linterna frente a él. Después, chocó de costado con la pared y cayó sobre la baldosa del rellano mientras Pascal rompía a llorar dando alaridos—. ¿Te has hecho daño? —le preguntó Carlos poniéndose de rodillas en el suelo y tendiendo las manos al niño. Pero éste le rechazó a patadas y comenzó a llorar todavía con más fuerza.

—Tranquilo, Pascal. Ahora voy —gritó Guiomar subiendo hasta el apartamento y encendiendo todas las luces del vestíbulo.

Luego, volvió a donde el niño.

—¿Te has hecho daño, Pascal? —le preguntó.

—¡Quita! —protestó Pascal cuando Guiomar comenzó a doblarle los brazos y las piernas para examinarle.

Sus gritos eran como agujas, y parecían penetrar hasta el centro del cerebro. Pero, después de todo, eran injustificados, o una reacción secundaria al susto que acababa de sufrir. No tenía un solo rasguño.

—¿Por qué tiene la cabeza tan mojada? Al principio he pensado que era sangre —le preguntó Carlos a Guiomar cuando todos volvieron a entrar en el apartamento. Además del pelo, el niño tenía empapados el cuello y la pechera del niqui.

—No es más que agua. Ha andado jugando en la Fontana, como siempre —le respondió Guiomar sin moverse de la puerta del apartamento. Intentaba reajustar la pila de la linterna ante la mirada llorosa del niño—. He ido a la panadería a buscarte —continuó Guiomar con una pizca de fastidio por lo sucedido—. Pensaba que estarías allí todavía, y entretanto me he encontrado con el niño. Y luego, ya lo has visto. ¡Qué mala suerte que hayamos tropezado!

Guiomar hizo una pausa para comprobar si la linterna encendía bien. Después, cuando vio que así era, se la dio al niño y siguió con su relato.

—Pues eso, he visto que las luces de la escalera estaban averiadas y que tú salías del apartamento, y se me ha ocurrido jugar con Pascal a cogerte. *El detective y el perro en busca de Carlos*. En fin, lo siento.

—Yo soy el detective —aclaró Pascal encendiendo la linterna y poniéndose a registrar el apartamento. Ya no le quedaba ni rastro de la desesperación de hacía unos instantes.

—Te has dado el golpe en la oreja —dijo Guiomar a Carlos.

Y era cierto. Como pudo ver a continuación en el espejo del cuarto de baño, la oreja que había rozado contra la pared estaba enrojecida y algo hinchada. No era nada, pero todos los asistentes a la cena le preguntarían por ello. Se puso a maldecir en voz baja para que no le oyera Pascal, pero con la suficiente fuerza como para estropear un poco el estado espiritual sereno —el llamado *shâanti*— que había alcanzado durante la tarde.

—Mira, Carlos, a ver si viendo esto cambias de humor —le dijo Guiomar acercándose hasta el cuarto de baño. Le mostraba el libro que había comprado en Barcelona, una recopilación de las cartas escritas por Rosa Luxemburgo a Louise Kautsky—. Parece que hay otros dos libros publicados, pero por lo visto están agotados. Creo que los fragmentos que ha citado Danuta están en este libro. Échale un vistazo mientras yo me arreglo un poco.

—¿Ahora tengo que esperarte? —le dijo Carlos cogiendo el libro, con un gesto de cansancio—. Ya sé que te debo un favor por traerme el libro, pero no me gustaría llegar muy tarde a la cena.

—Sólo tres minutos, Carlos. Vete a la sala y lee alguna carta de Rosetta. Así es como la llamó Danuta, ¿no? Rosetta, como si fuera una prima suya.

La imitación de Danuta le había salido bastante bien, y Guiomar cerró la puerta del cuarto de baño riéndose entre dientes. Carlos se fijó en el libro que tenía en las manos. Desde la portada, una mujer joven le miraba directamente, y su mirada era serena: serena, inteligente y llena de valor. La mirada de una persona fotografiada en estado de *shâanti*.

150

—Si no quieres leer, juega a detectives con Pascal —Guiomar asomó la cabeza por la puerta del cuarto de baño. Tenía la mitad de la cara embadurnada de espuma de afeitar.

—Vale, Foxi. Si no hay otro remedio, llegaremos tarde —le dijo Carlos antes de entrar en la sala.

Pascal no necesitaba de nadie para entretenerse. Gateaba por el suelo de la sala inspeccionando bajo las mesas y los sillones con la linterna, y parecía muy concentrado. Cuando Carlos fue hacia la ventana y encendió una lamparita, dejó el suelo y se puso a inspeccionar uno a uno los cajones de un mueble que había tras la lámpara.

Carlos tomó el libro y lo abrió al azar.

«Siempre que hablamos de Max Schippel me asoma a los labios una sonrisa de melancolía», leyó Carlos. Era el comienzo de una carta que Rosa Luxemburgo había enviado desde la prisión de Zwickau en 1904. «Némesis, lo mismo entre nosotros que en cualquier otro lugar, no hiere al más culpable, ni siquiera al más peligroso, sino al más débil.»

Obedeciendo maquinalmente a la idea de que debía echar una ojeada al libro, dejó aquella página y abrió otra. En ella se transcribía una postal escrita por la revolucionaria durante una de sus fugas:

«El mar Báltico es un abrevadero, y la ciudad de Kolberg un nido de escombros. Pero he encontrado el mejor lugar que hay aquí, un hotel muy tranquilo, cerca del parque y de la playa. Estoy un poco cansada de tener que andar así, de un lado a otro.»

Al terminar la lectura del segundo fragmento, se acordó del primero, y empezó a buscarlo. Pero el libro contenía muchas cartas, y era difícil encontrar de nuevo aquellas líneas. Hizo memoria. Que Némesis no golpea a quien verdaderamente lo merece, sino al más débil, eso era lo que venía a decir Rosa Luxemburgo en la carta. Se le ocurrió que aquellas palabras que el azar había puesto ante sus ojos constituían un mensaje para la prueba a la que se iba a enfrentar, y que el mensaje le aconsejaba actuar con inteligencia y fuerza. Por un momento —pues desde el percance de la escalera su estado de *shâanti* ya no era el mismo— la Rata volvió a hacerse presente en un punto remoto de su interior, diciéndole que las palabras de Rosetta no constituían un mensaje concerniente a su futuro, sino que ilustraban un acontecimiento del pasado, precisamente lo sucedido con su hermano Kropotky. Pero Carlos rechazó aquella interpretación antes de que aflorara a la superficie de su conciencia.

Cuando oyó que Guiomar salía del cuarto de baño, dejó el libro encima del sofá y se acercó a Pascal. El niño seguía revisando los cajones.

—¿Qué buscas ahí, Pascal? —le preguntó Carlos.

—La pistola de la mujer —le contestó el niño con la mayor naturalidad.

—¿Cómo es eso? —acertó a decir Carlos tras una pequeña pausa.

—La mujer dijo que ella la había encontrado primero, pero que era periodista, y por eso, como era periodista, que no la necesitaba, y que por eso la dejaría escondida bajo tierra en algún sitio. Pero he mirado debajo de la tierra y no está —le explicó Pascal alzando la cabeza.

—¿Debajo de la tierra? Pero ¿dónde has buscado debajo de la tierra? —le preguntó Carlos. Estaba pensando cómo resolver la situación. Guiomar no solía necesitar mucho tiempo para cambiarse de ropa, y se presentaría en la sala de un momento a otro.

—Donde la fuente —le contestó Pascal.

—¿En la Fontana? Pues me parece muy bien. Sí, de verdad, me parece buena idea buscarla cerca de la fuente —dijo Carlos simulando un gran convencimiento. Era preferible que el niño buscara la pistola en un lugar determinado a que extendiera sus pesquisas a todo el hotel—. Pero, claro —prosiguió—, allí donde la fuente hay mucha tierra, y tienes que tomártelo con paciencia. Ésa es una de las dos condiciones que debe reunir todo buen detective, la paciencia. La paciencia es una de las dos cualidades.

—¿Y la otra? —preguntó Pascal mirando los dos dedos que le mostraba Carlos.

—La otra es saber guardar los secretos. El que no sabe guardar secretos, mal detective, Pascal. De verdad, es una cualidad muy importante. ¿Tú le has dicho a alguien lo de la pistola?

Carlos recordaba la conversación que había tenido con Ugarte en la escalera. Pascal se encogió de hombros.

—No lo sé. No me acuerdo.

—De todas formas, en adelante no se lo digas a nadie. Absolutamente a nadie. De esa manera pronto serás un detective excelente.

—¿Cuándo?

—El año que viene, o puede que antes —le respondió Carlos—. ¿Vale? —le dijo luego al oír que Guiomar salía de su habitación.

—Vale —asintió el niño.

Carlos tomó aliento. Había leído en alguna parte que los niños sentían aversión a romper un secreto. Quizá fuera verdad.

—¿Qué, nos vamos a comer ese atún? —preguntó Guiomar desde detrás del biombo—. Me ha dicho Doro que Mikel ha traído un atún estupendo y que nos va a preparar un plato que hacían los pescadores de su pueblo. Como van a grabar la cena por televisión, querrá lucirse.

—¿Los de la televisión van a grabar la cena? —se sorprendió Carlos—. Creía que iban a hacer unas cuantas entrevistas, y nada más.

—No me hagas caso. No estoy seguro. Yo sólo sé que todos se han vestido bien, o mejor dicho, que todos os habéis vestido bien, y que *la nostra bellissima Beatriu* reluce como un sol —dijo Guiomar mientras le daba la mano a Pascal. Llevaba una camisa de cuadros verdes y grises, y pantalones vaqueros de color negro.

Carlos volvió a sorprenderse al oír que también Beatriz estaría en la cena, pero pronto cayó en la cuenta de que a la cena propuesta por Danuta se le había superpuesto una segunda con más gente y otros fines. Con todo, no creía que los de la televisión les impidieran conversar durante la cena. Con esa idea en la cabeza, salió del apartamento y comenzó a bajar las escaleras tras la luz de la linterna de Pascal.

En la terraza no había mesas libres, y la mayoría, dispuestas como una larga mesa de banquete, estaban ocupadas por el equipo de Polonia y sus acompañantes. La superioridad numérica que, con respecto a la gente de otras mesas, tenía el grupo, parecía aún mayor debido al

154

bullicio que armaban. Gritaban, aplaudían, brindaban con copas de champán —«¡*Nazdrowie! ¡Nazdrowie!*»—, y se hacían fotografías con flash. De vez en cuando, como si alguien les marcara el ritmo, todas las voces se unían al grito de «¡Boniek! ¡Boniek!» o «¡Zmuda! ¡Zmuda!». Boniek y Zmuda —tal como Doro le había anunciado a Carlos— acababan de firmar aquella misma tarde sus contratos millonarios, el primero con la Juventus, el segundo con el equipo de Verona.

—Seguro que la cena de hoy corre a cuenta de Zmuda y Boniek —comentó Guiomar cuando llegaron a los escalones de la terraza. Y luego, dirigiéndose a Pascal—: ¿Ya ves? ¿Ves qué fiesta?

—Cuántos bichos, ¿no? —le contestó el niño señalando las mariposas que revoloteaban por encima de las lámparas que iluminaban la mesa. Por efecto de la luz, todas parecían blancas o grises, y su indecisa manera de volar provocaba a veces la ilusión de que estaba nevando.

—¿Les saludamos? —preguntó Guiomar a Pascal.

El niño, algo asustado con toda aquella algarabía, asintió con timidez.

—Pues entonces, vamos. Les quiero decir una cosa.

Pascal abrazaba la linterna como si —«¡Boniek! ¡Boniek! ¡Boniek!»— quisiera protegerla de los gritos de los polacos.

—Voy a decirles que mañana les vamos a ganar al ping-pong —le explicó Guiomar mientras saludaba con la mano a unos masajistas sentados en el extremo de la mesa.

Pero la barahúnda organizada en aquel momento por el grupo —«¡Boniek! ¡Zmuda! ¡Boniek! ¡Zmuda!»—

era tal, que resultaba imposible comunicarse incluso con ayuda de señas. Guiomar abandonó su primera intención, y siguió a Carlos.

Las dos únicas mesas no ocupadas por los polacos se encontraban al fondo de la terraza, junto a las ventanas que daban al comedor del restaurante. En la primera, situada en el rincón, se sentaban tres hombres que, a juzgar por las apariencias, principalmente por las cámaras y los focos, trabajaban para la televisión; en la segunda, una mesa ovalada situada al lado de la puerta giratoria, Danuta hablaba animadamente con Beatriz, y Ugarte, situado entre ambas, hacía esfuerzos por entender lo que le quería decir el periodista de chaleco fucsia. Pero seguía siendo difícil entenderse, porque los polacos, enardecidos por el champán, se habían puesto a cantar. Cuando llegaba el estribillo de la canción, los treinta hombres de la mesa larga coreaban un rítmico «ho-ho-ho ha-ha-ha he-he-he», y durante aquellos segundos tanto los de la mesa de los periodistas como Danuta y sus compañeros tenían que dejar de hablar.

—¡Buenas noches! ¿Dónde estaban? —les saludó Danuta exagerando sus gestos de acogida y alzando la voz por encima de la canción de sus compatriotas.

Se levantó de la mesa y besó a Pascal.

—Pero ¿qué se ha hecho aquí? —le dijo luego a Carlos, señalándole la oreja—. Siempre le veo herido, Carlos. Cuando no es en los brazos, es en la oreja.

—No es nada —contestó él evasivamente.

Como le sucedía siempre —al menos en un primer momento—, la presencia de Beatriz le intimidaba. Y además, en la medida en que aquel sentimiento le parecía despreciable, lo llenaba de agresividad. ¿Por qué no romper el hechizo de aquella mujer dándole una bofetada? Pero, por supuesto, aquella idea era absurda.

—Nos hemos caído en las escaleras —explicó Guiomar encendiendo un cigarrillo—. Pero ya se lo contará Pascal, porque es el que mejor conoce el caso. ¿Verdad, Pascal? ¿No eras tú el detective del caso de las escaleras?

El niño dijo que sí con la cabeza y empezó a dar unas explicaciones apenas audibles. Entretanto, Carlos saludó al periodista del chaleco fucsia. Estaba sentado justamente frente a Ugarte. Se llamaba Stefano.

—Toda mi familia es italiana, pero yo nací en Barcelona —le explicó con una sonrisa que pretendía ser amistosa.

Sin embargo, no parecía latino. Tenía los ojos pequeños y muy azules, y el pelo —escaso, pero que llevaba ahuecado junto a las orejas como los payasos o los magos— era cobrizo, a tono con el color de su chaleco. Visto de cerca, le pareció más viejo que unas horas antes. Por más que vistiera como una persona de treinta años, debía de tener más de cincuenta. Carlos —aprovechando la tregua que le concedía la explosión del estribillo «ho-ho-ho ha-ha-ha he-he-he» al final de la canción de los polacos— lo comparó con Doro. Le parecía increíble que ambos fueran de la misma generación.

A pesar de que la forma de hablar del periodista, un tanto empalagosa, no le gustaba demasiado, decidió sentarse a su derecha, dejando una silla libre entre él y Danuta. Desde aquella posición dominaba toda la terraza. «Un activista no necesita una silla para nada», recordó entonces. La voz de Sabino le llegaba con nitidez, por encima de todo el ruido. «Debe pensar paseando, debe hacer las reuniones mientras camina, debe esperar a sus contactos de pie. Y cuando tiene que sentarse, debe hacerlo con la espalda protegida y de modo que pueda controlar el mayor espacio posible. Un joven que da la espalda y se oculta, siempre es sospechoso. Al menos bajo la dictadura.» El consejo pertenecía al pasado, pero seguía arraigado en su sistema de reflejos, como una memoria corporal. Al cuerpo no se le olvidaba nadar, y tampoco lo aprendido durante la época de la lucha armada. «Heroica explicación —oyó al instante en la voz de la Rata—. Pero también tendrá algo que ver el que desde esa posición Beatriz quede en tu diagonal y sea perfectamente visible, ¿no?».

Guiomar le puso una cerveza en la mano, y Carlos levantó la vista para darle las gracias y miró a su alrededor. Sin lugar a dudas, tenía que postergar la idea de una conversación seria con Danuta, al menos por aquella noche, puesto que el ambiente de la terraza —«*¡Nazdrowie! ¡Nazdrowie!*», coreaban de nuevo los polacos con las copas de champán en la mano— distaba mucho del que habían disfrutado en la Banyera. Por añadidura, el propio ambiente de la mesa tampoco era favorable, por la presencia de Stefano y también, sobre todo, por la actitud de Beatriz. Acaparaba totalmente la atención de Danuta, y le estaba contando alguna nadería acerca de los pendientes que había sacado de un bolso Balenciaga para hacérselos probar ante la mirada de Pascal, Guiomar y Ugarte. Danuta vestía de negro, con una blusa de seda; en cuanto a Beatriz, su ropa no era la misma que la de dos horas antes, y llevaba una chaquetilla de color amarillo sobre la camisa blanca.

—No se lo va a creer, Stefano, pero ustedes los de la televisión han conseguido algo francamente difícil —intervino de pronto Ugarte desde el otro lado de la mesa—. Lo digo de verdad. Carlos llevaba años sin usar más que camisetas, y hay que ver qué camisetas, de las que llevan los técnicos en los conciertos musicales, de esas que tienen aquí delante el nombre del grupo o palabras malsonantes. Y ahora, en cambio, mire qué elegante. De verdad que me parece un milagro suyo y de la televisión.

—La cena va a empezar —dijo el joven Doro en aquel momento, asomando por la puerta giratoria. Traía una bandeja grande en la mano.

—No es cierto —le dijo Carlos a Stefano, mientras ayudaba al joven Doro a poner los patés en la mesa—. Aquí las únicas personas elegantes son las del otro lado de la mesa. Usted mismo lo puede comprobar.

El periodista asintió, y se puso a untar de paté un trocito de pan. A Carlos le bastó una sola mirada para advertir que el pan no estaba tan esponjoso como debiera. Desde la llegada de Jon y Jone su trabajo de panadero dejaba que desear.

—Pero ¿cómo se ha sentado ahí, Carlos? ¿Es que no quiere sentarse a mi lado? —le preguntó Danuta inesperadamente, como si se acabara de dar cuenta de la separación entre ambos.

Carlos vio un jersey morado en el respaldo de la silla que los separaba —dejado probablemente por Laura para asegurarse el sitio—, y pensó aducir como excusa que no podía sentarse en una silla que estaba ocupada. Pero ya se había recuperado de la inseguridad del primer momento y lanzó la respuesta como una piedra:

—Si me sentara en esta silla quedaría casi enfrente de Beatriz, y eso no puede ser. Últimamente Beatriz y yo no nos llevamos muy bien. Discúlpeme, Danuta. Si fuera por usted, cambiaría de sitio.

—Se trata de un terrible secreto, Danuta. No pregunte nada —bromeó Guiomar a fin de aliviar la tensión creada en la mesa. A su lado, Pascal miraba con atención. Tenía las comisuras de los labios embadurnadas de paté.

—¡No hay que decir los secretos! —gritó el niño.

En la mesa grande, dos o tres polacos se pusieron a gritar «¡Boniek! ¡Boniek! ¡Boniek!», pero sin conseguir excesivo eco. Estaban ya cansados, y las burbujas del champán no eran capaces de renovar la alegría.

—Ya se sabe. Los jefes siempre acaban por mostrarse groseros. Pero no hay que hacerles mucho caso —explicó Beatriz a Danuta. No era una mujer que se dejara intimidar por un hombre.

—Uno de los jefes, Beatriz, uno de los jefes —precisó Ugarte.

Danuta y Stefano se miraban entre sí, algo inquietos a causa de la situación. Eran extraños en aquella mesa, y no conseguían adivinar si los que se sentaban a su lado bromeaban o hablaban en serio. Quizá por ello, celebraron con alegría la llegada de Mikel.

—¡Silencio todos y a comer! —ordenó Mikel depositando sobre la mesa una bandeja de cigalas y almejas a la plancha. Laura apareció tras él con una segunda bandeja.

—Doro vale mucho, sí, señor —dijo Guiomar dejando una cigala en el plato de Pascal.

—Más que otros —añadió Laura al sentarse en la silla donde estaba el jersey. Llevaba una camiseta negra de tirantes que le dejaba al descubierto brazos y hombros. Carlos pensó que Laura y Jone se vestían de un modo parecido, y que sus pechos eran igual de grandes. Y que, como Jone en la panadería, también Laura estaba furiosa.

—Laura, por favor, respetemos la paz de nuestros amigos y la inocencia de nuestro hijo —dijo Ugarte.

Danuta y Stefano volvieron a inquietarse. Aquel intercambio de palabras auguraba una nueva discusión.

—Cuidado, Ugarte —le amenazó Laura ante el silencio de todo el resto de la mesa—. A mí no me chantajees. Si comprendes lo que hay que comprender, no vas a meter a Pascal por medio.

El niño levantó la cabeza al oír su nombre, pero enseguida volvió a su plato. Trataba de quitarle la cáscara a su segunda cigala.

—Me ha sorprendido en adulterio, o al menos eso cree —aclaró Ugarte mirando a Stefano—. Ha sido hace aproximadamente una hora. Ella ha ido a la piscina a darse un baño, y ¿qué es lo que ha visto a la entrada de la piscina? Nada más y nada menos que un coche aparcado en la calzada. Y en el interior del coche yo mismo con otra persona.

—Con esa culona que supuestamente contrató para ayudarme en la cocina —aclaró Laura. Todos los de la mesa parecían muy concentrados en sus respectivos platos—. ¿Qué os parece? Doro y todos los demás preparando la cena y mientras tanto Nuria y él metidos en un coche...

Laura dejó la frase sin acabar y miró a Guiomar.

—A mí también me daría rabia —intervino Mikel. Ya se había reconciliado con Laura.

—Queridos amigos que con tanta paciencia estáis escuchando este relato, permitidme que os explique lo que sucede —dijo Ugarte a su manera teatral, con un vaso de cerveza en la mano. Con todo, se le notaba más turbado que de costumbre—. Lo que sucede es que Nuria quiere sacarse el carné de conducir y que yo le estoy enseñando, aquí mismo, dentro de los terrenos del hotel, y no en una oscura cueva de Montserrat ni en una pista escondida entre matorrales. Y hoy también estábamos en ello. Y entonces ha aparecido mi mujer, una leninista entusiasta como casi todos vosotros sabéis, y me ha tratado de adúltero desde la primera palabra. Parecía un personaje de la Biblia más que una hija de Lenin. Pero, claro —miró directamente al periodista—, puede que el tema no le interese, Stefano, porque usted no quiere hacer un reportaje acerca de la penosa situación de los matrimonios actuales, sino acerca del fútbol y el modo de vida de los futbolistas. Y puestos a pensar, ¿por qué no entramos en el tema?

Stefano aprobó con la cabeza e hizo ademán de llamar a sus compañeros de la televisión. Pero Laura interrumpió su movimiento.

—Aquí el único que parece de la Biblia eres tú, Ugarte. Y si no, recuerda la famosa afición de Noé. Además, no creo que mi comportamiento haya sido muy raro.

—Raro no —dijo Ugarte poniendo cara de aburrimiento—. Ha sido como el de cualquier ama de casa española. Pero eso no es sorprendente, Danuta —añadió, volviéndose hacia la intérprete—, en España no hay más que amas de casa. No es como en Polonia.

—Ya está bien, ¿no? —dijo Beatriz. Debido a la discusión, el ambiente de la mesa se había destemplado un poco. Cada cual miraba a su plato. Mikel se sirvió más cigalas y almejas de la bandeja.

—No ha sido la reacción de un ama de casa —insistió Laura—. Yo no he cambiado de ideas, como han hecho otros. Y en este caso tampoco he olvidado lo que escribieron los leninistas. Y si no me crees, ahora mismo te recuerdo lo que escribió Alexandra Kollontai sobre las relaciones entre hombres y mujeres.

—No, por favor —suplicó Ugarte teatralmente, alzando los brazos. No parecía que la actitud de su mujer le preocupara demasiado.

—Sí, por favor. Di lo que escribió nuestra Alexandra. Todas las ocasiones son buenas para aprender —bromeó Guiomar. Su actitud dejaba traslucir la antigua relación que había habido entre ellos después de la salida de la cárcel, durante la estancia de todo el grupo en Francia. La relación no había llegado a formalizarse y, al final, Laura se había casado con Ugarte. Pero a veces parecía que Guiomar seguía contando con Laura, y que aquel sentimiento explicaba muchas de sus actitudes: las concernientes al aspecto sexual —no le conocían ninguna amiga— y también las relacionadas con cosas tan concretas como el proyecto, siempre aplazado, de irse a Cuba a pasar una temporada.

—Te lo agradezco mucho, Guiomar —dijo Laura poniendo su mano sobre la de él. «De manera que hay movimiento por ambos lados», pensó Carlos—. Pero si

163

quieres te lo explicaré después de la cena. Creo que entonces podremos hablar mejor.

—Sin duda —aceptó Guiomar.

—Sin duda, porque si empezamos a dudar, aquí no hacemos hoy ningún reportaje, Stefano —añadió Ugarte.

—Me gustaría decir algo —intervino Danuta aprovechando un momento de silencio en la discusión—. Creo que nos estamos portando mal con el cocinero. Nos ha preparado una cena deliciosa, y no hacemos más que enfadarnos por tonterías.

—Es verrdad, yo estoy de acuerrdo, hay que dejarr a un lado las tonterrías y tenerr un gran rrespeto hacia el cocinerro —respondió Ugarte exagerando el acento de Danuta.

—Qué burlón es usted, Ugarte —se rió Danuta.

—Mire, Danuta. Por mí, éste puede hacer lo que le dé la gana —dijo Laura señalando a Ugarte—. Pero no en mi propia casa y dejándome en ridículo. Eso no es una tontería, Danuta. Es cuestión de dignidad.

Carlos miró a Guiomar. ¿Sería aquél su secreto? ¿Qué él y Laura volvían a estar juntos? El comportamiento de Laura se adecuaba a la hipótesis.

—En cualquier caso... —intervino el periodista de la televisión con un tono frailuno que sorprendió a Carlos—. En cualquier caso, Danuta tiene razón. Es cierto, Laura, es bien cierto que en el matrimonio siempre surgen problemas, pero a mí me parece que lo que has contado es un problema muy pequeño. Si yo tuviera un hijo como el vuestro... —hizo una pausa para ver dónde estaba Pascal—. Si yo tuviera un hijo así, todas las demás preocupaciones me parecerían de segundo orden —añadió al comprobar que el niño se había acercado a la mesa de los polacos.

—Yo ya he acabado —dijo de pronto Mikel enseñando su plato vacío.

—¡Ay, Neptuno, Neptuno! ¡Engulles sin ningún remordimiento a los habitantes de tu reino! —exclamó Ugarte dando un tono más solemne a su voz. Parecía no acordarse de la discusión que acababa de tener.

Carlos no participó en la reacción festiva que la ocurrencia de Ugarte suscitó en el grupo, y se dijo a sí mismo que la cena ya había acabado para él. No lamentaba haber asistido, porque la actuación de Laura le ayudaba a comprender mejor a Guiomar y porque había podido ver a Beatriz; pero las reuniones ruidosas y desordenadas le disgustaban, tanto más en la situación en que se encontraba. Su mirada fue hacia Pascal: seguía al lado de la mesa de los polacos, sentado muy quieto detrás de Boniek y atento a una conversación que no podía entender. Sí, él era el verdadero problema. Lo que Nuria podía contar, aunque se lo contara a Ugarte, era algo impreciso. Que sacaba comida de la cocina sin un fin conocido, o que así había ocurrido al menos en las dos ocasiones en que ella pudo notarlo. Pero no era raro que él cenara en su apartamento, o en la panadería, o en la Banyera, y los indicios aportados por ella resultarían al cabo inconsistentes. Además, sus horas en el hotel estaban contadas, porque Laura no le daría opción a seguir allí. En cambio, Pascal podía convertirse en un informador muy efectivo. Podía contar bastantes cosas acerca de Jon y Jone, incluso el lugar exacto donde se ocultaban; es decir, que forzosamente debían estar en la panadería o en el almacén, y no, por ejemplo, en el mismo edificio del hotel o —como él y Mikel pensaran en un principio— en alguna cueva de la zona de la Banyera. Y lo peor de todo era que no se le podía controlar: ¿cumpliría su promesa de no contar a nadie lo de la pistola? Aun en el caso de que quisiera cumplirla, ¿sería ello posible en la práctica? Sí, estar a merced del niño era algo así como estar en manos del destino. En esas circunstancias, el plazo de una semana que pensaba dar a la organización resultaría eterno.

El parloteo entre Mikel y Ugarte, así como el barullo general de la cena, le llegaban confusamente, como cuando se sumergía en la Banyera y se le llenaban los oídos de agua. Abstraído del ambiente que le rodeaba, su atención recayó en las mariposas que revoloteaban por encima de la mesa de los polacos: surgían de la oscuridad de la noche y se ponían a girar cerca de las lámparas; algunas con cierta rapidez, otras —muy grandes, con un cuerpo del tamaño de un dedo meñique— con gran torpeza, como arrastrándose por el aire. A veces, cuando uno de los hijos de Doro se acercaba a la mesa, o cuando do un arrebato de los polacos —«¡Boniek! ¡Zmuda!»— las asustaba, el revoloteo se hacía más intenso y la ilusión de que estaba nevando en la terraza se acrecentaba.

Tombe la neige et ce soir tu ne viendras... El recuerdo de la canción volvía de nuevo a su cabeza, pero ahora serenamente y desde muy lejos; no ya desde el pasado, desde la estación de esquí donde había recibido la noticia de la muerte de Sabino, sino de otro mundo. Muy pronto, aquel primer recuerdo se transfiguró, y vio a Sabino con una copa de vino en la mano y hablándole sin énfasis:

«El otro día leí un artículo de Satrustegi que me llamó mucho la atención. Contaba una costumbre que tenían los pueblos del norte de Japón. Por lo visto, en esa zona del norte de Japón solía haber nevadas enormes, y sus habitantes se quedaban sin comida en invierno, a veces incluso corrían peligro de morir de hambre. Y su salvación era el oso, o sea, la caza de los osos que bajaban a los valles en busca de comida. Y a veces, parece ser que capturaban a las crías de los osos y las guardaban para el año siguiente. Pero ocurría que los osos que habían criado se volvían sociables, y la gente por su parte se encariñaba con el animal. Entonces, llegaba el invierno siguiente, se agotaban las provisiones y no tenían otro remedio que matarlo. Y esto es lo más bonito, Carlos, cómo los mataban. Por lo visto, celebraban una fiesta y sacaban al oso en desfile entre música y serpentinas, y mientras duraba la fiesta, los niños del pueblo le lanzaban dardos de juguete. Y el oso al principio se asustaba con los dardos, pero poco a poco se iba acostumbrando. Y entonces, cuando veían que el oso ya estaba tranquilo y contento, un hombre expresamente entrenado para ello le lanzaba un dardo envenenado, y el animal moría sin enterarse. ¿Qué te parece? ¿No es un sistema maravilloso? Le daban muerte, sí, pero sin sufrimiento físico o psíquico. La idea me parece buena y me gustaría tratarla en los cursillos. Pero eso no va a ser posible, porque —Sabino miró la copa de vino que tenía entre las manos— de aquí en adelante ya no habrá más cursillos. Antes me has preguntado qué me pasa, a ver si estaba deprimido. La razón es lo del cursillo. La gente de la dirección me ha dicho que tengo un concepto romántico de la militancia, y que eso está desfasado. Uno de esos universitarios marxistas que acaban de enrolarse llegó a decirme que soy un peliculero. El caso es que me he metido en otras tareas. Pero, claro, no te puedo decir de qué tareas se trata. Ya sabes, algunas lecciones, ja, ja, románticas de esta escuela siguen todavía en vigor».

Mientras la risa de Sabino iba perdiéndose en su memoria, Carlos vio que una de las mariposas grandes volaba —se arrastraba— de la mesa de los polacos a la de los cámaras, y que Pascal caminaba tras ella dando saltos e intentando iluminar su trayectoria con la luz de su linterna. Desgraciadamente, el vuelo no tuvo un buen final para el insecto. Al llegar a la segunda mesa, quizá por cansancio, o atraído por algún olor, se metió en un vaso de boca ancha que instantes después, cuando uno de los cámaras puso el vaso boca abajo, se convirtió en su tumba. Carlos observó con atención la agonía del insecto: sus primeros movimientos cara a explorar los límites de su cárcel de cristal; su intento de buscar una salida por arriba y por abajo; sus caídas cuando iba quedándose sin aire y tropezaba con los pliegues del mantel; su muerte por asfixia. Sí, tenía razón Rosa Luxemburgo, Némesis no golpeaba a los más peligrosos, sino a los más débiles. «Pero no sólo a los más débiles», apostilló Sabino reapareciendo con una sonrisa y guiñándole un ojo. No, no sólo a los más débiles, reconoció Carlos, porque la muerte de Sabino no se había debido a ninguna debilidad, sino a la estupidez de quienes decidieron suspender sus cursillos y le empujaron, por orgullo, a las acciones más peligrosas.

—¡¡Por favor!! —oyó entonces. Danuta estaba de pie y miraba a la mesa de los cámaras—. ¡Por qué ha hecho usted eso! ¡Delante de Pascal, además! ¡De verdad, me dan ahogos de ver cómo ha asfixiado a esa mariposa!

El cámara pareció avergonzado por los reproches de Danuta. Se acercó a ella y le pidió excusas: no lo había hecho por capricho, sino porque una hermana suya, estudiante de biología, tenía que presentar un trabajo en sustitución del examen.

—Y le oí decir que con la descripción de un insecto un poco raro podría aprobar una asignatura —continuó poniéndose las manos en el pecho y con un tono empalagoso casi idéntico al de Stefano—. Por eso lo he cogido así, y no de un manotazo. Para que quedara entero.

Era un hombre de menos de treinta años y —como el mismo Stefano— llevaba chaleco. Pero el suyo era estilo safari, y le quedaba un poco holgado.

—¿Y no podía ir a cogerlo a otro sitio? —intervino Laura con severidad—. Con el calor que hace, insectos no faltan. En cualquier sitio puede encontrarlos. Hasta en su habitación, si se descuida.

—Eso porque no se aloja en el hotel, claro. En las habitaciones de nuestro hotel no entra ni el más pequeño de los mosquitos —añadió Ugarte levantando el dedo índice.

—Perdón, no creía que les resultara tan desagradable. Me ha parecido una mariposa rara y muy grande, y la he atrapado sin pensarlo mucho. En cualquier caso, ha tenido una agonía muy corta.

El joven miró a Stefano. No sabía qué hacer ante la reprimenda de las dos mujeres.

—En cualquier caso, Alfredo —atajó Stefano poniéndose de pie—, no era el momento adecuado. Está bien pensar en la familia y acordarse de la hermana que estudia biología. Pero al hotel hemos venido a filmar un reportaje.

Carlos se concentró en lo que llegaba a sus oídos. El tono frailuno de Stefano se acentuaba al reprender a su subordinado. Y pensándolo bien, no dejaba de ser raro que los dos hombres de televisión hablaran en el mismo registro, y precisamente en aquel registro tan empalagoso. Por otra parte, empleaban los mismos comienzos de frase, «en cualquier caso» y semejantes, como si ambos hubieran pertenecido a la misma secta durante mucho tiempo y se hubieran contagiado algunas costumbres mutuamente. Eso era lo que, en efecto, sucedía en las comunidades más o menos cerradas, que después de un tiempo las peculiaridades individuales se difuminaban y los comportamientos se volvían más homogéneos; sobre todo cuando, como en el caso de las sectas, la comunidad estaba sujeta a un reglamento estricto. Sí, así era, casi todos los que habían estado estrechamente vinculados a la religión adquirirían un cierto sello o marca. Cosa que también sucedía con los militares, claro está. Y lo mismo que con los militares —Carlos se sobresaltó al concluir su argumentación—, con la policía.

«Es probable, Carlos, es probable que se trate de policías», le dijo Sabino volviendo a reaparecer en su recuerdo. Pero en esta ocasión le hablaba en voz muy neutra, como un verdadero profesor.

Carlos agachó bruscamente la cabeza y se puso a mirar los centímetros cuadrados de mesa que tenía delante como si quisiera averiguar algo en ellos. El mantel era de hilo blanco, y en aquella blancura —ya retirados los primeros platos y los cubiertos— sus dos manos rodeaban un vaso lleno de cerveza. Y la cerveza era muy rubia, y en su interior las pompas del tamaño de granos de arena ascendían en hileras; en cuanto a sus manos, parecían dos sudorosos pedazos de carne. Además, las sentía desligadas de las muñecas, como si hubieran perdido el contacto con su centro nervioso. Reaccionando, Carlos levantó el vaso del mantel y después, llevándoselo hasta los labios —en aquel momento, cada movimiento de sus manos adquiría entidad propia—, dejó que la cerveza le entrase poco a poco en la boca. Quería ocultar su cara a Stefano, no quería que él percibiera su desconcierto. Si su hipótesis era correcta, aquel hombre que se sentaba junto a él —contra lo que su apariencia de payaso o de mago hacía suponer— podía ser muy peligroso para él, un mastín, una serpiente, uno de los responsables de la brigada antiterrorista.

Stefano no pudo percatarse de nada, en parte debido a la prudencia de Carlos, pero sobre todo a causa de los polacos. Su fiesta había terminado, y todos los comensales de la mesa ovalada, empezando por el propio Stefano y terminando con Ugarte, se vieron obligados a responder a su saludo de despedida —*¡Dobry Wieczór! ¡Dobry Wieczór!*— hasta que el grupo terminó de marcharse de la terraza. A Carlos le bastó aquel tiempo para recuperar la tranquilidad.

—Alfredo —llamó Stefano a su compañero—. Id preparando las luces y el resto. Empezaremos a grabar a los postres.

—¿No pueden esperar a que acabemos la cena? A mí me gusta cenar tranquilo —dijo Mikel imitando el tono severo que Laura había empleado un poco antes.

171

—Yo creo que nos interesa empezar con los preparativos ahora mismo. De lo contrario, vamos a alargarnos mucho. Pero, por supuesto, ustedes deciden. Si quieren empezar más tarde, empezaremos más tarde —dijo Stefano mirando a Ugarte.

—Sí, mejor que se haga cuanto antes. No querría retrasarme mucho. Le he dicho a mi marido que estaría en casa para la una —dijo Beatriz mirando de reojo a Carlos y a continuación a Stefano—. Además, mañana hay que trabajar —añadió dirigiendo a Carlos una segunda mirada. Pero tampoco aquella vez percibió ningún cambio en la expresión de Carlos.

—A mí también me conviene empezar cuanto antes. Con lo de los fichajes de Boniek y Zmuda, cualquiera sabe las entrevistas que voy a tener que traducir mañana por la mañana —dijo Danuta.

—Como queráis —concedió Mikel—. Pero si luego os salen úlceras, será por culpa vuestra. Qué, Laura, ¿vamos nosotros a por el segundo plato? Creo que los hijos de Doro ya tienen bastante trabajo con recoger la mesa de los polacos —añadió señalando a Juan Manuel y a su hermano Doro. Se mostraba más amable y risueño que nunca.

Carlos pensó en ir a la cocina e informar a Mikel de las sospechas que abrigaba hacia Stefano y sus compañeros. Pero decidió que no. Debido quizás al consejo que le había dado en la gasolinera, Mikel parecía contento, y el efecto de la noticia podía ser nefasto. Como decía Ugarte, era demasiado mal actor para disimular delante de la policía.

—Es verdad, los chicos han tenido un trabajo enorme —dijo Guiomar tras un titubeo—. Si no he contado mal, han sido veinticinco las botellas de champán que han tenido que llevar a la mesa. No sé, Danuta, no entiendo muy bien a Piechniczek. Permite que sus jugadores se emborrachen teniendo por delante un partido tan difícil como el del próximo domingo.

No se trataba de un comentario jocoso. Guiomar no veía con buenos ojos que los jugadores bebieran, le parecía poco profesional.

—El champán no emborracha, Guiomar. El champán da vida —le respondió Danuta.

—¿Qué, viene alguien a traer los platos? Necesito la ayuda de dos —dijo Mikel desde la puerta giratoria. Guiomar se le unió inmediatamente.

—Como otros no pueden levantarse, tendré que ser yo la tercera —dijo Laura siguiendo a Mikel y Guiomar.

—Ya ve qué gente tan buena hay en este hotel, Stefano. Una gente realmente ejemplar —exclamó Ugarte. Y después, dirigiéndose al que había capturado la mariposa y a sus dos compañeros—: ¿Qué, no van a empezar con los preparativos de la grabación?

Stefano hizo una señal, y los tres hombres probaron las luces y dejaron colocados junto a la barandilla de la terraza los focos y unas placas para difundir la luz que parecían recubiertas de papel plateado. Durante los minutos siguientes, mientras los de la mesa comían una especialidad de Doro —un plato cuya base era el atún—, empezaron las pruebas de sonido, grabando a los comensales de uno en uno con un micrófono de pértiga. Stefano y sus tres compañeros no realizaban el trabajo con tanta torpeza como Carlos había previsto, incluso daban la impresión de conocer bastante bien el oficio; en especial el más gordo de ellos, el único que, precisamente, no llevaba nada sobre la camisa. Los otros dos —el que había asfixiado a la mariposa y otro con cara de fumador— llevaban chaleco. «Allí donde la espalda pierde su santo nombre —les enseñaba Sabino—, normalmente suele estar el culo. Pero como estamos hablando de la policía, allí donde la espalda pierde su santo nombre, suele haber una pistola pequeña, generalmente de marca Astra». Por lo tanto, en aquel grupo podía haber tres pistolas, incluida la de Stefano. También el gordo podía ser policía, pero sería en todo caso algún especialista, no un inspector.

—Perdone, pero a mí no me hagan pruebas —dijo Carlos con su voz más noble cuando le pusieron el micrófono un poco más arriba de la cabeza—. No he tenido ningún trato con los futbolistas. De verdad, prefiero no decir nada.

—Yo tampoco voy a decir nada. A mí la televisión me da cagalera —aclaró Mikel subrayando la palabra más desagradable de la frase.

—¡Cagalera! —repitió Pascal desde las rodillas de Guiomar. Estaba ya medio dormido, y enredaba en el platito que su madre le había puesto delante.

—¡Neptuno, por favor! —intervino Ugarte—. No creía que el rey de los mares pudiera hablar de semejante manera. Afortunadamente, a Pascal no le gusta bañarse en el mar. De lo contrario, cualquiera sabe qué modales traería a casa.

—Por favor, por favor —le suplicó Stefano levantándose de su silla y poniendo cara de fastidio—. No nos

174

enzarcemos en otra discusión. Sinceramente, nunca he visto un grupo tan aficionado a discutir.

Después miró a Carlos y a Mikel, y levantó los brazos como queriendo detener sus comentarios.

—Por favor, por favor, mantengamos la calma. Comprendo perfectamente que algunos no quieran declarar nada —dijo.

—Hablaría si me hubiera relacionado con los futbolistas —le dijo Carlos—. Además, tengo la oreja un poco hinchada. No quedaría bien en la pantalla.

Sentía un poco de dolor en la oreja que había rozado con la pared al caerse en las escaleras. Decidió utilizarlo como la excusa para regresar al apartamento no bien hubiera tomado el café.

—Vamos allá —dijo Stefano tras conducir a Danuta hasta la barandilla de la terraza. Luego la colocó en el punto que había señalado el gordo después de probar los focos—. Recuerden, aunque Danuta no es preciso que lo recuerde, porque ha tenido que hablar ante la cámara a menudo...

—Pero no como protagonista —respondió Danuta con una risita. Estaba un tanto nerviosa y se daba los últimos retoques al maquillaje ayudada por Beatriz—. ¿Qué tal me ven? ¿Estoy bien? —preguntó luego al círculo de gente que la miraba. Excepto Carlos, Ugarte y Mikel, todos estaban allí, incluso los hijos de Doro.

—Bueno, pues eso, recuerden que hay que hablar breve y preciso. En televisión, el tiempo corre más rápido que en el reloj.

—¿Cuántas veces ha dicho eso desde que empezó a trabajar en la televisión? —gritó Mikel. Rebañaba lo que le quedaba en el plato con un trozo grande de pan. Pero Stefano no le oyó, o fingió no haberle oído.

—Tranquilo, Mikel, no te excites —le aconsejó Carlos en voz baja—. ¿Qué tal está el pan? —le preguntó acto seguido para diluir la inseguridad que la frase anterior le había causado a Mikel.

—Para mí, bueno —dijo Mikel dubitativamente. Tras la advertencia de Carlos no sabía cómo actuar.

—No creo que esté tan bueno —le dijo Carlos. Sabía, sin necesidad de probarlo, que en aquel trozo había demasiada sal.

—¡Señoras y señores! ¡Yo voy a mear! —dijo Ugarte sonoramente. Parecía bastante bebido—. A mí eso me han dicho, que antes de hablar en la televisión conviene mear. Parece que si no lo haces, luego se nota mucho en la cara. ¿No os habéis dado cuenta de la cara tan rara que tiene ese tipo que da las noticias a mediodía? —Ugarte hizo una pausa para comprobar si alguien le hacía caso. Pero en aquel momento todos estaban mirando a Danuta, y no recibió respuesta—. Pues sí, Carlos, tiene esa cara porque no va al servicio antes de ponerse delante de la cámara —concluyó, dando unos pasos torpes hacia Carlos.

—La próxima vez ya nos fijaremos —le dijo Mikel.

—Sí, fijarse es bueno —afirmó Ugarte tomando a Carlos por el hombro e inclinándose hacia la mesa. Luego bajó la voz hasta el susurro—. Y, dicho sea de paso, ¿no os habéis fijado en esos periodistas? ¿No son especiales?

—¿Especiales? ¿Qué quieres...? —empezó Mikel levantando la voz.

—Calla, Neptuno —le interrumpió Ugarte—. ¿Tú qué te crees? ¿Que todos los sitios son tan tranquilos como las profundas cavernas del mar, o qué? Pues estás muy equivocado. Conque un poco de discreción, Neptuno.

Ya no parecía un borracho. Parecía una persona muy preocupada.

—¿Qué son? ¿Policías? —preguntó Carlos en voz más baja que el susurro de Ugarte. El gordo ya estaba situado ante Danuta, y en la terraza no se oía palabra.

—Claro que lo son. Y con la excusa del reportaje lo preguntarán todo, lo husmearán todo, y al final descubrirán el agujero de nuestros amigos. Y entonces todos nos iremos a la mierda, y Pascal, el *hereu*, ¿no, Carlos?, se quedará en este mundo sin nada. Y todo por una decisión tuya muy discutible. De verdad, Carlos, has tomado una decisión muy discutible, y sin consultar con nadie del grupo. Pero, tranquilo, no te culpes. En la cárcel se gasta muy poco. Le mandaré a Pascal todo el dinero que me sobre.

Ugarte le dio varias palmadas en el hombro, y se dirigió a la puerta giratoria. Los que estaban en la terraza pidieron silencio. Danuta estaba a punto de intervenir.

—Tú no digas nada y todo saldrá bien —exclamó Mikel con el ceño sombrío.

—Mira, Neptuno —Ugarte volvió a la mesa y se inclinó hacia Mikel. Había pronunciado las palabras de manera cortante—. Un día de éstos te voy a quitar el tridente y te lo voy a meter por el culo. ¿Qué te parece?

Mikel no pudo sostener la mirada de Ugarte, y bajó la vista al mantel. Sin embargo, su respuesta fue amenazadora:

—Pues ten cuidado tú también.

—¿De dónde has sacado la información? —preguntó Carlos.

Stefano les hizo un gesto pidiéndoles que pusieran fin a la conversación, que la filmación iba a comenzar de un momento a otro. Estaba junto al gordo, y de tanto en tanto miraba por el visor de la cámara.

—Te lo resumiré, Carlos. Cuando he bajado aquí me he encontrado con que la gordita de Nuria estaba muy asustada —habló Ugarte muy cerca del oído de Carlos, pero con la vista puesta en el grupo de la barandilla—. Le he preguntado por qué, y entonces ella me ha contado el típico secreto de los servicios...

Ugarte se rió entre dientes por el juego de palabras que se le acababa de ocurrir. Pero Stefano les miraba de reojo y no quiso entretenerse.

—Por lo visto, estaba limpiando uno de los váteres de los servicios, y en esto que entran unos hombres, a los servicios, no al váter, y empiezan a hacer una asamblea... Que si vamos a llevar pistola o no, que quién se encarga de la coordinación con las fuerzas de seguridad que ya están en el hotel, y cosas por el estilo. Y todas las respuestas, de Stefano. Creo que por poco le da un ataque. A Nuria, quiero decir, no a Stefano...

—Así que ésa era tu información —le dijo Carlos mirando a Mikel. Éste tenía la frente y las sienes empapadas en sudor.

—Pues sí, un ataque —prosiguió Ugarte pasando por alto el comentario de Carlos—. Y precisamente por eso he tenido que estar en el coche con ella, para que se calmara un poco, y no porque sea un adúltero. También soy adúltero, claro, pero no de los que aparcan delante de la piscina de su casa y empiezan a quitarse los calzoncillos.

—Muy bien, Ugarte. Pero ya has hablado bastante del tema. Si no lo mencionas en una semana, mejor para todos. Tendrás mis explicaciones cuando acabe todo —le dijo Carlos.

—Cómo no, cuando tú quieras. Faltaría más —se burló Ugarte, yendo de nuevo hacia la puerta giratoria.

Una vez allí, cuando ya Danuta estaba a punto de hablar, se dirigió al grupo y chilló:

—¿Habéis meado todos? ¡Si aparecéis en la pantalla con ganas de mear se os va a notar!

Todos los del grupo protestaron su inoportunidad, y Ugarte desapareció en el interior del comedor.

—¿Vosotros también queréis café? —les dijo el joven Doro dejando el grupo y acercándose a la mesa.

Le dijeron que sí y desapareció en la puerta giratoria tras los pasos de Ugarte. Y lo mismo hizo, unos segundos más tarde, su hermano Juan Manuel.

—¿Qué hacemos ahora? —le preguntó Mikel cuando aquella zona de la mesa volvió a quedar tranquila. Estaba asustado.

—De momento vamos a ver qué dicen nuestros amigos. Hablaremos mañana a las ocho de la mañana, y haremos planes. Pero mientras tanto estate tranquilo.

—A las ocho de la mañana, ¿dónde?

—Tú espera en el garaje. Desayunaremos en la gasolinera.

Carlos se levantó de la mesa y fue a situarse más allá de donde estaban filmando, sentado en un escalón de la

179

terraza. En cuanto a Mikel, se unió al grupo y se colocó entre Laura y Guiomar.

Carlos quiso seguir las declaraciones que hacía Danuta a la cámara, pero en su mente las voces se mezclaban sin cesar y le robaban la atención. «Menuda ruina, Carlos. Un par de días más, y te verás en comisaría», decía la Rata. «Calma, Carlos, la situación no es desesperada, ni mucho menos —replicaba Sabino—. Lo único que ha sucedido es que se ha cumplido una de nuestras previsiones, pero sin ningún peligro para ti, entre otras cosas porque Ugarte es un hombre fuerte, y en ningún caso un chivato. Se callará él, y hará callar a Nuria». Kropotky decía entonces: «No te aceptas a ti mismo, Carlos, y por eso no aceptas tampoco el mundo. Estás dominado por un karma negativo. Por eso te metes en situaciones tan graves». Hablaba a continuación una mujer de unos cuarenta años con aspecto británico: «Tú fuiste quien secuestró a mi marido para luego matarle. Me gustaría que supieras que yo no te perdono, y que tampoco mis hijos te perdonan. Sinceramente, si te matan como a una alimaña nosotros lo celebraremos con champán, asesino, que no eres más que un asesino repugnante. Te lo dije a través de los periódicos, y te lo repetiré todas las veces que haga falta». Y otra vez la Rata: «Yo no tendría por tan seguro lo del silencio de Ugarte. A fin de cuentas, él tiene que defender lo que ha ganado todos estos años, aunque sólo sea por Pascal. Pero supongamos lo contrario, supongamos que no dice nada. Aun en ese caso, ¿qué pasa con Stefano y sus compañeros? Ellos han venido al hotel por alguna razón concreta, y no desistirán hasta encontrar lo que buscan. Es inútil, Carlos, has hecho algo muy grave, y vas a pagarlo con el pellejo. Eso seguro». Y Sabino otra vez: «No te confundas, Carlos, deja a un lado las sospechas sobre Ugarte. Si hace algo será en tu ayuda, y no por afecto o por otras razones metafísicas, sino por interés. Si encuentran a Jon y Jone y empiezan a investigar los papeles del hotel, podría descubrirse el origen de vuestro capital. Y eso sí que le da miedo, recuerda lo que te dijo ayer después del partido. Conque ni la menor preocupación por ese lado. Olvídate del asunto, y concentra todas tus fuerzas en la lucha contra Stefano, pero con serenidad, sin perder el control. Después de todo, no saben lo fundamental, y por eso han montado este teatro, porque les falta saber dónde se encuentra exactamente el escondite de Jon y Jone. El que les esconde puede tenerlos en cualquier lugar, porque ésa es otra, que no saben quién es el que está ayudando a la organización. Si eres tú, o es Guiomar, o el mismo Ugarte, o si son los hijos de Doro... Es muy poco lo que saben, Carlos. Alguien les dijo que están cerca del hotel, o que al menos han estado aquí, y por eso han enviado a Stefano y por eso, quizá, no estoy seguro, han traído guardias tan preparados para cuidar de la selección polaca. Pero a partir de ahí, Carlos, no saben ni por dónde empezar». «Tonterías —dijo la Rata desdeñosamente—. Aquí hay dos cosas claras. Una, que alguien ha avisado a la policía. Dos, que vas a volver a la cárcel. Eso en el mejor de los casos».

Una lluvia de aplausos coronó la intervención de Danuta ante la cámara, y simultáneamente, como ahuyentadas por el ruido, todas las voces de la mente de Carlos se silenciaron. Levantó la vista y vio a Guiomar en el lugar donde segundos antes había estado Danuta. Debido quizás a su altura, se instaló sentado, y con Pascal en las rodillas.

Quiso seguir también las palabras de su amigo, pero en aquel momento no era dueño de sus pensamientos, y le resultó imposible arrinconar el tema que le ocupaba. Por fin, después de examinar las palabras tanto de la Rata como de Sabino, le pareció que sus preocupaciones se resolvían en una sola pregunta. Y la pregunta era: ¿De cuánto tiempo dispongo? ¿Cuántos días o cuántas horas me quedan para sacar a Jon y Jone del hotel? El refugio era bastante seguro, y sólo Guiomar y María Teresa lo conocían por dentro; el resto de la gente del hotel, o bien ignoraba su existencia, o bien creía —como Juan Manuel o su hermano Doro, que alguna vez le ayudaban en la panadería— que no se trataba sino de un sótano cochambroso para guardar los sacos de harina o la leña para el horno. Pero, de cualquier forma, el plazo de una semana que él había previsto dar a la organización quedaba ahora fuera de todo margen de seguridad.

En lo referente al tiempo, le parecía que sólo tenían dos opciones, ambas vinculadas a los viajes de Mikel: sacar a Jon y Jone justo a la mañana siguiente o sacarlos tres días más tarde, el viernes. La mañana siguiente, ¿sería demasiado pronto? Él podía conducir a Jon y Jone lejos del control de los guardias, primero a la Banyera y a continuación, por el sendero viejo, hasta la gasolinera. Si Mikel les esperaba allí, la operación podía tener éxito. Sin embargo —miró el reloj— disponía de muy poco tiempo. Eran las once y media. Para cuando terminara la cena y se pusiera de acuerdo con Mikel, sería más o menos la una. Y para cuando hiciera lo mismo con Jon y Jone, las dos. Si Mikel se marchaba a las ocho, seis horas para controlar por dónde andaban los guardias y comprobar que los alrededores de la panadería estaban despejados. Sí, era demasiado precipitado. Cualquier imprevisto y todo podía malograrse. Sería mejor esperar hasta el viernes.

Una nueva tanda de aplausos llenó la terraza en cuanto Guiomar acabó su intervención, y Carlos tuvo la impresión absurda de que aplaudían la decisión que acababa de tomar. Sacudió la cabeza y miró hacia la zona de los focos. Era el turno de Ugarte. Muy serio, pero haciendo reír a todos, declaró que «los resultados de los polacos demostraban las virtudes del alcohol»; que, aun siendo él prácticamente un borracho, a la hora de beber se quedaba a la zaga de los jugadores polacos, lo cual «demostraba la mentira del Cola-Cao». Sí, ésa era la verdad, el producto que daba energía a un deportista era el alcohol, y no el cacao. Todos los padres que quisieran tener un deportista en la familia debían saber aquello cuanto antes.

«Claro, él ya sabe que este reportaje nunca se emitirá», dijo Sabino en su interior, no sin cierta simpatía hacia Ugarte. En el mismo sentido, Carlos le consideró incapaz de hacer una mala jugada. No, él no les denunciaría. Ni por despecho, ni por los tres millones que el Ministerio del Interior ofrecía por Jon y Jone, ni por nada. Ni siquiera por librarse de los problemas que un mal desenlace de la operación pudiera acarrearle. Una cosa era no querer saber nada de la lucha, y otra muy distinta convertirse en un chivato. En cambio, quien sí podía hacerles mucho daño era el verdadero chivato, el mismo que había traído a Stefano al hotel. Si es que tal sujeto existía, claro, porque también podía ser que la policía estuviera allí debido al pasado de todos ellos o a la detención de algún colaborador de Jon y Jone. No obstante, lo que menos importaba en aquel momento era el nombre del delator. Lo importante era que Stefano y sus compañeros estaban allí, y que debía intentar que se volvieran a sus casas de vacío.

—Lo que el público debe comprender es que son jugadores de un Estado comunista —dijo Laura a la cámara cuando Stefano le dio la señal de que empezara a hablar—. Lo digo porque oyendo la mayor parte de los programas de televisión o al leer la prensa, da la impresión de que los futbolistas son miembros de Solidarnosc y los ha enviado aquí Walesa, o mejor dicho, el Papa, Wotela o Wotila o como se llame, y eso es pura manipulación. A este equipo lo ha impulsado el comunismo, y todos los comunistas de este Estado nos alegramos mucho de su victoria.

—Fantástico —aplaudió Ugarte—. Lo que más me ha gustado ha sido la vacilación con el nombre del Papa. Ha quedado muy claro lo alejados que vivimos del catolicismo.

Al lado de Ugarte, Danuta asintió discretamente. Aprobaba aquellas palabras. En cuanto a Guiomar —hablando bajo porque el gordo estaba haciendo una nueva prueba de sonido a Beatriz—, le dijo que le había gustado su intervención pero que por desgracia las cosas no eran tal cual ella las veía, que bastaba con recordar la visita que Boniek había hecho a la Virgen de Montserrat nada más llegar al hotel.

—Pero eso son bobadas —concluyó Guiomar—. Aquí lo cierto es lo que tú has dicho. La actitud de la prensa española es vergonzosa. Parece como si España hubiese sido un país democrático durante los últimos doscientos años, y quisiera darle lecciones a Polonia. ¡Y resulta que hasta hace diez años la mayoría eran puros fascistas! La mayoría de los periodistas, quiero decir.

Los focos de luz iluminaron a Beatriz, y el gordo comenzó a filmar. Su nueva camisa era más opaca de lo usual, y no se le transparentaba el sujetador; pero, en cambio, la abertura era tan acusada que dejaba ver la parte alta de sus pechos. No era frecuente que Beatriz se descotara de aquella manera, y —según advirtió Carlos— los ojos de todos los hombres de la terraza se movían continuamente de los ojos de ella a su escote, y del escote a sus ojos. *La nostra bellissima Beatriu...* Era una lástima no poder introducir las manos, ambas manos, por aquel escote. Pero él había tenido la culpa, por precipitarse. Era algo que Sabino le había dicho mil veces. El que no sabía avanzar poco a poco, no avanzaba nunca.

—¿Si ha venido algún político? —decía Beatriz en aquel momento, respondiendo a la segunda pregunta de Stefano—. Bueno, más que políticos, ha venido gente de la Iglesia. El otro día, por ejemplo, vino un obispo italiano y les transmitió a los futbolistas un mensaje del Papa.

Laura y Guiomar cruzaron una mirada de inteligencia. Luego cogieron las bandejas de café que acababan de traer los hijos de Doro y comenzaron a distribuirlas entre todos los de la terraza.

—Fantástico, Juan Manuel. Como dijo César, no es suficiente que un camarero sea bueno, tiene, además, que parecerlo —dijo Ugarte a propósito de la camisa y los pantalones impecablemente blancos que llevaba el joven.

—Me ha dicho mi padre que me arreglara para salir en la televisión —le respondió Juan Manuel sonriendo.

Carlos se bebió el café en dos sorbos. Luego se levantó del escalón y se despidió de todo el grupo con un gesto del brazo.

—Perdona que no me quede a verte —le dijo a Juan Manuel—, pero se me hace tarde. Tengo que irme a la cama.

—Da igual, Carlos. No creo que diga nada sensato —intervino el joven Doro. Juan Manuel le dio un puñetazo en el antebrazo, y los dos chicos se echaron a reír.

—¿Ya se va? ¿Tan pronto? ¡Yo creía que después de acabar con la filmación charlaríamos un poco! —le reprochó Danuta con cara de decepción.

—Terminamos enseguida. No falta más que Juan Manuel —informó Stefano acercándose a ellos—. Pero si está cansado, le conviene acostarse temprano. Yo haría lo mismo —añadió mientras le tendía la mano. Sus ojos azules y redondos le miraban fijamente.

—No estoy nada cansado, pero me duele la oreja y no estaría a gusto charlando —respondió Carlos sosteniéndole la mirada. Mantuvo las manos en los bolsillos, como si no hubiera advertido que él le estaba ofreciendo la suya.

—Así que es por lo de la oreja —se interpuso Danuta con un suspiro—. Por eso ha estado toda la cena tan serio y tan callado. Pues eso me tranquiliza mucho, Carlos. Creía que estaba enfadado conmigo.

186

—Con usted no, es conmigo con quien está enfadado —dijo Beatriz acercándose. A la luz de los focos de la terraza, su piel parecía muy tersa. Sí, era una lástima no poder verla completamente desnuda. «Y una lástima todavía mayor no poder meter la cabeza entre sus muslos», apuntó Sabino desde su interior.

—¡No! ¡Está enfadado conmigo! —gritó Pascal desde los hombros de Guiomar. Estaba adormilado.

—No está enfadado con nadie —intervino Ugarte—. A Carlos le pasa lo que mi madre me decía hace tiempo. Que no duerme a sus horas, y luego anda como un sonámbulo durante todo el día. Yo creo que por eso eligió trabajar en la panadería del hotel, por tener una excusa para andar a deshoras. Por ejemplo, ahora es la una, la hora en que Beatriz tiene que volver con su marido...

—Efectivamente —le interrumpió Beatriz—. Me voy ahora mismo. En cuanto encuentre las llaves de mi coche.

—¡Tengo que devolverle los pendientes! —exclamó Danuta de pronto llevándose una mano a la oreja.

—Ya me los dará mañana —le dijo Beatriz.

—No, prefiero devolvérselos ahora. Y muchas gracias otra vez. Creo que he salido muy guapa con ellos —dijo Danuta.

—Pues siguiendo con lo de antes —dijo Ugarte mientras Danuta se quitaba los pendientes—, ahora es la una. Y dime, Carlos, ¿a qué hora tienes que levantarte mañana?

—A las cinco —dijo Guiomar.

—A las cinco —dijo Pascal.

Respondiendo a los comentarios con una leve sonrisa, Carlos empezó a alejarse del grupo. Iba a abrir la puerta principal del hotel cuando Stefano le llamó desde la terraza.

—Perdone, Carlos, se me acaba de ocurrir una idea —le dijo con las dos manos apoyadas en la barandilla.

Carlos torció la cabeza y se quedó esperando. Las mariposas revoloteaban ahora alrededor de la luz de los focos, y el efecto de nieve que creaban hacía que Stefano —con su pelo cardado de payaso, con su chaleco fucsia— pareciera un personaje de fantasía. Pero no era un personaje de fantasía; era un policía que llevaba una pistola Astra allí donde la espalda pierde su nombre.

—No sé, quizá no sea una buena idea... —titubeó Stefano.

—Dígamela.

—Verá, he pensado que quizá podría ser interesante tener unas imágenes suyas. Mientras hace pan, quiero decir. Serían diez minutos. Pero, desde luego, si me dice que no, lo comprenderé. Me han dicho que la panadería es su territorio privado.

—No, no creo que sea mala idea —habló Carlos confiriendo a su voz un tono de perfecta normalidad—. Para mí el mejor día es el sábado —continuó antes de que Stefano tuviera tiempo de contestar—. Los sábados por la mañana hago limpieza general, y la panadería queda muy presentable. ¿Qué le parece el sábado?

Stefano titubeó otra vez. Permaneció un rato con los brazos cruzados y la vista fija en el suelo.

—Es un poco tarde... —dijo.

—¿Sí? Pero están haciendo un reportaje, ¿no?

¿Qué prisa tiene un reportaje? No sé, por una vez que voy a salir en la televisión, me gustaría salir bien. Más que nada por los amigos y por la familia. Pero, claro, si es muy tarde...

Carlos pensó que prolongar el pulso podía ser peligroso.

—¿Va a ir al campeonato de ping-pong? —le preguntó Stefano.

—Cualquiera le dice a Guiomar que no —contestó Carlos en un tono más propio del joven Doro que de él.

—Entonces, mañana hablaremos —concluyó Stefano diciéndole adiós con la mano y apartándose de la barandilla.

«Es una noche de verano», leyó Carlos abriendo distraídamente el libro de cartas de Rosa Luxemburgo que horas antes había dejado sobre el sofá. Había subido a su apartamento muy despacio, y ahora, sin ganas de irse directamente a la cama, estaba sentado junto a la ventana abierta de la sala. «Por el tragaluz entra una ligera brisa que agita suavemente mi pantalla verde y hace volar las hojas de las páginas abiertas de Schiller. Fuera, delante de la prisión, pasa un caballo al que hacen entrar lentamente y sus cascos golpean el empedrado, pausados y rítmicos en la paz de la noche. De lejos, apenas perceptibles, llegan los sones fantásticos de una armónica en la que algún aprendiz de zapatero, caminando con dejadez, sopla un vals. Me da vueltas por la cabeza una estrofa que he leído recientemente no sé dónde: "Acurrucado entre las colinas, está su jardincillo tranquilo, en donde las rosas y los claveles esperan desde hace tiempo a tu bienamada. Acurrucado entre las colinas, su jardincillo tranquilo...". No comprendo en absoluto el sentido de estas palabras ni siquiera sé si lo tienen, sin embargo...»

Carlos no continuó leyendo. Su pensamiento ya no seguía el hilo de la carta, sino que se había detenido, como prendido en un anzuelo, en la referencia de la tercera línea, «fuera, delante de la prisión». No tardaron en asaltarle los recuerdos de otras cárceles y otras cartas, las cárceles que él había conocido y las cartas que él había escrito. Recordó, en particular, una que diez años antes había enviado a su hermano Kropotky y que guardaba en la vieja carpeta azul de su escritorio, entre las cosas que su hermano le había devuelto después de que ambos se enfadaran.

Dudó entre levantarse en busca de la carta o seguir con la lectura del libro. Al final, fue a su habitación y, tras revolver en la carpeta azul, regresó a la sala con ella en la mano.

«Ahora ya sé lo que es estar en la cárcel», leyó. La letra de diez años antes le pareció más bonita que la que tenía en aquel momento. «No es lo que se deja fuera, no es perder la posibilidad de ver un partido de fútbol en el campo o, como tú dices, perder la posibilidad de acudir a una primera cita con una chica. Eso no significa nada para un militante que tiene las ideas bien asimiladas, y además, siempre se encuentran placeres que sustituyan esos otros. Cuando hicimos la huelga de hambre, por ejemplo, me producía una felicidad increíble, pero increíble de verdad, imaginar la deliciosa lata de atún que me iba a comer al dejar la huelga. Por lo tanto, el problema no es lo que se pierde, al menos a mí no me lo parece. Y aún te digo más: no es un problema metafísico, sino estrictamente físico. Sólo físico. Por ejemplo, nuestro verdadero sufrimiento radica en la falta de espacio, y en el desgaste lento pero terrible que sufre nuestro cuerpo a causa de esa falta. Porque nuestro cuerpo está preparado para moverse mucho. Yo diría que la escasez de espacio es una tortura tan grande como la de la gota que según dicen utilizaban los chinos. Ya sabes a qué tortura me refiero: tú estás atado a un poste y te cae una gota en la cabeza, la primera gota; un minuto después, te cae la segunda, y luego la tercera, la cuarta, la quinta... Claro, consideradas de una en una, las gotas no suponen nada, pero cuando ya ha pasado un día y te han dado en la cabeza 1.440 gotas, o cuando después de una semana estás esperando la gota número 10.080, entonces es una tortura enloquecedora, y la muerte resulta mil veces más deseable. Y con la falta de espacio viene a suceder más o menos lo mismo. En esta cárcel, el tramo más largo lo constituyen los ciento sesenta pasos que hay de una pared a otra del patio, y el espacio libre que nos queda en las celdas no pasará de cuatro metros cuadrados. Claro, normalmente no lo notas. Pero a veces, por cualquier bobada, tomas conciencia de ello, y comienzas a sentir la gota en la cabeza. Una noche de la semana pasada, por ejemplo, el que está en la celda de al lado, uno que llamamos Txori, empezó a toser. Dos horas después, seguía tosiendo. Y cinco horas más tarde lo mismo: cof cof cof. Encima, las toses, como las gotas, llegaban más o menos cada minuto. Un minuto y cof cof cof. Otro minuto, y cof cof cof. Al principio me tapé los oídos, pero era inútil... Empezaban a dolerme las orejas, y entonces me quitaba los dedos y cof cof cof. Luego le grité a Txori que si no se callaba, a la mañana siguiente lo mataba en el patio. Y no creas que se lo decía por decir, se lo decía absolutamente convencido. Acabé dándome cabezazos con la pared, completamente fuera de mis casillas. No sé si me acostumbraré, pero de lo contrario esto va a ser duro. Muchas veces pienso que ésta va a ser la última vez que me traigan a la cárcel. Ahora ya sé lo que es esto, y prefiero cualquier cosa antes que estar aquí...»

La lectura de la carta le dio deseos de fumar y, acordándose del paquete de Marlboro que había cogido de la panadería, volvió a su habitación a por la camisa que había usado durante el día. Pero su mano tropezó con algo más que el paquete de tabaco. En el bolsillo también había un papel. «Pretenden que el sistema político que surgió de la dictadura franquista es una democracia», leyó. «Pero el pueblo sabe que eso es mentira. Porque ¿puede ser democrático un parlamento constituido por los antiguos sicarios de la dictadura? ¿Y es democrática una policía que sigue torturando? En cuanto al rey, ¿no fue el dictador quien lo sentó en el trono?»

Se trataba del panfleto que Jone había dejado en la bandeja. «Te habías olvidado completamente del panfleto —le dijo Sabino con un deje de severidad en la voz—. Una persona que esconde a dos activistas no puede tener un panfleto de la organización en el bolsillo de la camisa. Contraviene todas las reglas».

—Estoy un poco desentrenado —dijo Carlos en un susurro, dirigiéndose a Sabino como si estuviera allí mismo, en un rincón del apartamento, y no en el cementerio de Biarritz. Luego fue a la cocina y rompió el panfleto en pedacitos antes de tirarlo a la bolsa de basura.

Entró de nuevo a la sala y se puso a fumar el cigarrillo delante de la ventana abierta. Afuera, todo seguía su curso. Allí estaban las luces de cada noche: las rojas y azules de la gasolinera, las anaranjadas de las urbanizaciones, las amarillas de la iglesia del pueblo. Pero Carlos no las veía. Como tampoco veía la luna —poca— y las estrellas —muchas— que había en el cielo, ni sentía la brisa que entraba por la ventana y, como la misma Rosetta hubiera dicho, hacía volar las páginas abiertas del libro que había estado hojeando. En aquel momento, después de lo ocurrido durante la cena, el hotel y cuanto lo rodeaba no constituían su verdadero mundo. Estaba ya en otro lugar, en el territorio de aquellos cuya vida, o parte de ella, corría peligro. Y sus compañeros ya no eran Guiomar, María Teresa o Doro, sino quienes aquella misma noche dormían solos en las salas especiales de los hospitales, o los suicidas, o los alcohólicos, o los que en aquel mismo momento se disponían a cometer un atraco. Y también el criminal que iba a agredir a alguien, así como ese alguien que iba a ser víctima del criminal o el policía que saldría a la calle a enfrentarse con los criminales y los atracadores. Y Stefano, Mikel, Jon, Jone, también ellos eran compañeros suyos. Y en aquel territorio —en aquel mundo poderoso cuya existencia no sospechaba la gente corriente— sólo había un enemigo, aquel que Sabino llamaba Señor Miedo; un enemigo frío e insidioso que, por otra parte, por su misma entidad, confería nobleza a la lucha. Y por eso eran, todos los que participaban en aquella lucha, todos los que habitaban aquel territorio al margen, tan soberbios, porque ellos cuando menos poseían el valor de enfrentarse al Miedo, en tanto que el resto —los del otro lado de la frontera— carecían de él. Los que agachaban la cabeza en sus fábricas y oficinas; los que desde los veinte años vivían con la única aspiración de convertirse en funcionarios; los que aguardaban el invierno para tener un pretexto para refugiarse en casa, todos ellos y muchos más, eran cobardes, mezquinos, serviles. Por eso se había incorporado él a una organización armada siendo todavía un adolescente, por no querer entrar a formar parte de aquella masa vulgar. Mientras sus compañeros de colegio iban de campamento con los frailes, ellos —los cuatro o cinco que, pese a llevar en apariencia una vida de estudiante, pertenecían a aquel territorio aparte— hacían prácticas de tiro en el monte o acudían a *las clases* de Sabino para preparar el atraco que llevarían a cabo en la oficina de un hipódromo. La convicción de que eran diferentes ponía alas en sus pies y en sus corazones...

En aquel territorio aparte nada era igual. No era igual, sobre todo, el tiempo. Stefano decía que el tiempo corría diferente en la televisión y en los relojes, y lo mismo podía decirse, pero multiplicado por diez, del que regía en el territorio del Miedo. El luchador que se ponía en peligro tenía la impresión de que el tiempo avanzaba a saltos, de acción en acción, como un animal que al cruzar un río va saltando de piedra en piedra. Con lo cual, todos los intervalos perdían valor, y se convertían en tiempo muerto; barro entre dos piedras, entre dos acciones.

Carlos fue a su habitación y, sentándose en el escritorio, comenzó a dibujar un gráfico del tiempo de que disponía. Primero, junto al margen izquierdo del papel, hizo el punto grueso y redondo que representaba aquel momento —la madrugada del martes—, y a continuación una raya larga que arrancaba de aquel punto y llegaba hasta el otro extremo de la hoja. Entonces, añadió tres asteriscos: los dos primeros muy próximos al punto de partida, compartiendo el mismo centímetro de papel —pues representaban las dos conversaciones que debía mantener, con Jone y Mikel, antes de que la noche acabara del todo—; el tercero y último, bastante lejos, a unos quince centímetros de los otros dos.

Regresó a la sala de nuevo y, cogiendo el teléfono, marcó el diecisiete. Colgó y volvió a marcar. Tras cinco o seis señales, Jone le contestó con voz soñolienta.

—A las siete estaré trabajando —dijo Carlos sin mediar saludo.

—¿A las siete de la mañana de cuándo? —preguntó Jone sin acabar de despertarse.

—A las siete de la mañana de hoy, dentro de unas seis horas —le explicó Carlos pacientemente—. Tenemos que hablar. Pero tranquila, no hay ningún problema.

—¿De verdad?

La voz de Jone sonó entrecortada, como cuando alguien recibe una buena noticia y la alegría le deja sin aliento. Pero en aquel caso no se trataba de alegría, sino de desconfianza o de miedo. Era difícil engañarla. Le había bastado escuchar la frase tranquilizadora de Carlos para comprender que su situación tomaba mal cariz. Nadie llamaba a la una de la madrugada para decir que no había problemas.

—De verdad. Ya está decidido en qué momento saldréis de aquí —respondió Carlos mientras remarcaba con el rotulador el tercer asterisco de su dibujo. Precisamente de aquel asterisco quería hablar con Jone, es decir, del viernes por la tarde o por la noche. Según había pensado Carlos, tras repasar los acontecimientos de la cena, su viaje por el territorio del Miedo debía terminar allí. Tenían que sacar a Jon y Jone del hotel el viernes.

—Bien. Seguiremos hablando a las siete —le dijo Jone antes de colgar el teléfono.

Sentado de nuevo ante el escritorio, Carlos examinó atentamente el dibujo de la cuartilla. Al comienzo de la raya no había problemas, al menos aparentemente, pero los quince centímetros que separaban los dos primeros asteriscos del tercero —que equivalían a un tiempo muerto de aproximadamente dos días y medio— requerían un salto difícil, que había que dar con mucho cuidado. Lo conveniente era pasar cada hora de aquel intervalo lo más lejos posible de Stefano y sus compañeros, en el apartamento mismo o si no en la Banyera; durmiendo además cuanto pudiera, porque aquél era el mejor modo de mantenerse inmóvil y sin nervios ante el cazador. «Un militante nunca se queda solo. Siempre puede contar con Morfeo», solía argumentar Sabino.

Pero, de cualquier forma, él sólo podía aplicar el sistema a ratos. No podía pasar todo el tiempo en la Banyera o en el apartamento, ya que debía acudir, forzosamente, a cumplir determinadas obligaciones. Ante todo —hizo una acotación en la raya del dibujo de la cuartilla, la correspondiente a la tarde del miércoles— estaba el campeonato de ping-pong organizado por Guiomar;

un momento peligroso, peligroso precisamente porque Stefano se presentaría allí con la excusa del reportaje. Le seguía luego, ya el jueves, la cena con María Teresa, pero fuera del hotel, con cierta seguridad. Por último, estaba la filmación que quería hacer Stefano en la panadería, aún sin fecha fija.

Carlos tuvo un momento de duda. No sabía dónde poner la acotación correspondiente a la filmación. Si Stefano aceptaba su propuesta e iba a la panadería el sábado por la mañana, no habría ningún problema, porque el sábado y todos los días posteriores quedaban fuera de su dibujo de la cuartilla, y por lo tanto, en el tiempo común, en el tiempo seguro. Pero si no tenía esa suerte y Stefano empezaba a poner reparos diciendo que se les retrasaría el reportaje y demás, entonces accedería a que fueran el jueves por la mañana, con Jon y Jone aún en su escondite. Temía aquel momento, pero no había otra solución. O bien el peligro de la visita, o bien el peligro de la sospecha sobre la panadería. Entre ambos, era mucho menos grave el primero.

Después de hacer la acotación correspondiente a la mañana del jueves, Carlos empezó a apuntar debajo de los asteriscos las cosas que debía tener en cuenta al hablar con Jone, qué tenía que decirle a ella y qué tenía que decirle después a Mikel, y estuvo ocupado en esta tarea hasta completar dos columnas de anotaciones en el lado izquierdo de la hoja. Luego, en el otro lado de la cuartilla, dibujó cinco rectángulos en torno al tercer asterisco, y en cada uno de ellos escribió una nota acerca de la fuga del viernes, qué le convenía hacer aquel día, qué debía tener en cuenta para que la operación saliera bien. El rectángulo más grande lo reservó a la descripción del itinerario más apropiado para eludir la vigilancia de Morros y el resto de los guardias. De tanto en tanto, cuando se detenía a sopesar algo, dibujaba rayas con las que adornaba los rectángulos aquí y allá, y de esta manera, a medida que avanzaba la noche, los cinco rectángulos fueron adquiriendo forma de barcos, con sus chimeneas y sus mástiles. Al final —quizá porque ya no se le ocurría nada más sobre la operación— se dedicó únicamente a dibujar, y convirtió el lado derecho de la cuartilla en mar, los alrededores del asterisco en puerto, y el asterisco mismo en amarradero. Después de trazar cinco líneas gruesas entre los barcos y el amarradero, dio el dibujo por terminado y guardó la cuartilla en el cajón del escritorio.

Durante un rato se quedó contemplando la carpeta azul que había sobre el escritorio, donde guardaba cartas de Kropotky y otros muchos papeles del pasado. Después, con un gesto resuelto, tomó una segunda cuartilla y empezó a escribir una carta dirigida a Guiomar. «Guiomar, supongamos que me sucede algo y no puedo venir al hotel durante muchos años. O supongamos más bien que me sucede algo y me voy al otro mundo», escribió tras poner la fecha en la parte superior. «Al otro mundo no, Carlos. A mi mundo, a mi mundo», le dijo Sabino desde su interior.

«En caso de que algo así sucediera —continuó Carlos—, deseo que seas tú mi albacea y que todos mis bienes queden a tu cuidado. El empleo que des a tales bienes es algo que en gran medida dejo a tu criterio. Haz lo que mejor te parezca. Si quieres emplearlos en favor de Cuba, por ejemplo, adelante, por mí de acuerdo. Ya sé que en el viaje que hicimos allá nuestras opiniones no coincidieron, pero puede que el punto de vista correcto fuera el tuyo. En cualquier caso, debes reservar una parte de los bienes para mi hermano. Ya sabes que él no tiene capacidad legal para recibir una herencia, pero todos sus gastos, sean los que fueren, deben ser atendidos exactamente igual que hasta ahora. Ésa es la única obligación que te impongo. Y otra cosa: si decides irte a Cuba para siempre, no te marches sin antes contratar a una persona seria que se ocupe de todas las necesidades de Kropotky. (De todas formas, te he visto hoy en la cena, o mejor dicho, os he visto, y no me parece que Laura te deje marchar a Cuba...) Encontrarás los documentos y todos los demás papeles en este mismo escritorio de mi habitación. Y nada más. Un abrazo».

Carlos firmó la carta y se puso a pensar en lo que podía añadir. ¿Por qué no escribir una posdata con una lista de beneficiarios? Efectivamente, podía actuar como los indianos de un tiempo y legar algún dinero a su pueblo natal, para que arreglaran la piscina o construyeran una pista de tenis cerca del río; o podía, si no, tener un detalle espléndido con sus amigos de la infancia o con la gente que había estado con él en la cárcel. Pero no, todas esas posibilidades, aunque pudieran resultarle agradables en parte, aunque supusieran una oportunidad de sellar todas las grietas de su pasado, eran falsas, eran mentira. El nuevo Obaba de 1982 nada tenía que ver con el pueblo que él había conocido en su infancia, y sí, en cambio, con el que había injuriado y maltratado a su hermano Kropotky. No, no le debía nada al nuevo Obaba;

aún más, le repugnaba su pueblo natal, y por tanto resultaba absurdo enviar allí una parte de su dinero. Sólo faltaba eso, que los que se habían dedicado a golpear a su hermano, ellos o sus hijos, disfrutaran todos los veranos de una piscina costeada por él. ¿Y los amigos de su época juvenil? Sí, podía ser una buena idea enviarles un regalo, pero después de todo, y exceptuando a Guiomar, ¿qué relación mantenía con ellos? Ni la más mínima. Las dos chicas que le escribían a la cárcel, por ejemplo —Anita y Esther—, estaban casadas y tenían hijos, y para ser sincero —*¡qué poco sabe del amor el amante cuando el amor se va!*—, le era indiferente lo que pudiera ser de ellas.

Carlos no pudo evitar una sonrisa ante el pobre resultado que había dado la revisión de su pasado, como si aquel balance, con todo lo que significaba —el tiempo que llevaba fuera del mundo común y lo lógico que había sido el tránsito hacia el territorio del Miedo—, hubiera provocado en él un humor amargo. Poco después, oyó unos golpes suaves en la puerta de su habitación. Apresuradamente, metió la carta en el sobre donde instantes antes, en letra muy grande, había escrito la palabra «Guiomar».

—Pasa —dijo Carlos ocultando la carta en el cajón de su escritorio.

—¿Todavía estás despierto? —preguntó Guiomar entrando en la habitación y mirando el reloj. Parecía cansado, y detrás de las gafas tenía los ojos brillantes.

—No creía que fuera tan tarde —le contestó Carlos mirando también él la hora. Eran las cuatro y media de la madrugada.

—¿Quieres fumar?

En lugar de su tabaco negro habitual, Guiomar llevaba un paquete de Winston, la marca que fumaba Laura. Carlos cogió un cigarrillo y lo encendió.

—Pues, por lo visto —continuó Guiomar sentándose en una esquina de la cama con bastante torpeza—, Alexandra Kollontai distinguía dos tipos de Eros, el Eros alado y el Eros sin alas. En su opinión, la ideología proletaria no puede admitir el que no tiene alas, es decir, una relación cuyo único fin sea el placer sexual.

—¿No? ¿Y por qué no? —preguntó Carlos. Se había vuelto de espaldas al escritorio, y fumaba aspirando suavemente.

—Pues porque una relación de ese tipo se basa en la dependencia, es decir, en el sometimiento de la mujer al hombre, y porque en esas condiciones no puede surgir una auténtica camaradería. Cuando me lo ha explicado Laura lo he visto muy claro, pero ahora me cuesta recordar el razonamiento. Estoy agotado. Y la verdad, tampoco me falta gran cosa para estar borracho. Menos mal que todavía puedo fumar. El humo me mantiene en pie.

—¿Con quién has estado hasta ahora? ¿Con todos los de la cena o sólo con Laura?

—No, sólo con Laura. *C'est l'amour, mon ami.* Yo creo que estamos volviendo a sentir lo que había entre nosotros hace cinco años. Esas cosas pasan, por lo visto.

—No está mal —le dijo Carlos. Sin embargo, le resultaba ridículo que una persona de casi cuarenta años se expresara de aquella manera. Pero, cómo saberlo, quizás el ridículo fuera él, que era incapaz de hacer algo parecido—. ¿Habéis hablado con Ugarte?

—Ya sabes, no somos ingleses, y nos cuesta un poco. Pero se lo diremos un día de éstos. No creo qué haya problemas por ese lado. A fin de cuentas, él sale con Nuria, o eso cree Laura, al menos.

Hizo una pausa y dio una chupada a su cigarrillo.

—Entonces, ése era el secreto —dijo Carlos.

—No, no era eso —dijo Guiomar expresando la negativa también con el índice de la mano derecha—. Para saber mi verdadero secreto tendrás que esperar hasta mañana.

—Sí, quedamos en eso. Mañana después de jugar al ping-pong.

—Y tú, ¿qué hacías en el escritorio?

Carlos barajó mentalmente varias respuestas posibles, y movió los labios para dar la más vaga y trivial de ellas. Sin embargo, en el último instante sintió la necesidad de hablar a Guiomar lo más honestamente posible, y le explicó parte de la verdad: había estado escribiendo una carta de despedida, precisamente en eso consistía su secreto. Debía perdonarle que se lo confesara antes de tiempo. «Mentiras, siempre mentiras, Carlos —oyó en su interior—. Te propones decir la verdad, y al segundo ya estás mintiendo otra vez». En los tiempos muertos, la Rata se hacía fuerte.

—¿Qué pasa? ¿Por qué necesitas escribir una carta de despedida? La verdad es que últimamente no entiendo nada —protestó Guiomar. Hacía esfuerzos por responder a la inesperada confesión de Carlos adecuadamente, pero sin conseguirlo. Estaba muy cansado y sus reflejos mentales no le respondían. Al final, se levantó de la cama y apagó el cigarrillo en el cenicero del escritorio.

—¿Ves? Ésta es la carta —le dijo Carlos.

—Dirigida a mí, por lo que veo.

—¿A quién, si no? Por favor, Guiomar, despiérta-te un poco. Y sobre todo, no olvides que la carta estará en este cajón. ¿Lo recordarás o vuelvo a decírtelo ma-ñana?

—Pero ¿qué pasa? —volvió a preguntar Guiomar después de indicarle con la cabeza que sí, que se acorda-ría y que no hacía falta que repitiera las instrucciones. Luego, como si quisiera dar tiempo a Carlos para prepa-rar la respuesta, fue a la ventana de la habitación y se quedó apoyado en el marco.

—El otro día tuve un sueño —dijo Carlos mien-tras apagaba el cigarrillo y dejaba la colilla junto a la de Guiomar—. Soñé con un mar helado que parecía un desierto blanco, y yo veía ese mar helado desde lo alto, al principio como si yo fuera un asteroide, y des-pués como si fuera un murciélago gigante. Y en los dos casos, me daba la impresión de que el mar me quería acoger, de que me llamaba para que me hundiera en su interior. Y el caso es que yo veía el ofrecimiento con buenos ojos, deseaba caer en aquel mar, y desaparecer en sus aguas para siempre. Además, me parecía que ba-jo aquella superficie helada las aguas estaban muy tem-pladas.

—¿Y qué? —le dijo Guiomar mirándole con escep-ticismo.

Desde la época de sus primeras lecturas marxistas, el tema de los sueños no le gustaba nada.

—Me desperté con la certeza de que pronto estaría muerto. Y por eso he escrito la carta. Por si acaso.

203

—¿Muerto? —dijo Guiomar afianzándose en la ventana y mirando hacia la noche. La confesión de su amigo parecía haberle dejado sin habla.

—Así es —dijo Carlos.

Estaba mintiendo, pero tuvo la impresión de que aquella explicación improvisada tenía su propia lógica. El cuento podía ser falso, pero ¿el final? No, el final probablemente no. En su nuevo territorio —en aquel peligroso andar de asterisco a asterisco— las probabilidades de salir bien parado eran escasas. No estaba entrenado, hacía años que no empuñaba una pistola. En cambio, Stefano y sus compañeros serían muy duros, muy profesionales, muy diferentes de los acomplejados policías a los que él se había enfrentado en su juventud. Además, ya no se dejaba vivo a un terrorista. Según se decía, la policía había desaprobado la amnistía concedida por el Gobierno nada más llegar la democracia, y no quería que la historia se repitiera.

Al terminar su reflexión, Carlos se sintió mejor. Se acababa de confesar la verdad a sí mismo, y gracias a ello, por la serenidad que dicha confesión le proporcionaba, en adelante podría enfrentarse al Miedo. «No me importa morir», pensó, y un escalofrío agradable le recorrió la espalda y subrayó su frase. Se trataba de una ilusión, de una mentira motivada por el cansancio y el sueño que en aquellos momentos —eran casi las cinco de la madrugada— lo abatían, pero él se apoderó de la frase como un avaro de una moneda y la guardó en su memoria.

—No te entiendo, Carlos. Has hablado como lo hubiera hecho tu hermano —dijo Guiomar cuando logró salir de su mutismo—. ¡No me irás a contar ahora que crees en presagios! Por favor, Carlos. Yo creo que el último que tuvo un auténtico presagio fue Nabucodonosor.

Guiomar levantó los brazos y se puso a andar de un lado a otro de la habitación. No sabía desde qué ángulo enfocar el tema. En cierto modo, se sentía dolido. La sorpresa de Carlos había diluido el efecto de la suya. Pero al mismo tiempo estaba preocupado.

—¡Vete a saber! Quizá lo llevemos en la sangre. La tendencia a la metafísica, quiero decir —respondió Carlos con un amago de sonrisa.

Guiomar no insistió, y los dos se quedaron en silencio. El pensamiento de Carlos derivó entonces hacia el televisor de la panadería: el aparato no estaba en su lugar de costumbre, en uno de los saledizos del horno, sino en el refugio, con Jon y Jone. Tenía que arreglar aquello. Stefano podía advertir la presencia de la pequeña antena colocada en el tejado, y empezar a preguntar: «¿Ahora no tiene aparato? Pues es una lástima, porque quería tomar un plano con usted haciendo pan al estilo tradicional y al lado el televisor; sería un contraste bonito, se me ha ocurrido al ver la antena. Pero ya veo que ha llevado el aparato a algún otro sitio y no se puede hacer. En fin, cuando no se puede no se puede». Sí, cada cosa tenía que estar en su sitio. Tenía que hablar de ello con Jone.

—Yo no soy quién para decirte nada, pero deberías cambiar de vida. En serio —dijo por fin Guiomar, después de encender otro cigarrillo—. ¿Cuántas veces has salido de aquí desde que nos hicimos cargo del hotel? No creo que hayas ido a Barcelona ni diez veces. Y al País Vasco sólo una, aquella vez que visitaste a tu hermano...

—Dos veces —le corrigió Carlos.

—De todas formas, no es nada. Deberías ir más a donde tu hermano. Si quieres vamos los dos en septiembre. Hace tiempo que estoy pensando en llevar a Pascal al País Vasco, y septiembre me parece la mejor época.

—Pero ya le llevó Laura hace dos meses, ¿no?

—Sí, pero los niños se olvidan enseguida. Además, quiero llevarle a las fiestas de otoño con mis sobrinos. Le conviene estar con otros niños.

—Sí, aquí siempre anda solo —dijo Carlos. Volvió a recordar el encuentro del niño con Jon y Jone.

—Entonces, ¿qué me dices? ¿Vamos en septiembre?

Carlos hizo un gesto dubitativo, que sí, que tal vez. Al fin y al cabo, septiembre quedaba lejos del tiempo que marcaba el dibujo de la cuartilla. No obstante, le alegraban las palabras de Guiomar. Como decía Ugarte, era el mejor del grupo. Incluso en el peor de los casos, el futuro de su hermano estaba asegurado. Más aún si se fortalecía su relación con Laura.

—El otro día se me ocurrió que podríamos comprar un apartamento en Barcelona —dijo Carlos mientras abría la ventana. El humo de los cigarrillos se estaba acumulando en el techo.

—La verdad es que yo hoy he pensado lo mismo —dijo Guiomar—. Si mi relación con Laura sigue adelante, y lo más probable es que así sea, necesitaremos un apartamento en la ciudad. Para hacer las cosas más discretamente, ya me entiendes. Pues como tú quieras. Conozco una agencia muy buena, y podría llamar.

206

Guiomar estaba otra vez junto a la puerta, dispuesto a marcharse a su habitación. Le costaba mantener los ojos abiertos, y no dejaba de parpadear.

—¿Me dejas el libro de Rosa Luxemburgo hasta mañana? —le preguntó a Carlos—. Querría echarle un vistazo antes de dormir.

—Está encima del sofá de la sala. Pero me parece que tu vistazo va a ser corto.

—Eso creo yo también —respondió Guiomar quitándose las gafas para restregarse los ojos—. Y tú, ¿qué vas a hacer? Son las cinco pasadas.

—Me pondré a hacer el pan dentro de poco. Y cuando acabe el trabajo de la panadería me iré a dormir a la Banyera.

Iban a despedirse cuando oyeron un ruido de motor de coches ante la fachada del hotel, y luego inmediatamente un grito —¡¡*Svinie!!*, entendieron ellos— de alguien que protestaba airadamente. Parecía que el alboroto iba a desencadenar todos los ruidos restantes, y que las cigarras reanudarían su estridor, que el tráfico volvería a la carretera, que se encenderían las luces de las sesenta habitaciones y todos los que dormían en ellas se asomarían gritando. Pero la noche siguió siendo la misma de antes, y los gritos —¡*Svinie!* ¡*Svinie!*— se hicieron cada vez más inseguros y acabaron desapareciendo en el silencio.

—¿Es Boniek? —dijo Guiomar.

—No lo sé. Pero enseguida lo vamos a comprobar —dijo Carlos dirigiéndose a la ventana de la sala.

No se trataba de Boniek sino de Masakiewicz, un defensa. Él y Banat —el portero suplente de la selección—

se encontraban rodeados de guardias y con los brazos en alto delante de la puerta principal del hotel. A unos metros del grupo, el entrenador del equipo, Piechniczek, gesticulaba como si tratara de dar explicaciones a un hombre que estaba en el interior de un Peugeot 505.

—El del coche está hablando por radio, ¿no? —dijo Carlos entreabriendo la ventana. Enseguida llegó hasta ellos el pitido de un micrófono. Sí, el Peugeot 505 era un coche de la policía camuflado.

—Ya sé lo que ha pasado —dijo Guiomar con un suspiro, como si comprenderlo le entristeciera.

—Sí, que han prolongado demasiado la fiesta —comentó Carlos pensativo. La escena que se desarrollaba ante su vista mostraba a las claras el tipo de vigilancia desplegado en torno al hotel. Era una vigilancia estrecha, y nada tenía que ver con la custodia de los futbolistas. Si se tratara de custodiar a los futbolistas, Banat y Masakiewicz —cualquiera que fuese la norma que habían infringido— no estarían rodeados de guardias igual que dos criminales.

—Seguro que venían cargados de alcohol y han hecho alguna tontería. No sería la primera vez que los jugadores polacos tienen esta clase de problemas. Hace años pasó lo mismo con Mlynarczyk —dijo Guiomar apagando el cigarrillo—. La verdad, no lo comprendo. El domingo a la tarde tienen un partido muy importante contra Rusia. Si ganan a Rusia, se colocan a las puertas de la final.

—En esta ocasión vas a tener que darle la razón a Danuta —dijo Carlos en son de burla—. Como dice ella, a estos futbolistas les falta espíritu. Tienes que reconocerlo, Foxi.

—Eso no te lo crees ni tú —replicó Guiomar completamente en serio. Estaba demasiado cansado para percatarse del tono de humor que había empleado Carlos.

—Entonces, juegan el domingo —dijo Carlos pasando por alto las palabras de su amigo—. Y el viernes, ¿quiénes juegan?

—¿A las cinco o a las nueve?

—A las nueve.

—España y Alemania. Pero el mejor partido será el de las cinco, entre Brasil y Argentina. Fíjate qué partido. Maradona, Zico y compañía. Iría encantado. En serio.

—Sí, un partido extraordinario —admitió Carlos. Pensó que estaba de suerte. Aquel España-Alemania que iba a jugarse el viernes a las nueve facilitaría el plan marcado en la cuartilla de los asteriscos.

—Las entradas se agotaron hace tiempo.

—Mira, quizá les hayan detenido por eso —comentó Carlos cambiando de tema. Señalaba hacia las dos chicas que en aquel momento salían del Peugeot. Nada más salir, comenzaron a alejarse a paso rápido.

—Son muy jóvenes, ¿no?

—Sí, muy jóvenes.

Las dos chicas —vestidas con minifalda y zapatos de tacón— volvieron enseguida al coche, y se inclinaron hacia la ventanilla del lado en que se sentaba el hombre.

—Pero en cualquier caso, tienen más de dieciocho años —observó Carlos cuando el hombre del coche les devolvió los carnés de identidad. Una de las chicas llevaba el pelo muy corto, y le recordó a Jone.

La escena que ellos estaban contemplando como desde un palco entró en su último cuadro. El hombre salió del Peugeot y se puso a hablar con Piechniczek, volviéndose de tanto en tanto hacia los dos jugadores con gestos que parecían significar «que no se repita esto» o algo semejante. Después, los jugadores y el entrenador se dirigieron al interior del hotel, y todos los demás, los policías y las dos chicas, calzada abajo, hacia la carretera.

—Esto se ha acabado —dijo Guiomar.

—No del todo. A mí me ha parecido que Piechniczek estaba muy enfadado. Esto tendrá sus consecuencias.

Carlos tenía razón. No bien entró al hotel, Piechniczek comenzó a pedir cuentas a los jugadores, y sus gritos —quizás unidos a los de otros polacos que salían de sus habitaciones— siguieron resonando en el pasillo durante varios minutos más. Después, finalmente, el hotel quedó en silencio.

—Me voy a la cama —le dijo Guiomar bostezando desde cerca del biombo.

—¿No vas a leer? —le preguntó Carlos tomando el libro de Rosa Luxemburgo del sofá.

—Se me cierran los ojos. Léelo tú. A lo mejor te sirve de inspiración ahora que estamos pensando en cambiar de vida. Por cierto... ¿Cuándo vamos a Barcelona a ver apartamentos? ¿Quieres que vayamos mañana mismo?

—Ya hablaremos. Ahora no te lo puedo decir. Mañana no, desde luego.

Desde detrás del biombo, Guiomar hizo un gesto de conformidad. Que de acuerdo, que decidiera él cuándo ir a Barcelona. Acto seguido, se dirigió a su habitación bostezando sonoramente.

—Que duermas bien —le dijo Carlos retirándose de la ventana. También él tenía que pasar por su habitación a ponerse la ropa de trabajo.

Sin embargo, dio tres pasos hasta el biombo y volvió otra vez a la ventana. La noche que se extendía en torno al hotel —noche húmeda, noche de brisa, noche silenciosa con un poco de luna rodeada de muchas estrellas— le atraía igual que le solía atraer el agua de la Banyera, o mejor, como lo había hecho el mar helado de su sueño. En realidad, así es como sentía aquella noche, como una masa líquida que invitaba a tumbarse sobre ella y descansar. Carlos cerró los ojos y se recostó contra el marco de la ventana. Quería entregarse por completo a aquella sensación.

Cuando abrió los ojos, tuvo la sospecha de que se había quedado dormido, y tanto el reloj —que señalaba las seis menos cuarto— como el libro de Rosa Luxemburgo caído sobre la alfombra confirmaron su sospecha. Un instante después, despierto ya del todo, volvió a mirar por la ventana. Empezaba a amanecer. Frente a su ventana, el pequeño murciélago seguía volando de una farola a otra de la explanada del hotel, y a veces, cuando más ascendía, cruzaba una zona del cielo que ya clareaba y tenía dos manchas de color rosado.

Carlos se vio obligado a interrumpir su contemplación. Sentía el cuerpo pesado, y le fatigaba mantenerse quieto y de pie. Recogió el libro de la alfombra y fue hacia su habitación. Tenía que dejarse de contemplaciones y bajar sin tardanza a la panadería.

Con todo, y a pesar de la prisa, no pudo reprimir el deseo de echar una última mirada al libro. Lo apoyó en el escritorio y lo abrió al azar.

«La calma noble y poderosa del amanecer se extiende sobre el adoquinado vulgar de la calle», leyó entonces. Era el párrafo de una carta enviada desde la prisión de Zwickau. «Más arriba, en los cristales, centellean los primeros rayos dorados del nuevo sol, y aún más arriba, unas pequeñas nubes vaporosas, teñidas de rosa, nadan en el cielo gris de la ciudad. Me vienen a la memoria mis tiempos juveniles. En aquella época creía que la verdadera vida estaba en algún otro sitio, muy lejos, al otro lado de los tejados de la ciudad. Desde entonces viajo en persecución de esa vida. Pero siempre se me oculta tras algún tejado.»

Eran, el de Rosa Luxemburgo y el suyo, dos amaneceres hermanos, y Carlos sonrió por la coincidencia. Le pareció que auguraba algo bueno. Luego, una vez que se hubo vestido con las ropas de trabajo —vaqueros raídos, chaqueta de tela de mahón, zapatillas blancas—, decidió llevarse el libro consigo y lo guardó en el bolsillo. Sí, a todos los viajeros les venía bien un talismán, y aquella colección de cartas escritas por Rosetta podía ser el suyo hasta que —de asterisco en asterisco, de peligro en peligro— alcanzara el umbral de una nueva vida.

Antes de abandonar la habitación se detuvo ante el escritorio, y tomando de nuevo la carta dirigida a Guiomar la extrajo del sobre y le agregó una posdata: «Cuando llegue el momento de repartir o administrar mis bienes, no olvides a Pascal». Acto seguido, sacó del cajón la cuartilla con el dibujo de los asteriscos y se la metió en uno de los bolsillos del pantalón.

«¿Dónde has dejado los periódicos que ha traído Mikel para Jon y Jone?», se preguntó. Cuando recordó que los había llevado a la panadería antes de cenar —su reloj señalaba las seis— apagó todas las luces del apartamento que aún estaban encendidas y se dirigió escaleras abajo. Había bajado dos pisos cuando, de pronto, se le ocurrió que no tenía ninguna gana de ponerse a hacer pan, y que por lo tanto aquel día haría fiesta. O aún más, se tomaría fiesta hasta el momento de dejar el territorio del Miedo y entrar de nuevo en el tiempo normal.

De vuelta en el apartamento, cogió el teléfono y marcó el número anotado en una etiqueta pegada al aparato. Correspondía a una panadería de Barcelona.

—¿Qué tal estáis trabajando? —preguntó cuando contestaron a su llamada.

—¿Qué pasa, los polacos se han aburrido de comer tu pan? —preguntó el hombre al otro extremo de la línea disimulando la broma con voz seria.

—Al contrario. Creo que me van a dar una medalla por el que han comido hasta ahora. Pero el caso es que los próximos días no voy a poder trabajar, y vais a tener que sustituirme. Los polacos notarán la diferencia, pero no me queda otro remedio.

—Ya lo creo que la notarán. Después de que les sirvamos nosotros, te darán tres medallas, no una.

El hombre del otro extremo de la línea se rió. Era un hombre como Mikel, se reía con sus propias gracias.

—¿Cuántos panes necesitas esta vez? ¿Como siempre? —añadió.

—Menos. Los únicos que están ahora en el hotel son los polacos. Será suficiente con ciento veinte. ¿Cuándo los traeréis?

—¿A las nueve?

213

—No, mejor a las ocho y media. Los jugadores desayunan a las nueve, y para entonces el pan tiene que estar en la mesa.

—Tranquilo, estará para las ocho y media. No queremos que los polacos se enfaden con nosotros.

—Tú no te acuerdes de los polacos. Acuérdate de Doro. Ya sabes que es un hombre muy serio.

—No necesitamos acordarnos de nadie. Nosotros también somos serios. Para las ocho y media de la mañana tendréis ahí el pedido.

—Muy bien. A ver si es verdad.

Después de colgar el teléfono, Carlos cogió un trozo de papel y redactó una nota para el cocinero del hotel: «Doro, desde hoy y durante varios días traerán el pan los de Barcelona, porque ando un poco cansado y quiero tomarme un descanso. Les he dicho que traigan ciento veinte panes para las ocho y media. Si se retrasan, llámales por teléfono. Y otra cosa: voy a la cocina a coger algo de comer, fruta o algo así. No le eches la culpa a Juan Manuel».

Por un momento, dudó entre cambiarse o seguir con la ropa de trabajo que llevaba; pero al final prefirió no prescindir de la protección que le proporcionaban la chaqueta de mahón y los pantalones raídos. Si debía moverse por los alrededores de la panadería, lo más adecuado era hacerlo vestido de panadero. Así, pensando en ello, salió del apartamento y —después de meter la nota para Doro por debajo de la puerta del segundo piso— se dispuso a llevar a cabo la tarea que le indicaba el primer asterisco de su dibujo.

En la cámara frigorífica de la cocina las cerezas estaban muy frías, y Carlos, por el placer que le producía el contacto de la fruta, fue tomándolas poquito a poco, a veces de una en una, hasta que por fin llenó la bolsa de plástico que pensaba llevar a la panadería. Además, las cerezas no sólo eran deliciosas para el tacto, pues —lo dedujo al observar los ejemplares que iban pasando entre sus dedos— todas eran diferentes entre sí, todas redondas pero cada una a su modo, todas rojas pero cada una con su tono más claro o más oscuro, de manera que, por su variedad, también resultaban deliciosas a la vista. Se fijó un momento en la que estaba a punto de meter en la bolsa: era rosada, pequeñita, y tenía una hendidura entre los dos lóbulos.

La cereza le hizo pensar en el sexo de una mujer, y aquella asociación, por lo sorprendente, le agradó y dio una orientación amable a sus pensamientos. Cierto que la falta de sueño o la indolencia de sus músculos o de sus sentidos contribuían a aquella impresión, pero aun así, las condiciones físicas no lo explicaban todo. El mundo, en realidad, era tal como lo mostraban aquellas cerezas, lleno de particularidades e infinito, aunque normalmente la gente no aprovechara la oportunidad para percibirlo en su verdad. ¿Y él? ¿Por qué había sido él capaz de tener aquel pensamiento nada más tocar la fruta con los dedos? ¿De dónde había surgido aquella oportunidad? Le había ayudado su propio cansancio, y el silencio que en aquellos momentos reinaba en la cocina —tan nítido y pulcro que daba la sensación de que los pucheros y los platos respiraban suavemente en los estantes—; pero, con todo, la razón principal residía en otra parte: en el peligro. Los que entraban en el reino del Miedo y tenían quizá sus horas contadas, miraban el mundo de un modo especial. Ante el riesgo de perderlo todo, no querían, a poder ser, perder nada, ni siquiera lo más fútil, y a sus ojos hasta el menor de los detalles adquiría una personalidad extraordinaria y memorable. Eso lo sabían bien los enfermos. O los que habían tenido que marchar al exilio. O sus amigos ya muertos —Sabino, Otaegui, Beraxa—. Y también Kropotky lo sabía bien. «¿Quieres hacer algo antes de ir a la residencia?», le había preguntado él. Y la respuesta de su hermano: «Quiero mirar por esta ventana, nada más».

Ya de camino a la panadería —los pájaros piaban desagradablemente anunciando el amanecer— Carlos se acordó de una palabra que su hermano mencionaba con frecuencia, *contemplación*. Le pareció que al fin la comprendía y que, con ello, daba un paso más en su acercamiento hacia él. En efecto, la contemplación no era sino estar atento a la particularidad de cada detalle, sin hacer abstracciones, percibiendo cada objeto —incluso el más pequeño o insignificante— como único y singular; un quehacer tan grande, tan ilimitado, que la observación de una sola bolsa de cerezas podía dar materia para toda una vida.

Tomando unas cuantas en la mano, Carlos dejó sobre la mesa de la panadería la bolsa de cerezas que había dado pie a su reflexión, y luego se dirigió al almacén meditando una frase de Guiomar: «Has hablado como lo hubiera hecho tu hermano». Sí, quizá llevaban en la sangre la tendencia a la metafísica, quizá se parecía a Kropotky más de lo que él mismo creía; cuando menos, iba cambiando su punto de vista. Algunas de las ideas de su hermano ya no le parecían payasadas.

Viéndose libres a una hora inesperada, Belle y Greta le saludaron con más aspavientos que de costumbre, y luego comenzaron a dar carreras hacia los lugares adonde supuestamente iban a parar los huesos de cereza que él les iba tirando.

—Vamos a la Fontana, Belle. Tengo que refrescarme un poco.

Sin la menor vacilación, Belle comenzó a correr ladera abajo, y Greta la siguió enseguida pisándole los talones y largándole mordiscos a las orejas. Los perros estaban descansados, y corrían alegre y ágilmente, esquivando en el último momento los troncos de los olivos y los almendros y superando las irregularidades del terreno con saltos más largos de lo preciso. Carlos siguió sus evoluciones con la vista: si unas cerezas resultaban un buen objeto de contemplación, ¿qué decir sobre Belle y Greta? Se podía permanecer todo un siglo contemplando unos animales como aquéllos.

«Cuidado, Carlos, tienes demasiado sueño. Esas ideas que te rondan la cabeza están bien para después de que haya pasado todo, pero no para ahora. Deberías pensar en otras cosas», oyó entonces. «Ya sé, Sabino, por eso voy a la fuente», respondió él como si Sabino le hubiera acompañado desde el apartamento y se escondiera por allí cerca, detrás de algún árbol.

Apenas metió la cabeza en el agua fría de la fuente, su pensamiento siguió el consejo de Sabino y comenzó a ocuparse del modo de sacar a Jon y Jone del hotel. De acuerdo con los cálculos realizados en su habitación, la pareja tendría que ir primero a la Banyera, y luego, a través del sendero viejo, subir la ladera que había entre el terreno del hotel y la carretera. Según eso, ¿no le convenía repasar el itinerario? ¿Por qué no comprobar en qué estado se encontraba el viejo sendero? Hacía meses que no lo pisaba, y aquel tramo era el único que podía plantear dificultades. Además, la hora parecía idónea. Faltaban cuarenta minutos para la cita que tenía con Jone a las siete. Sí, iría a mirar. Aunque llegara algo tarde a la cita, valía la pena ir adelantando las tareas.

Para cuando regresó al almacén y comenzó a caminar hacia la Banyera, el cielo se había dividido casi completamente en dos, en un lado lo claro y en el otro lo oscuro: lo oscuro era una superficie pura y llanamente oscura, y lo claro en cambio era una gran lámina nacarada con franjas rojizas y rosas. Al mismo tiempo, pero con más discreción que en el cielo, el amanecer también se iba extendiendo a ras de tierra, y las piedras, los árboles, los perros emergían de la oscuridad y se iban perfilando: en los olivos y almendros, las hojas eran hojas, y las ramas, ramas; sobre las piedras, se percibían ya las manchas de liquen; en el pelaje de los perros, el blanco y los demás colores —el rojizo de Belle, el gris perla de Greta— ofrecían un contraste cada vez más acusado.

Cuando marchaban por la pendiente que terminaba en la orilla de la Banyera, Belle dio un ladrido anormal, parecido a un estornudo. Sacudiendo el rabo, indecisa, miraba insistentemente a Carlos. No había en ella ni rastro de la alegría que había mostrado hasta entonces.

—¿Qué pasa, Belle? No te entiendo —le dijo Carlos acercándose por detrás.

Belle dudaba. Algo que había olfateado o visto le incitaba a ladrar con fuerza, pero no se atrevía a ceder al impulso. Entre todas las prohibiciones de Carlos registradas en su memoria figuraba la de no romper el silencio de los paseos matutinos. Al fin, fue Greta la que aclaró la situación. Sin las reservas de Belle —era mucho más joven y su memoria carecía de firmeza—, se adentró unos diez metros en la maleza e intentó morder a una figura que llevaba una gorra como las de béisbol.

—¡Greta! —gritó Carlos.

La figura escondida en la maleza soltó una patada que hizo huir al perro, y se acercó a Carlos. Se trataba del guardia que Mikel había bautizado como Morros.

—Le han cambiado de sitio, por lo que veo —dijo Carlos sin dejar de andar y con la naturalidad de un labrador que se dirige al trabajo—. ¡Belle! ¡Greta! —gritó luego para hacer callar a los perros. Sus ladridos resonaban en la concavidad de la Banyera y parecía que fueran a llegar hasta el hotel.

—Quieto —dijo Morros muy suave. La metralleta hizo un chasquido igualmente suave—. Usted también ha cambiado de sitio. ¿Qué hace por aquí, y a estas horas?

Seguía hablando entre dientes. Durante las pausas mecía ligeramente el cuerpo. Detrás de él, también la maleza se mecía al impulso de un soplo de viento.

—Yo paseo mucho. Los perros necesitan andar para mantenerse en forma.

Carlos quiso dirigirse a él con voz neutra. Sin embargo, quizá debido al cansancio, sus palabras sonaron desganadas, exageradamente indiferentes.

—Métase los perros por el culo —le dijo Morros anunciando una sonrisa que finalmente no llegó a completarse.

219

—Otra grosería así y hablaré con su teniente. Y si eso no es suficiente, con el gobernador de Barcelona. Ya le dije la otra vez que soy uno de los propietarios del hotel —le dijo Carlos reforzando la voz. Pensó que ante un matón como aquél las cortesías estaban de sobra. O, aún más, podían ser peligrosas. Se concentró en su garganta—. ¿Me ha oído o tengo que repetírselo? —dijo acertando con el tono exacto.

—Usted me pone enfermo —le dijo Morros enrojeciendo de cólera. Luego musitó una imprecación y volvió a internarse en la maleza.

«No debéis olvidar que la mayor parte de los policías son como criados —les decía Sabino—. Si hay algo que tienen metido hasta el tuétano, es el clasismo. Siempre que estéis obligados a hablar con ellos, vosotros dejad claro que estáis más arriba, que sois ricos o que procedéis de familia noble. Su sentido de la jerarquía hará el resto». Sí, podía ser cierto, pero había que tener cuidado con criados como Morros.

Carlos siguió hacia la Banyera y procuró analizar el significado de su encuentro con el guardia. Por un lado, era evidente que se había modificado el tipo de vigilancia del hotel. Se había endurecido mucho y ya no se limitaba a la entrada del hotel o las cercanías. Por otro, también habían cambiado los hombres, puesto que Morros y sus compañeros eran sin duda alguna guardias de elite. Y todos aquellos cambios se habían producido con la llegada de Stefano. Sí, la policía disponía de una información concreta —acerca de la pistola que había visto Pascal, probablemente—, y de ahí la llegada de Stefano, de ahí el cambio de vigilancia de la noche a la mañana.

Tenía que desechar la hipótesis, débil desde el principio, de una investigación preventiva. No se trataba de que la policía hubiera considerado el pasado de los del hotel y hubiera ido a echar un vistazo; al contrario, Stefano y sus compañeros estaban allí para dar el último paso, para capturar a los dos activistas en su agujero. Así las cosas, Jon y Jone tendrían que seguir otro itinerario para salir del hotel.

«¿Cuál puede ser la alternativa?», oyó en su interior. Estaba ya en la Banyera, sentado sobre una piedra de la orilla.

—Subir por Amazonia y marchar directamente hacia la carretera —respondió Carlos. Sabino seguía a su lado.

Guiomar había bautizado como Amazonia la ladera que subía desde la Fontana —desde la Riera Blanca, en realidad— hasta la carretera. Tal como la broma daba a entender, se trataba de un lugar lleno de maleza y difícil de atravesar, sin senderos ni pasos de ninguna clase. Stefano podía apostar a los guardias en su base o en la carretera, pero no en la ladera misma. En ese sentido, la zona podía resultar muy segura, sobre todo si señalaba el itinerario con un spray. Con el itinerario marcado, podrían alcanzar la carretera en muy poco tiempo, incluso de noche.

Pensó que Morros necesitaría un rato para tranquilizarse, y permaneció sentado en la orilla de la Banyera revisando el dibujo de los asteriscos y apurando su plan. El spray en sí mismo no le planteaba ningún problema, pues en el almacén tenía uno de color blanco, pero dudaba acerca del momento apropiado para llevar a cabo la señalización. ¿Aquella misma tarde, antes del campeonato de ping-pong? ¿Al día siguiente, antes de ir a cenar con María Teresa? Pero, con la visita de Stefano todavía pendiente, no le resultaba fácil hacer una nueva acotación en la línea de los asteriscos. Al final, dejando aquella cuestión en suspenso, dibujó una luna sobre el último asterisco de la raya. Para la noche del viernes, la luna estaría ya casi mediada, y Jon y Jone contarían con algo de luz a la hora de atravesar Amazonia.

Volvió a meter la cuartilla en el bolsillo del pantalón y se puso de pie. No quería hacer esperar mucho a Jone.

—Sí, Greta. Ya nos vamos —le dijo al braco cuando éste rompió a ladrar—. ¿Qué te pasa? ¿Tienes prisa?

Sí, tenía prisa, y salió corriendo en cuanto vio que Carlos se ponía en camino. Esperaba que aquella salida fuera de lo normal supusiera asimismo una comida fuera de lo normal.

—¿Tú qué crees? ¿Que vais a comer o que no? —dijo Carlos a Belle, que seguía a su lado. Luego miró el reloj y apretó el paso. Él sí tenía prisa, eran las siete menos cinco.

Ni Belle ni Greta ladraron al pasar por el sitio donde poco antes habían visto a Morros, y todo el camino de vuelta fue tranquilo. El cielo se había rasgado por todas partes, y las franjas coloreadas de media hora antes se habían multiplicado, y eran ahora quince, veinte o veinticinco franjas, todas de color rojo. Al poco tiempo, el sol asomó en el horizonte, un sol que era como una cereza, la cereza más grande del mundo, la más roja, la más brillante. No se parecía al delicado amanecer que Rosa Luxemburgo había contemplado desde la prisión de Zwickau, pero en cambio estaba lleno de fuerza y le reconfortaba.

—Quédate por aquí cerca, Belle. Y no dejes que Greta se aleje —dijo Carlos al llegar al almacén y dirigiéndose a la panadería. Los dos perros se tumbaron en medio del camino.

La puerta de la panadería no se abrió al primer empujón. Y con el segundo, sólo a medias. «*Arriba y abajo anda errante mi alma, implorando reposo*», oyó entonces. Jone leía el poema del otro lado de la puerta. «*De esta manera huye el ciervo herido...*»

—¿Es bueno este poema? —preguntó Jone dejándole entrar y con el tono de quien está dispuesto a aceptar cualquier tipo de opinión. Tenía una mano llena de cerezas, y se las llevaba a la boca muy despacio. Como una sonámbula, pensó Carlos.

—Me lo envió mi hermano a la cárcel. Por eso lo conservo. A él le gustaba mucho —le dijo Carlos entrando en la panadería.

—¿Cuándo murió? —preguntó Jone con voz pastosa, como si hubiera estado bebiendo y tuviera la lengua torpe. Sostenía una cereza por el rabo, y jugueteaba con ella moviéndola de un lado a otro de su labio superior—. Están muy dulces y muy frías, muchas gracias por traerlas —le dijo a Carlos comiéndose la cereza.

—¿Cómo que cuándo murió? —se sorprendió Carlos sin prestar atención al último comentario de ella.

—¿No está muerto tu hermano? Me ha parecido que hablabas de él como si estuviera muerto —dijo Jone con indiferencia. Y acto seguido, en el mismo tono—: ¡En serio! ¡Qué buenas están las cerezas! ¡Me sientan de maravilla después de comer tantas latas!

Carlos se le quedó mirando. Parecía una persona distinta a la que había estado discutiendo con él por culpa del incidente con el niño. Tenía un aire algo infantil y parecía despreocupada. Por otra parte, no preguntaba por lo que había decidido la organización, y tampoco eso era normal.

—Si no está muerto, ¿dónde está? —le preguntó Jone pasando junto a él y cogiendo más cerezas de la mesa. Su cuerpo seguía oliendo a sudor.

—¿Por qué no empezamos a hablar de nuestro asunto? —le dijo Carlos secamente en un intento de ahuyentar el recuerdo que le asaltaba.

Pero su empeño resultó inútil, y en vez de la pared que tenía delante —blanca, enrojecida por los primeros rayos de sol— lo que vio fue una imagen del jardín de la residencia psiquiátrica. «¿Vas a dejarme aquí?», le decía su hermano en aquel jardín, enseñando al reír una boca sin dientes. «Si me metes aquí todos pensarán que me he muerto. Pero, ja, ja, me parece bien, no te sientas mal por meterme aquí. Descansaré. ¿Te he hablado alguna vez de La Tierra Sin Amigos?» Y cuando él respondió que sí: «Pues desde que vivo en esa tierra me siento muy cansado y con muchas ganas de dormir». En aquel momento, un médico se acercó a su hermano y le ofreció el brazo. «¿Conoce usted, doctor, La Tierra Sin Amigos?», le preguntó su hermano aceptando el brazo que le tendía.

Jone hizo dos intentos antes de conseguir que su mano se introdujera en la bolsa. Al final, la sacó llena de cerezas y con algunas de ellas colgándole de los dedos. Carlos se dio cuenta de que tenía los ojos hinchados.

—¿Estáis tomando pastillas para dormir? —preguntó. Se acercó hasta la mesa y se inclinó hacia el bidón de agua.

—Sí, estoy un poco ida —contestó ella.

Sin lugar a dudas, las pastillas para dormir suavizaban el tránsito por el territorio del Miedo; sobre todo en el caso de Jon y Jone, que debían permanecer horas y días sin salir de un agujero. No obstante, producían también un exceso de optimismo, una especie de embriaguez que favorecía la desidia.

Carlos sólo consideró el segundo de los efectos. Acercándose a Jone, le vació el agua del bidón sobre la cabeza.

—¡Qué haces! —le dijo ella con un chillido.

—¡Cállate! ¡Te van a oír desde el hotel!

—¡Y tú, párate quieto con ese bidón! ¡Está visto que te gusta tirar agua a las mujeres! —le respondió Jone acordándose del baño que ambos se habían dado junto a la fuente. Seguía enfadada, pero volvía a hablar con normalidad.

—Por lo menos te has despertado. Puede que ahora recuerdes quién eres y en qué estás metida. O mejor dicho, en qué estamos metidos todos.

Hablaba de forma imperiosa, pero no dominaba bien su voz. Había cierta debilidad en ella. ¿A causa del sueño? ¿A causa del encuentro con Morros? No lo sabía, pero pensó que tenía que cuidar aquel detalle de su expresión. No podía hablarle a Stefano con aquella voz.

—Vale —dijo Jone silenciando otras respuestas que probablemente habían pasado por su cabeza. Luego dejó en la mesa las cerezas que tenía en la mano y, cruzando los brazos, miró a Carlos. Tenía la camiseta negra empapada y pegada al cuerpo, y los pechos se le marcaban en toda su redondez—. ¿Qué ha dicho la organización? —añadió. Volvía a ser la de siempre.

—Todavía no está todo atado. Pero si no ocurre nada raro saldréis pasado mañana, el viernes. A última hora.

—¿Sí? Entonces se han movido las cosas. ¡Por fin! —suspiró ella. Luego, se alejó hasta la ventana y permaneció allí un rato mirando. Afuera, el sol estaba en todas partes, así en las hojas de los árboles como en el acero de las farolas o los cristales del hotel. Sin volverse, Jone manifestó lo que estaba pensando—. Tenemos a la policía muy cerca, ¿no?

Una vez más, Carlos pensó en la agudeza de aquella mujer. Sí, cuando se trataba de percibir un detalle relacionado con la expresión de un interlocutor, su cerebro era tan sensible como la yema de los dedos a la hora de palpar una superficie. Sabía interpretar cualquier gesto, cualquier mirada, cualquier desmayo en una voz. También en eso —estableció el vínculo por el paquete de Marlboro que Jone estaba abriendo— se parecía a Danuta Wyca. Sólo que ambas habían ido a parar a distintos mares, y que su vida había sido dominada por distintas olas y corrientes. Por lo demás, eran dos personas semejantes, dos hermanas.

—En caso de salir el viernes, no habrá problemas. No están tan cerca —dijo Carlos sentándose en la única silla de la panadería.

—Yo te creo, y me parece bien —dijo Jone cruzando los brazos. El silencio de la panadería era completo, y ella hablaba con mucha suavidad, como alguien que está ante una pared blanca y no quiere dejar marcas en ella.

—Estoy haciendo las cosas lo mejor posible —dijo Carlos en el mismo tono. Sacó del bolsillo la cuartilla con el dibujo de los asteriscos.

—Quería decir que quizá Jon no lo crea —dijo ella después de dar una chupada al cigarrillo recién encendido y señalando el suelo de la panadería con el índice de la mano libre—. Es muy joven, y está con una paranoia terrible. Dice que la dirección actual de la organización ha decidido quemarnos, y que no harán nada por sacarnos de aquí. Es una estupidez, por supuesto, pero capaz de poner nervioso a cualquiera. Es otro motivo por el que estoy tomando pastillas para dormir. La verdad, no puedo con él. Cada vez que habla me saca de quicio.

—Cuando estaba en la cárcel me pasaba lo mismo —dijo Carlos a la vez que repasaba las anotaciones escritas debajo del primer asterisco—. Si el de la celda de al lado empezaba a toser, me ponía como loco. Pero esas cosas son normales. Consecuencias de la falta de espacio. ¿No has oído nunca lo de las ratas?

—No soy tan aficionada a los cuentos como tú —sonrió Jone con cierta amargura. Se apoyó en la pared dispuesta a escuchar.

—Por lo visto, si se deja a una rata sola en una caja, se muere de aburrimiento. Si se dejan dos, se hacen compañía y sobreviven. Si se meten veinte, empiezan a morderse y no desisten hasta que se matan entre sí.

—¿No es una historia un poco tendenciosa? Eso de que se pongan dos ratas juntas y se arreglen bien parece propaganda a favor del matrimonio. Y además, Jon y yo somos dos, y no nos llevamos nada bien.

—A mí me parece que el cuento no es malo, y que al menos el último punto dice la verdad.

—El primero tampoco está mal.

—De todas formas, son cosas de ratas —concluyó Carlos, y por un momento, por asociación, se acordó de la parte indeseable de su conciencia. La Rata parecía enterrada entre sus vísceras, y definitivamente muda. Pero era una impresión falsa, y él lo sabía.

—Eso era lo que decía la prensa de nosotros, que éramos ratas. Ratas cobardes —dijo Jone con un amago de sonrisa.

—Lo escribiría algún mono, seguro —sentenció Carlos acordándose de los periódicos que había traído Mikel. Vio que la bolsa estaba encima de un estante, y su primera reacción fue cogerla y dársela a Jone. Pero eran ya las siete y media, y pensó que antes de nada debían precisar los detalles de la operación de fuga.

—¿Cómo vamos a hacerlo? —le preguntó Jone adivinando su propósito.

—Yo me ocuparé de todo. Conozco bien estos parajes, y no me costará mucho llevaros hasta la carretera. Han puesto cantidad de guardias para cuidar a los futbolistas, pero a pesar de todo...

—¿Cuántos guardias habrá en el hotel, más o menos? —le interrumpió ella.

—Unos treinta, creo yo.

—Son muchos —dijo Jone con un silbido. Apagó el cigarrillo y se quedó pensativa.

—Vosotros, tranquilos. Para acordonar el hotel en firme harían falta unos cien guardias. De todas formas, habrá que tener mucho cuidado con algunas cosas.

Carlos hizo una pausa para volver a mirar lo que tenía anotado en la cuartilla.

—¿Es seguro andar con papeles? —preguntó ella aprovechando la pausa—. El otro día me achacaste que hacía muchas preguntas y no respetaba las normas de seguridad. Pero si alguien te registrara y encontrara ese esquema, adiós muy buenas.

A pesar de sus palabras, el tono de Jone era amable. Se había puesto a comer cerezas otra vez, y no se la veía preocupada por la noticia sobre el número de guardias que había en el hotel.

—Mientras estuve en activo, y fue bastante tiempo, siempre llevaba papeles conmigo. Hubo una época en que me llamaban Papelitos de alias. Y nunca tuve problemas. Tengo un sistema muy personal de tomar notas.

Carlos le pasó la cuartilla.

—A ver si entiendes algo.

—¡Qué dibujos más bonitos! —exclamó Jone mirando los barcos amarrados al último asterisco.

Luego, entornó los ojos y trató de descifrar los mensajes escritos dentro de ellos.

—No entiendo nada.

—Ni tú ni nadie. Está en clave. Una clave muy simple, pero como los mensajes son tan breves la policía necesitaría un mes para poder descifrarlos.

—Nunca había visto nada parecido. La verdad es que eres un peliculero. No lo pareces, pero lo eres —se rió Jone.

A pesar de que el calificativo —el mismo que habían atribuido a Sabino— le resultaba desagradable, Carlos respondió con una sonrisa. A aquellas alturas, la relación entre ambos se había suavizado. Estaban muy lejos el uno del otro, él a un lado del túnel y ella al otro, y prueba de eso era que Jone se tomara en serio panfletos —como el titulado *Esta democracia no es más que pura fachada*— que a él le parecían una simpleza y una caricatura de análisis político; pero, prescindiendo de eso, seguía habiendo entre ellos cierta hermandad, cuando menos hasta que salieran del tiempo representado por el dibujo de los asteriscos. Los dos estaban al otro lado de la frontera, en el territorio del Miedo. Además, cada vez tenía mejor opinión de Jone como militante. No le parecía tan ligera y mal preparada como la había juzgado en un principio, a raíz del lamentable encuentro con Pascal.

—En adelante, tenéis que andar con mucho cuidado —dijo Carlos volviendo al tema—. Voy a tener visitas aquí en la panadería. Vendrán unos periodistas a tomar unas imágenes, y el asunto de los ruidos puede ser muy peligroso. Y otra cosa. Hay que subir el aparato de televisión que tenéis abajo. Alguien puede ver la antena que hay en esa ventana de ahí, y si empiezan a hacer preguntas...

—Esos periodistas son polis, ¿no? —le interrumpió Jone mirando la cereza que sostenía en la mano.

—Casi seguro que sí.

—Eso me da un poco de miedo. No creía que estuvieran tan cerca.

Dejó la cereza en la mesa y fue hasta la ventana. Afuera, el mundo iba despertándose. Además del estridor de los insectos y de los pájaros, se oían las bocinas de los coches que circulaban por la carretera o delante del hotel.

—No saben nada concreto. Sólo andan husmeando. Los polis siempre andan husmeando, ya sabes —dijo él.

—No saben nada concreto, pero saben mucho. Si han llegado hasta aquí, es que saben mucho. Y si saben mucho, es porque alguien nos ha delatado. Seguro que el niño ha dicho algo. Lo presentía, y al final ha ocurrido. Fue mala suerte que viera la pistola, verdadera mala suerte.

Jone se puso a recorrer la panadería, maldiciendo en voz baja y golpeando con el puño en las paredes. Carlos colocó las palmas de las manos hacia abajo y le indicó que se calmara.

—No te preocupes más de la cuenta. Puede ser como tú dices, o puede ser que la policía haya mirado en los ficheros y haya visto que casi todos los de este hotel somos antiguos activistas.

Estaba seguro de que la hipótesis era falsa, pero no quería que el humor inestable de Jone cambiara a peor.

—¿Sí? ¿Es verdad eso? ¿Cuántos estuvisteis en la organización? —le preguntó Jone después de una pausa.

—Olvídalo. Y olvídate también del asunto del chivatazo. Lo único que nos debe preocupar ahora es la forma de salir del hotel.

Carlos tuvo un instante de desánimo. En el territorio del Miedo siempre sucedía lo mismo: el afán por actuar con la mayor seguridad acababa por provocar faltas graves contra esa misma seguridad. Ahora, Jone sabía más cosas: que estaba en un hotel y que todos sus propietarios eran antiguos activistas. En manos de la policía, aquella información equivalía a poner el dedo en un punto del mapa. Pero también él debía tener confianza. La policía no capturaría a Jone, Jone no le delataría a él, todo iría bien.

—¿Subo el televisor? —le dijo Jone.

—Sí, súbelo. Y después, llenaré la leñera con troncos gruesos y nos despediremos hasta el viernes por la noche.

—No pongas troncos muy grandes —dijo Jone entrando en la leñera y levantando la tapa de su base—. Pon toda la leña que quieras, pero deja la salida de modo que podamos abrirla de un empujón. De verdad, me agobiaría sólo de pensar que estoy completamente encerrada. Estos días, lo que más me ha hecho sufrir ha sido la dificultad de salir del agujero. Tenía la sensación de que iba a declararse un incendio por aquí cerca y nos achicharraríamos en el agujero.

Jone levantó la tapa y empezó a bajar los escalones. Pero al poner el pie en el tercer escalón, se volvió y miró a Carlos directamente.

—¿Puedo hacer una pregunta? Será la última. Un poco personal —dijo.

Carlos miró el reloj.

—Como quieras, pero ando algo justo de tiempo.

—¿Por qué hiciste este escondite? Tal como lo hiciste, quiero decir.

—Es una habitación. Yo no tuve intención de hacer un escondite.

—Por eso te lo pregunto. Porque es una habitación. Pero muy especial, ¿no? Sin una puerta normal, con alfombras y cojines en lugar de la cama, con la piedra de la pared a la vista... De verdad, he pensado en eso desde la primera vez que bajé estas escaleras.

—Una tontería mía, sin más.

—Espera un poco, me lo explicas después de que traiga el televisor —dijo ella desapareciendo en la oscuridad

232

del refugio. Carlos pensó que Jon estaría dormido, y que por eso no había luz allí dentro.

—No es algo tan raro —prosiguió Carlos mientras dejaba el televisor que había subido Jone en el saledizo del horno—. El hueco estaba hecho cuando yo llegué aquí, porque el panadero que trabajaba antes para el hotel lo usaba como almacén. Lo único que hice fue acondicionarlo. Y si no hay cama, es porque resulta muy difícil meterla por esa trampilla. Por eso puse las alfombras y los cojines.

—Cómo eres —suspiró Jone, como si acabara de quedarse sin fuerzas. Luego se dirigió a la ventana de la panadería, y se quedó un rato mirando qué había al otro lado del cristal. Había árboles; había dos perros de caza; había golondrinas que pasaban silbando sobre los tejados del hotel. Pero todo aquello pertenecía a otro mundo.

—No sé qué quieres decir —dijo Carlos un poco incómodo. Estaba sorprendido por la reacción de Jone. Se movía por la panadería con la expresión de una adolescente deprimida.

—Quiero decir que esa habitación de abajo parece la mazmorra de un castillo, y que es así porque tú lo has querido, no por azar. Pero tú no vas a decirme nada. Entre nosotros ha habido ciertas cosas, y ésta es probablemente la última vez que hablamos a solas. Pero a ti no te importa. Eres una persona que nunca dice nada.

—Te lo diré, si quieres —aceptó al fin Carlos. Estaba muy cansado, tenía ganas de irse a dormir—. No puedo acostarme con una mujer en un sitio corriente, o mejor dicho, no me gusta. No me excito. Ésa es la solución del enigma.

Jone sonrió, y todos los músculos, venas y arrugas de su cara volvieron a ocupar su posición habitual.

—Eso me pareció cuando fuimos a tumbarnos en la hierba de la fuente —dijo—. Pero ¿cuál es exactamente tu fantasía? ¿Ser un violador? ¿Ser un señor feudal que posee a las chicas presas en su mazmorra?

«Qué conversación tan interesante, Carlos. Qué confesiones tan sinceras haces a las mujeres. Realmente, te veo rejuvenecido», oyó en su interior. La Rata seguía al acecho.

—Ya hemos hablado bastante. Tengo que marcharme —dijo Carlos. Eran ya las ocho menos diez, y tenía que dirigirse inmediatamente al segundo asterisco de la mañana. Si no llegaba a tiempo, Mikel se alarmaría.

—No sé por qué te cuesta tanto hablar de tus fantasías. ¿Quieres que te cuente la mía? —dijo Jone. Y añadió, sin darle tiempo a abrir la boca—: No, no quieres, pero te la voy a contar. Me gusta la última fila de los cines.

Carlos esbozó una sonrisa. Se daba cuenta de que había llegado la hora de decirse adiós.

—A lo mejor coincidimos algún día en esa última fila —dijo a Jone acarreando las palabras desde algún punto lejano de su interior—. Pero, de todas formas, nos veremos el próximo viernes. A no ser que surja algún inconveniente, iré con vosotros hasta la gasolinera.

Jone se puso de puntillas y le dio un beso. Luego, cogió la bolsa de cerezas de la mesa y se metió en la leñera.

Carlos fue hasta uno de los anaqueles.

—Esta bolsa es para vosotros —dijo.

Jone sostenía la tapa de la entrada del refugio.

—¿Qué es, la prensa?

—Sí, la prensa del País Vasco. La organización ha negado lo de la bomba que le explotó al niño. Dicen que no la pusieron ellos.

—Bien, muy buena noticia —dijo ella.

—Hasta el viernes, entonces. Creo que estaré aquí para las nueve. Y en pocos minutos, todos en la gasolinera.

—¿A las nueve? Antes he entendido que saldríamos más tarde. ¿No sería más seguro salir dos o tres horas más tarde? En plena noche, quiero decir.

—No creo. Los partidos del Campeonato Mundial de Fútbol suelen ser a las cinco y a las nueve, y a las nueve del viernes juegan España y Alemania. Me parece que los guardias del hotel estarán un poco más entretenidos de lo normal. Y, además, esa hora le vendrá bien a Martín.

En lo concerniente a aquella operación, ése era el alias de Mikel, Martín.

—Vale, de acuerdo —dijo Jone—. Tú sabes cómo están las cosas. Haremos lo que tú decidas.

—El viernes no toméis pastillas para dormir. Una vez fuera del agujero tendréis que andar deprisa —dijo él.

—Y tú no pongas muchos troncos encima de nuestra única salida —le respondió Jone. Luego cerró la tapa sobre su cabeza y desapareció.

Carlos se acercó a la mesa de mármol y quitó el paño blanco a la masa de pan. Estaba amazacotada, pero todavía no olía ni tenía moho. Rápidamente —tenía que ir corriendo donde Mikel—, introdujo las manos en la masa endurecida y se puso a trabajarla. Pero se detuvo enseguida. Aquel esfuerzo carecía de sentido. Tarde o temprano aquella masa se echaría a perder irremediablemente. Por fin, cogió cuanto había sobre la mesa y lo tiró a un saco de plástico para la basura.

Belle y Greta se le acercaron nada más aparecer él en la puerta de la panadería, pero despacio y con la lengua fuera. El sol comenzaba a calentar.

—¿Vais a venir conmigo? Voy al hotel —les dijo Carlos.

No era la dirección preferida de los perros —a ellos les gustaba el matorral— y no mostraron deseos de seguirle. Al final, de la manera más discreta, Belle regresó a la entrada del almacén, y Greta a la sombra de un olivo.

—Cuidad vuestra casa —les dijo Carlos antes de perderlos de vista.

Mikel estaba sentado dentro de la furgoneta, y leía un periódico desplegado sobre el volante. El sol llenaba de reflejos el cristal delantero del vehículo.

—¿Cómo has conseguido el periódico de hoy tan temprano? —le preguntó Carlos después de introducir la cabeza por la ventanilla y fijarse en lo que estaba leyendo. Normalmente, era María Teresa la que llevaba el periódico. Pero ella nunca llegaba al hotel antes de las nueve.

—Me lo ha dado ese tipo —respondió Mikel. Detrás de las gafas demasiado pequeñas tenía los ojos ligeramente enrojecidos—. Luego les ha pedido a los hijos de Doro si le dejaban dar una vuelta en la Montesa, y se han ido los tres. Le gusta andar en moto, por lo visto.

—¿De quién hablas? —le preguntó Carlos con recelo.

—Del tipo ese de la televisión, ya sabes...

Mikel interrumpió la frase, e hizo ademán de salir de la furgoneta.

—¿Stefano? —le dijo Carlos mientras le ponía la mano en el hombro para que se sentara y no se bajase. A continuación, entró por la puerta del otro lado y se sentó a su lado—. Llévame al pueblo, por favor. Tengo que reservar una mesa en La Masía. Mañana voy a cenar con María Teresa.

Según hablaba, se llevó el dedo índice a los labios. Luego, con un segundo gesto, le pidió que arrancara cuanto antes.

—¿Con María Teresa? ¿Y qué celebráis? —le preguntó Mikel poniendo la furgoneta en marcha y conduciendo hacia la calzada. No tenía remedio: en vez de bromear a propósito de la confidencia que acababa de oír, salía del paso con una pregunta propia de presentador de televisión. No, Mikel no había nacido para actor.

—Nada especial —le dijo Carlos poniendo la radio.

«Hoy también subirá el calor por encima de los treinta y cinco grados», aseguró el locutor de radio como prólogo a la información meteorológica.

Carlos se puso a mirar por la ventanilla como si quisiera detectar la presencia de Stefano. Pero no se le veía por ningún lado, y tampoco a los hijos de Doro. Lo más probable era que los tres anduvieran divirtiéndose con sus motos por los alrededores de Montserrat. Luego, Stefano les invitaría a tomar unas cervezas, y de paso les haría unas cuantas preguntas, en especial a Juan

Manuel, y Juan Manuel respondería inocentemente a todo. ¿Le preguntaría Stefano acerca de la panadería? Quizá no en aquel primer encuentro, pero seguro que no tardaría en hacerlo. Y aquello podía resultar peligroso, aunque él no sabía hasta qué punto recordaría Juan Manuel el viejo sótano para la harina y la leña, ni hasta qué punto le dejaría hablar su hermano. Al igual que su padre, el joven Doro no era nada comunicativo. Y menos aún con personas extrañas. Además, a él le apreciaba mucho, y le pondría sobre aviso en cuanto viera algo raro en el comportamiento de Stefano: «Carlos, aquí hay uno que pregunta más de la cuenta», le diría el joven Doro hablando como los muchachos que vivían en las montañas de su pueblo natal. En cualquier caso, debía extremar las precauciones. Stefano se movía con rapidez y, a lo que parecía, le iba cogiendo la delantera en la competición que disputaban de asterisco en asterisco. Carlos sofocó una maldición en la garganta.

En cuanto pasaron la piscina empezaron a ver guardias colocados de dos en dos, uno en la parte derecha de la calzada y otro en la izquierda. La última pareja dio el alto a la furgoneta.

Mikel obedeció de inmediato.

—Ya veo que hoy no tienes ganas de bromas —dijo Carlos entre dientes. Quería aliviar la tensión que adivinaba en su amigo.

—¿Quieren ver lo de atrás? —preguntó Mikel tras bajar el cristal de la ventanilla. Los guardias afirmaron con la cabeza, pero sin articular palabra. Su laconismo parecía profesional, un aspecto del aprendizaje recibido en la brigada antiterrorista.

«Y ahora, damos comienzo a la información deportiva. Y como es habitual desde que se inició el campeonato del mundo, también hoy el fútbol ocupará la mayor parte de nuestro tiempo», decía la radio en aquel momento. Mikel fue a abrir la puerta trasera de la furgoneta. «Como la mayoría de nuestros oyentes sabrán, esta semana abundan los acontecimientos dignos de mención. En primer lugar, el partido que jugarán en Madrid España y Alemania. Por otro lado, y el mismo viernes, tendremos el trascendental partido de Brasil y Argentina, y no creemos exagerar al calificarlo de trascendental, ya que el ganador del partido que se disputará en el estadio de Sarriá en Barcelona fácilmente puede ser campeón del mundo. Sin embargo, daremos comienzo al programa con los comentarios acerca de un tercer partido, el que jugarán el próximo domingo Polonia y Rusia, ni más ni menos...»

—¿Suficiente? —preguntó Mikel después de andar moviendo las cajas de pescado vacías. Luego cerró la puerta y volvió a sentarse al volante—. ¡Vámonos de aquí! —exclamó por lo bajo. El ruido del motor apagó su exclamación.

—Creo que tenemos que pasar por la gasolinera. Iremos a La Masía después —dijo Carlos, a pesar de que el indicador señalaba que el depósito estaba medio lleno. Luego reiteró a Mikel el gesto de que guardara silencio. Temía que Stefano hubiera introducido algún micrófono en la furgoneta, quizás en el momento de entregarle el periódico a Mikel, quizás antes. No sabía si la policía española utilizaba o no medios tan sofisticados, pero podía ser. La policía debía de haber progresado

239

mucho con respecto a la que él había conocido durante la dictadura. Según decía la prensa, luchaban contra el terrorismo en colaboración con la policía alemana, y la policía alemana utilizaba micrófonos y ordenadores. «Según la prensa, según la prensa —repitió burlonamente la Rata—. Vaya manera de estar en la lucha. Reconócelo, Carlos, hoy por hoy eres un activista de tercera fila».

«Hay que reconocer que el Campeonato Mundial de Fútbol nos depara noticias de todo tipo —decía la radio mientras Mikel conducía hacia la gasolinera—. Vamos a informarles de la más reciente. Parece ser que los jugadores del equipo polaco Masakiewicz y Banat celebraron más de lo debido la victoria sobre Bélgica, y fueron sorprendidos por la policía con todos los síntomas de una intoxicación etílica. Ayer a la noche, cuando volvían a su hotel...».

Estaban entrando en la explanada de detrás de la gasolinera, y Carlos apagó la radio.

—No estaban celebrando la victoria sobre Bélgica, sino los fichajes de Boniek y Zmuda —dijo Carlos dirigiéndose al locutor—. Te pasas de listo.

—¿Es verdad eso? —se asombró Mikel abriendo mucho los ojos. Ya no los tenía tan irritados, y la córnea volvía a estar blanca.

—Sí, es verdad. ¿No oíste la bronca que hubo anoche? Guiomar y yo lo vimos todo. Masakiewicz gritaba como un loco.

—¿A qué hora? —dijo Mikel apagando el motor del vehículo. No salía de su asombro.

—Hacia las cuatro de la madrugada.

—¿A las cuatro de la madrugada? —Mikel miró el reloj que había junto al indicador de velocidad—. ¡Si ahora son las ocho y veinte! ¿Tan rápido corren las noticias?

—Aquí todo va rápido —contestó Carlos abriendo la puerta y bajando de la furgoneta.

El tráfico de coches y camiones hacia Barcelona era continuo, pero en la gasolinera apenas había movimiento, y los empleados barrían el suelo y pasaban el trapo a los surtidores.

En el cielo, el sol iba elevándose y cogiendo cada vez más fuerza. Para las nueve, el termómetro subiría a los veinticinco grados.

—¿Quieres un té frío con un poco de limón? —le preguntó Carlos a Mikel cuando iban a adentrarse en el pinar que bordeaba la explanada. Señalaba con la mano la máquina automática de bebidas que había en un lateral de la gasolinera—. Ahora lo venden en latas, como la cerveza.

—Aquí podemos hablar, ¿no? —preguntó Mikel mirando en todas las direcciones. Debido a las gafas demasiado pequeñas, el sudor se le acumulaba en las cejas.

—Claro que sí. Y lo más probable es que dentro de la furgoneta también. Tranquilo, ahora te lo explico todo. Voy a traerte esa lata de té.

Mientras introducía las monedas en la máquina de bebidas, Carlos miró de reojo a los empleados de la gasolinera. Eran tres, y los tres muy jóvenes. Por el modo en que se afanaban en el trabajo no parecían policías, sino verdaderos empleados, probablemente eventuales. «Tranquilo, Carlos. Es malo minusvalorar a la policía, pero creer que es omnipotente también puede ser perjudicial», oyó en su interior. «Ya lo sé, Sabino, pero me siento como cuando iba a realizar mi primera acción. Veo peligro en todas partes.»

Las latas estaban tan frías que le hacían daño en las manos. Volvió al pinar a paso rápido.

—Creo que la máquina no anda muy bien. Están demasiado frías —le dijo a Mikel, dejando las latas expuestas al sol.

—¿Qué vamos a hacer ahora? —preguntó Mikel ignorando su comentario.

—Tenemos que cambiar un poco el plan. Pero tranquilo, la situación no es tan grave.

Carlos le hablaba sin ninguna inflexión ni matiz especial de la voz. Permanecía inmóvil y con los brazos cruzados, mirando distraídamente las gotas que se iban formando en las latas de té.

—¿Lo saben todo? —dijo Mikel. También en su frente había gotas, pero de sudor.

—Si lo supieran todo, Stefano no habría venido a verte con el periódico. En vez del periódico te habría dado otra cosa.

—Un tiro en la tripa.

—Sin exagerar, Mikel. Hablemos en serio. Pero antes vamos a sentarnos. Así de pie parecemos dos delincuentes haciendo algún trato extraño —le dijo Carlos con voz muy firme.

Se sentó en medio de la sombra oblicua de un pino, y Mikel hizo lo mismo justo frente a él, aproximadamente a un metro de distancia. Entre ambos, las latas de té ya no tenían gotas, pero estaban cubiertas por una especie de vaho.

—Así estamos mejor. Si fueras una chica pareceríamos un par de enamorados —bromeó Carlos.

—Siendo hombres también parecemos una pareja que se ha parado a meterse mano —dijo Mikel siguiendo la broma. Iba recuperando su humor habitual.

—¿Crees que ha podido colocar un micrófono en la furgoneta? Me refiero a Stefano.

—A mí me parece que no. Me ha dado el periódico cuando estaba hablando con él, antes de meterme yo en la furgoneta —respondió Mikel. Después soltó una palabrota—. La verdad es que no lo entiendo. ¿Cómo están tan cerca? La verdad, no lo entiendo.

Mikel remató su queja con otra palabrota.

—Ha habido un chivatazo, eso seguro. Pero no me preguntes de dónde ha venido, porque no sé nada. Lo que sí sé es que no ha sido Ugarte. Ya viste cómo nos ayudó ayer.

—Sí, pero luego sacó el tema de la panadería, y Stefano no dejó pasar la ocasión. Dijo que te haría una visita, si no me equivoco —dijo Mikel airadamente.

—No lo había pensado hasta ahora. Y es cierto. Pero a pesar de todo no creo que...

Carlos fijó la vista en el suelo y permaneció así un rato.

—No, no lo creo. Ésa es mi hipótesis. De todas formas, de momento no importa. Y eso de que Stefano y los demás están cerca, es muy relativo. Si encuentran el agujero de Jon y Jone, estarán muy cerca. Si no, muy lejos. Si al final no los encuentran, lo mismo les va a dar haber estado aquí que en China.

Carlos alzó ligeramente la cabeza y miró las elevaciones del otro lado de la carretera. En una de ellas aparecían las paredes blancas del hotel. También se distinguía el tejado de la panadería, pero con mayor dificultad.

—¿Así que crees que andan con micrófonos y aparatos por el estilo? —preguntó Mikel. Él miraba a la furgoneta.

—No lo sé. En realidad, no tengo ni idea. ¿A ti qué te ha preguntado Stefano?

—¿Preguntarme?

—Es decir, de qué habéis hablado.

—Ha hablado él, más que nada. Que prefería salir temprano de Barcelona para evitar los embotellamientos, y...

Mikel parecía dispuesto a informarle exhaustivamente de la conversación con el policía. Pero Carlos con un gesto le pidió que se callara. Volvía a pesarle el cansancio, y deseaba ir cuanto antes a la Banyera. Iría allí y dormiría hasta la tarde.

—Lo que quería preguntarte es si te ha dicho algo directamente relacionado con nuestro asunto —dijo.

—Sí, claro —dijo Mikel. Después se quedó pensativo.

Las dos latas ya no tenían ni rastro de humedad, y mostraban una superficie brillante, del color rojizo del té. Carlos cogió una de ellas y tiró de la anilla para abrirla.

—¡Qué presión tienen! —gritó cuando el ruido provocado por el gas de la lata le traspasó los oídos y le hizo perder la concentración. De pronto, volvía a oír el rugido del tráfico de la carretera, como si se hubiera despertado de golpe.

—Me ha enseñado esas fotos de Jon y Jone —habló Mikel sin abandonar su actitud pensativa—. Ya sabes, el anuncio en que ofrecen tres millones a cambio de una pista sobre ellos. Me ha comentado que lo estarán pasando muy mal, y a ver si como vasco no lo siento. Que él lo sentiría.

—Considerando a Jon y Jone como personas, por supuesto —se rió Carlos tras beber un poco de té de la lata.

Mikel también abrió su lata, y le dio un trago largo. Estaba sediento.

—Y luego me ha preguntado si estoy contento con mi trabajo, y a ver si no resulta aburrido tanto ir y venir entre Barcelona y el País Vasco, y a ver cuántos viajes hago a la semana. Y lo peor es que se lo he dicho. Que dos veces, los martes y los viernes.

Carlos se rió, ahora más abiertamente. Le parecía que había igualado la ventaja que le llevaba Stefano. Imaginaba cuál sería su hipótesis.

—Tranquilo, Mikel. ¿Qué ibas a hacer? ¿Dejar sin respuesta una pregunta tan normal? Eso sí que hubiera sido sospechoso. ¿Te has puesto muy nervioso al hablar con él?

—Sí, pero le he dicho que era por los ojos. Que me picaban los ojos y me molestaban.

—Muy bien. Me alegro de que tu costumbre de fumar en la habitación tenga su lado bueno. Pero si no la ventilas antes de dormir, te vas a quedar sin vista —le dijo Carlos sacando la cuartilla de los asteriscos del bolsillo—. Y ahora, tenemos que hablar del plan.

—Bien —dijo Mikel cruzando los brazos.

—Ya te he dicho antes que tendremos que hacer las cosas de otra forma. Te lo explico en pocas palabras.

Mikel le escuchó mientras bebía la lata de té a pequeños sorbos. Sí, Jon y Jone iban a salir del hotel el viernes por la noche, y su tarea principal era la de informar de ello a la organización. Y tenía que hacerlo cuanto antes, nada más llegar al País Vasco. Si la organización lo aceptaba y estaba dispuesta a colaborar, bien. De lo contrario, tal como se lo había dicho la víspera, llevaría a Jon y Jone a un cámping.

—No podemos esperar una semana. En la situación en que estamos, esperar hasta pasado mañana ya me parece demasiado.

—Yo creo que esta vez se implicarán y me prestarán ayuda. Hoy mismo hablaré con el contacto. Le contaré lo de Stefano.

—No pueden andar tan mal de infraestructura. Supongo que tendrán algún piso que todavía no esté quemado.

—Y si no a un cámping.

—Ni lo dudes —dijo Carlos mientras repasaba las notas que figuraban bajo el segundo asterisco—. Ahora, otra cosa, Mikel. He decidido traer aquí a la pareja. No puedes recogerlos en el mismo hotel, como habíamos pensado. Ya has visto qué controles hay para salir de allí.

—¿A la gasolinera?

—A este pinar. Nosotros vendremos aquí.

—¿Y el horario? ¿Has decidido el horario?

—Espera un momento —le interrumpió Carlos—. Se me ha ocurrido otra idea. A ver qué te parece. Si nos vistiéramos de marroquíes, ¿nos serviría eso de ayuda?

Mi experiencia me dice que el disfraz siempre viene bien. Es un método muy viejo, pero yo creo que nos servirá.

—Me parece muy bien. En esta época, todas las carreteras están llenas de marroquíes.

Carlos lo volvió a pensar y se reafirmó en la idea. Sí, el disfraz podía ayudarles en la huida. Además, aquel aspecto de la operación no planteaba ningún problema práctico, ya que en el refugio de la panadería había algunas túnicas que podían pasar por chilabas; no porque sus fantasías sexuales se situaran en la Edad Media y versaran sobre mazmorras y mujeres cautivas —como Jone había supuesto—, sino porque se inspiraban en una de las películas de su adolescencia, en cuyas escenas, junto a los soldados romanos, aparecían jovencitas árabes y africanas.

—Tenemos que hablar también de la hora, Carlos. Lo que más me interesa a mí es el horario —dijo Mikel después de beber todo el té que le quedaba en la lata.

Carlos le acercó la suya.

—Yo no tengo sed —dijo.

Luego repitió el horario que le había expuesto a Jone. Había que tomar como referencia el partido entre España y Alemania, y la fuga debía comenzar el viernes a las nueve, a las nueve o a las nueve y cuarto.

—Así que a las siete en el peaje de la autopista, a las ocho en el hotel descargando el pescado, y a las nueve aparcado en esta gasolinera. Está claro, ¿no? —concluyó Carlos.

—Clarísimo. Por ese lado, tranquilo.

—¿Puedes conseguir otra furgoneta? En lugar de la tuya, quiero decir —le preguntó Carlos señalando la que estaba aparcada detrás de la gasolinera.

—Si la llevo al taller a hacer la revisión, me dejarán otra. ¿Por qué lo dices? ¿Porque dentro puede haber un micrófono?

—No es por eso. Pero podría ser que Stefano diera orden de seguirte los pasos. Quizá por eso te ha hecho tantas preguntas. Si cambias de furgoneta, un problema más para él...

—También me puedo vestir de marroquí, ¿no? Si me pongo un turbante, seguro que despisto a todos los polis —se rió Mikel.

Carlos sonrió apenas ante la ocurrencia, y miró el reloj.

—Tenemos que marcharnos. Se está haciendo tarde y yo tengo que irme a dormir —dijo poniéndose de pie.

—Sí, ya hemos hablado bastante por hoy. Ahora, a ver si tenemos un poco de suerte.

—Ni lo dudes. Vamos a tener mucha suerte. Más de la que tienen la mayoría de los emigrantes marroquíes.

Carlos le tendió la mano para ayudarle a levantarse. Luego se dirigieron los dos a la furgoneta.

Para los conductores que circulaban hacia Barcelona, la carretera comenzaba a descender nada más pasar la gasolinera, y la mayoría de los coches aumentaban su velocidad y se dirigían pendiente abajo como en una carrera. Tenían prisa por entrar en la autopista. Y luego tendrían prisa por llegar a Barcelona. Y una vez en Barcelona acudirían corriendo a sus oficinas y sus puestos de trabajo.

La intensidad del tráfico inspiró a Carlos la idea de que todos aquellos coches marchaban arrastrados por una rápida corriente de agua, y que no iban a ninguna parte; que, como los cascotes y maderos de una riada, seguirían avanzando —cada vez más veloces, cada vez más desenfrenadamente— hasta estrellarse contra un muro o hasta caer a un precipicio. En comparación... —siguió pensando Carlos con la vista puesta en las rocas de Montserrat— ¡Qué lentitud la del agua que había cincelado aquella montaña! ¡Qué tranquilidad la de aquella agua que se tomaba mil años para deshacer una sola piedra!...

«Yo creo que lo tuyo es la filosofía, Carlos. De verdad. Espero que cuando vayas a la cárcel te dediques de lleno al estudio», oyó en su interior. La Rata se reía de él.

Una vez fuera del pinar, a Carlos le apremió el deseo de irse a dormir a la Banyera. Su cansancio —lo notó en cuanto estuvo un par de minutos de pie— era muy grande. Sin embargo, la cuartilla de los asteriscos continuaba en el bolsillo de su chaqueta de mahón, y el peso de aquel papel, aun siendo insignificante, le obligaba a no ceder. Iría a dormir a la Banyera, sí, pero antes debía atar todos los cabos de la operación.

—Después de hablar con los de la organización, llama al hotel —dijo a Mikel. Ambos se encontraban junto a la furgoneta.

—Bien, de acuerdo —dijo Mikel. Luego dio unos pasos hasta el bidón de basura del aparcamiento y tiró en él su lata vacía. La otra, la de Carlos, la había dejado dentro de la furgoneta.

—Pero no me llames a mí. Es probable que los teléfonos del hotel estén intervenidos. ¿Cuándo sueles hablar con Doro? Para lo del pescado, quiero decir.

—No tengo un día fijo. Hablamos a menudo. Tres o cuatro veces a la semana, por lo menos.

Carlos cruzó los brazos y se quedó mirando una rueda de la furgoneta. El cansancio le dificultaba pensar. Las ideas surgían débiles en su mente, como jirones de niebla, y además no las oía. El rugido de los coches que pasaban sin interrupción se imponía sobre ellas.

—¿A ti qué te parece? ¿Que pueden controlar los teléfonos interiores del hotel o no? Una llamada que se hiciera desde mi apartamento a la panadería, por ejemplo... —consiguió decir.

—Yo creo que no. Si la llamada no sale al exterior...

—No, claro, desde el exterior no lo podrían controlar. Pero desde dentro, en caso de que pusieran un control en la centralita del hotel...

La centralita se encontraba en el vestíbulo del hotel, y la persona que se encargaba de su funcionamiento era Beatriz, *la nostra bellissima Beatriu*. La policía no podía manipular el teléfono sin su complicidad. ¿Sería capaz Beatriz de llegar a un acuerdo con la policía? Carlos se puso a pensar en ella, y la memoria le ofreció la imagen del día en que se había presentado a buscar empleo: una mujer de treinta años que a la *buena presencia* exigida por el anuncio añadía unos extraordinarios ojos azules. «No le falta nada. Tiene usted buena presencia, sabe idiomas y es diplomada en relaciones públicas. Por lo tanto no hay ningún problema por nuestra parte, el puesto es suyo si lo desea. Lo raro es que a usted le interese. Como recepcionista del hotel ganará menos que de azafata.» Ella había respondido: «Lo hago porque estoy aburrida de volar. Cuando era soltera me gustaba, pero ahora estoy casada, y si siguiera como azafata mi marido y yo nos veríamos muy poco. Él también tiene que viajar mucho por razones de trabajo». En la imagen que le ofrecía la memoria, Beatriz llevaba un severo traje gris, más apropiado para una directora de banco católica que para ella; sin embargo, daba la impresión de que bajo el traje no llevaba nada más, ni siquiera sujetador.

Carlos creía que no, que Beatriz no se mancharía las manos con la policía por mucho que, según el criterio de Guiomar, fuera mujer de gustos caros y necesitara un dineral simplemente para cuidarse las uñas. No, tenía demasiada clase para eso. «Pero ése no es el problema, amigo —oyó entonces en su interior. La parte indeseable de su conciencia nunca cambiaba de tono—. El problema no es el posible chivatazo de Beatriz o su posible colaboración en la captura de Jon y Jone a cambio de los tres millones; el problema es si la policía le ha solicitado ayuda o no. Si se la ha solicitado, estás perdido. ¿Que por qué? Pues, en primer lugar, porque la policía no está para bromas y es muy difícil negarles un favor. Y en segundo lugar, porque Beatriz y María Teresa son dos personas distintas. María Teresa te haría saber inmediatamente lo que le hubieran contado los policías. Pero Beatriz no, porque a Beatriz, ja, ja, no le preocupa lo que a ti te pase o te deje de pasar...».

«Por favor, Carlos, tranquilo —le interrumpió Sabino—. Si tuvieran controlado el teléfono interior y hubieran escuchado las conversaciones que has tenido con el diecisiete, la fiesta ya se habría acabado, y en vez de estar en esta gasolinera estarías en un interrogatorio. Vete a dormir, y descansa. Si no, vas a perder el control de tus ideas».

—¿En qué estás pensando? —le preguntó Mikel.

—En esa llamada tuya. Cómo me vas a hacer llegar la respuesta de la organización —le dijo Carlos yendo y viniendo cerca de la furgoneta. Tenía que despejarse.

—A mí me parece bien hacerlo a través de Doro.

—Sí, a mí también. No sé, dile...

Carlos se puso a mirar el suelo. El ruido del tráfico volvía a molestarle, más que antes.

—Dile que has encontrado el pulpo. Un pulpo grande como el que yo quería —decidió finalmente—. Eso querrá decir que la organización ha recibido mi mensaje y ha dado su aprobación. A Doro no se le olvidará darme el encargo. Y aunque se le olvide, da igual. Yo mismo se lo preguntaré.

—¿Y si no hay pulpo? ¿Si la organización dice que no? ¿Qué hago entonces? ¿Les digo lo del cámping?

También Mikel miraba al suelo.

—¡Por supuesto que sí! ¡Creía que había quedado claro! —dijo Carlos empezando a maldecir—. ¿Qué tengo que hacer? ¿Repetirte todo lo que he dicho?

—¿Y si los cogen? Entonces la culpa será nuestra —dijo Mikel con aprensión, sin apartar la vista del suelo.

—¡No será culpa nuestra! —estalló Carlos. Siguió maldiciendo, rubricando cada palabrota con una sacudida de brazos—. Pero, Mikel, por favor, ¿todavía no te haces cargo de la situación? ¡No te he dicho que si no los sacamos este viernes, no los sacaremos nunca! ¡Y no te olvides de que si Jone y el otro se hubieran quedado en el hotel el plazo convenido, ahora no tendríamos problemas!

Carlos se apartó de la furgoneta dos o tres metros, y se puso a mirar el pinar. Le temblaban los labios.

—No te pongas así, Carlos —le rogó Mikel. Cambió de postura y apoyó la espalda en la puerta de la furgoneta. Pero continuaba sin levantar la vista del suelo—. Quizá toda la culpa ha sido mía. Hasta ahora he sido demasiado blando con ellos. He andado como un criado de la organización, ellos de señores y yo de criado...

—La culpa ha sido de todos. Olvidemos ese asunto —concluyó Carlos aproximándose otra vez al vehículo. Estaba deseando poner fin a la reunión, el segundo asterisco del dibujo.

—¿Sabes lo que me pasa? —prosiguió Mikel como si hablara para sí—. Pues que desde que dejé la militancia me siento acomplejado. Me parece que me he aburguesado, que gano dinero y me he hecho un conformista. Y que ellos son los luchadores que ahora llevan la antorcha. No sé, igual te suena infantil, pero eso es lo que siento.

—Olvida esas historias. No me he enfadado contigo. Para serte sincero, estoy enfadado absolutamente con todo —le dijo Carlos cogiéndole por el hombro. Y después, en un intento de cambiar el giro de la conversación—: Tus preocupaciones son rarísimas, Mikel. En serio. La gente suele tener preocupaciones más corrientes. Nuestra gente también. ¿No notaste nada en la cena de ayer?

—¿En el comportamiento de Stefano, quieres decir?

—No, no estoy hablando de nuestro asunto. Hablo de otra cosa.

Mikel sonrió al ver que también Carlos sonreía, pero con gesto de no comprender.

—Por lo visto, las relaciones sentimentales del hotel se han alterado, o están a punto de hacerlo.

Mikel siguió las explicaciones de Carlos con cara de sorpresa. Sí, podía darlo por hecho, el amor entre Guiomar y Laura había resucitado. A su vez, las visitas de Ugarte a Nuria eran cada vez más frecuentes.

—Y no es lo único que está pasando en el hotel. Guiomar me dijo el otro día que tiene un secreto, y que igual me lo contaba esta tarde durante el campeonato de ping-pong —terminó.

—Soy más tonto de lo que creía. No me entero de nada —dijo Mikel rascándose la cabeza.

El sol continuaba elevándose en el cielo, y cada vez hacía más calor. A lo lejos, la neblina ensuciaba el verde de los árboles y los matorrales. Carlos miró el reloj.

—Las nueve —dijo. Un instante después, el campanario de la iglesia del pueblo comenzó a dar la hora. Pero casi todas las campanadas se perdían en el ruido del tráfico.

—¿Quieres que te acerque al cruce de la calzada? —le preguntó Mikel.

—No, prefiero ir andando. Tengo que comprobar una cosa.

—De acuerdo, Carlos, pero vete a dormir cuanto antes. Y no te preocupes. Conseguiré el pulpo, aunque tenga que registrar hasta el último rincón del mar —le dijo Mikel mientras subía a la furgoneta. Estaba decidido a cumplir su palabra.

—Acuérdate bien de todo lo que te he dicho.

—A las siete en el peaje, a las ocho en el hotel descargando el pescado, a las nueve aquí —dijo. Inició la maniobra para salir del aparcamiento—. Hasta pasado mañana —se despidió asomando la cabeza por la ventanilla. A continuación, aprovechó el hueco que le brindaba un camión lento para salir a la carretera en dirección a Barcelona.

«Pero no va a Barcelona», pensó Carlos cuando la furgoneta desapareció pendiente abajo. Y era cierto. Al llegar a la autopista, Mikel dejaría aquella dirección y marcharía hacia el Atlántico; seis horas más tarde, los montes verdes y azules del País Vasco quedarían a su vista. Él llevaba más de un año sin disfrutar de aquella oportunidad. ¿Cómo estaría su pueblo natal aquellos últimos días de junio? ¿Tendrían mucha fruta los manzanos de la casa Ibargai? ¿Y los ciruelos de Lanbitegui? Y ahora que se acercaban las fiestas, ¿estarían pintados de blanco los muros de la plaza? Él no lo sabía, no lo podía saber; él estaba allí, a seiscientos kilómetros, bajo el sol crudo y sin matices del Mediterráneo, en el arcén de una carretera extraña y sin sentir otro olor en el aire que el de la gasolina; sin familia, sin un verdadero amigo, sin una verdadera compañera. ¿Habría algo peor que el destierro? Excepto la cárcel, excepto quizá también la muerte, no podía haber nada peor.

Tuvo la impresión de que la tierra se le abría en un agujero bajo las plantas de los pies, y de que se hundía. Pero la impresión carecía de fundamento. Le bastó sacudir la cabeza y echarse a andar para recuperarse.

Marchó a la panadería directamente, siguiendo el nuevo itinerario que había pensado para la fuga: bajando primero la ladera que llamaban Amazonia por su zona más despejada, y caminando luego hasta la Fontana por el cauce seco de la Riera Blanca. Carlos juzgó que su elección era apropiada. Cierto que tenía tramos muy enmarañados, cierto que se necesitaría más tiempo al subir que al bajar, pero el itinerario parecía realmente seguro, y no tan difícil como había pensado; no tanto, al menos, como sugería aquel nombre de Amazonia que Guiomar le había asignado.

La pendiente que subía de la Fontana hasta el hotel era mucho más suave que la que acababa de bajar, y Carlos llegó enseguida a la altura del almacén.

—¡Belle! ¡Greta! —gritó después de entrar allí y comprobar que el spray de pintura blanca seguía en uno de los estantes.

Los perros llegaron cuando él estaba cerca de la puerta principal del hotel. Jadeaban como si vinieran corriendo desde lejos. Les chorreaba saliva de la boca, sobre todo a Greta.

—¿Dónde estabais? —les dijo Carlos—. Os digo que os quedéis cerca de la panadería, y resulta que os vais a cazar. ¿Os parece bien?

Belle agachó la cabeza.

Greta se quedó a medio camino, incapaz de adivinar qué debía hacer exactamente.

—Ahora voy a la cocina a coger un poco de comida. Vosotras veréis si os conviene esperarme o no —les dijo Carlos con cara de fingida seriedad.

No obstante, los perros comprendieron perfectamente el mensaje, y comenzaron a moverse y a sacudir el rabo.

—Quedaos aquí. Enseguida vamos a la Banyera —les dijo.

Al abrir la puerta y pasar al vestíbulo, se le ocurrió que, antes de dirigirse a la cocina, podía ir donde Beatriz y examinar la centralita de teléfono por si descubría alguna manipulación. Pero desechó la idea en cuanto dio el primer paso en aquella dirección. No podía mentirse a sí mismo de aquel modo. Las razones que le empujaban hacia el mostrador de recepción no tenían nada que ver con la seguridad ni con la operación de fuga de Jon y Jone, sino que eran más vulgares: no era el primer hombre que se inventaba un pretexto para acercarse a una mujer guapa.

Carlos sacudió la cabeza enérgicamente y enmendó el único paso dado en la dirección equivocada. Acto seguido, dio la vuelta y se dirigió a la puerta de la cocina.

—¿Todavía no han traído el pan, Doroteo? Esta mañana me han prometido que lo traerían para las ocho y media —dijo al cocinero nada más entrar. En la cocina faltaban los ciento veinte panes que había encargado a la panadería de Barcelona.

—Ya lo traerán, Carlos. No hay tanta prisa —le dijo el cocinero. Estaba vestido de blanco de pies a cabeza, y sostenía en las manos un tazón de café humeante. Se le veía tan pulcro y aseado, estaba peinado con tanto primor, que había algo inocente en él, algo de bebé recién sacado del baño y puesto en la cuna. No, Doro no era un hombre vulgar. Eran muchos los que siendo mayores conservaban algún gesto o algún comportamiento de la infancia; poquísimos, en cambio, los capaces de transparentar la inocencia de los primeros días. Por influjo de Doro, la cocina misma se convertía en un lugar aparte.

—¿No han bajado los polacos todavía? Pensaba que desayunaban a las nueve —dijo Carlos.

—Tienen otras costumbres, por lo menos los futbolistas. Empiezan a presentarse hacia las diez.

—Hacen bien —dijo Carlos acercándose al cocinero.

—Claro que hacen bien. No como otros —dijo Doro contemplando las espirales de humo que iban saliendo del tazón.

—¿Lo dices por mí? Pues ¿qué hago yo mal?

Junto con el olor del café, Carlos sentía el de una loción para después del afeitado. Era una loción de siempre, muy común en las zonas rurales del País Vasco. ¿Wilkinson? Podía ser. Cuando menos, formaba parte de la imagen que él guardaba de la peluquería de Obaba: una habitación estrecha con dos espejos, un armario, un banco de madera lleno de periódicos deportivos y un estante lleno de botellitas. Y en una de las botellitas, estaba casi seguro, el nombre de Wilkinson.

—Ya sabes que me gusta la gente activa, Carlos —le habló Doro en tono de confianza—. Pero en tu caso es demasiado. Hoy por ejemplo ibas a coger fiesta. Y mira cómo estás. Con la ropa de trabajo y la cara de estar agotado.

—A decir verdad, he tomado la decisión de coger fiesta en el último momento, cuando ya estaba vestido. Y después me ha dado pereza empezar a cambiarme.

—Descansas muy poco —continuó Doro mirando fijamente el tazón y como si encontrara las palabras en el fondo del café—. Ya sé que eres un hombre fuerte, pero aun así, no puede ser. El cuerpo necesita descansar. Es una lección que aprendí cuando estuve en el frontón de Florida.

—Pronto me iré de vacaciones, Doroteo —dijo Carlos con una sonrisa. Luego cogió una bolsa de plástico y fue hacia la cámara frigorífica.

—Tendrías que cogerte un par de meses —dijo el cocinero dejando el tazón y haciéndole un gesto para que le entregara la bolsa—. Te he dicho muchas veces que mi casa familiar está libre. Deberías ir allí y pasar una buena temporada contemplando el mar.

Se acercó a la cámara con la bolsa que le había dado Carlos en la mano.

—¿Qué comida te pongo? —preguntó deteniéndose ante la puerta.

—Sobre todo cerezas. Las que he comido esta mañana temprano estaban muy buenas.

—La gente alaba mucho esta zona del Mediterráneo —prosiguió Doro ocultándose en el interior de la cámara y alzando la voz para que Carlos le pudiera oír—. Y también alaban mucho las playas de Florida. Pero si se comparan con nuestra costa, no valen nada.

Doro suspiró sonoramente, y a Carlos le asaltó una nueva imagen. Vio la casa natal de Doro, y delante de la casa una playa, y en la playa un mar azul lleno de salpicaduras blancas. Era el sitio ideal para pasar una temporada.

—Yo también soy de la misma opinión —dijo Carlos a la vez que abría un segundo frigorífico y buscaba unos trozos de carne para Belle y Greta. Estaba empezando a llenar la bolsa cuando Doro se puso a silbar la melodía de una canción tradicional: *El bonito barco blanco está dentro del puerto, el bonito barco blanco está sobre el agua, el bonito barco blanco, tan silencioso, tan callado...* El frigorífico hacía de caja de resonancia, y las notas salían a la cocina amplificadas.

Carlos permaneció inmóvil. La melodía se extendía por su interior como una llama, prendiendo primero en una víscera y luego en otra, y ensanchaba hasta lo insoportable la nostalgia que había sentido en la gasolinera. Era, sin embargo, una llama sombría, y no dejaba tras de sí más que la estela de un tiempo y una vida perdidos. *No quiero, no quiero, no quiero llorar. Hay una estrella en el cielo por la parte del mar.*

El cansancio y el sueño empezaban a hacerle bien. Proporcionaban a su cuerpo un dolor agradable, casi dulce; desataban, además, los hilos de su memoria dejando discurrir a la deriva sus recuerdos más recónditos, aquellos que siempre había mantenido en los puertos mejor protegidos de la memoria: *El bonito recuerdo blanco está dentro del puerto, el bonito recuerdo blanco está sobre el agua.* Un recuerdo bonito: la peluquería de su pueblo natal, con su olor a loción Wilkinson y su banco de madera repleto de periódicos deportivos, y él sentado en el banco oyendo las bromas de los campesinos mientras leía un reportaje sobre Pelé o Garrincha. Otro recuerdo bonito: la calle Mayor de su pueblo en un día de mucha lluvia, con los canales de ambos lados de la calle rebosantes de agua turbia, y unos muchachos —él mismo, su hermano y sus amigos— poniendo en la corriente palitos de colores para jugar a las regatas. Otro recuerdo: la lluvia en los cristales, y su tía Miren asando castañas en el patio de casa mientras canturreaba: *El bonito barco blanco está dentro del puerto, el bonito barco blanco está sobre el agua...*

Con todo, no podía dar rienda suelta a aquellos recuerdos en cualquier ocasión, porque alteraban su ánimo y porque, por alguna química que él desconocía, le producían desgana hacia el presente, como si su auténtica vida se hubiera quedado en aquel pasado remoto, bajo la lluvia que hacía rebosar los canales de la calle o en la peluquería donde leía artículos sobre Pelé o Garrincha, y como si su presente —mero añadido a aquellos días, el torpe remiendo a aquel pasado— careciera de importancia. Sí, aquellos recuerdos eran un poco como la saliva de la serpiente, llevaban veneno.

—¿Han vuelto Juan Manuel y Doro? Esta mañana los he visto marchar con Stefano, el periodista —preguntó a Doro cuando éste salió de la cámara frigorífica.

—Sí que han vuelto. Pero no muy contentos.

—¿Por qué?

—No sé. Doro dice que ese tipo le parece un falso. Pero creo que es porque les ha pedido la moto. A Doro no hay cosa que menos le guste que prestar una de sus motos. Pero, ya sabes —suspiró—, Juan Manuel no sabe decir que no.

—Yo también pienso lo mismo, que ese Stefano es un falso —dijo Carlos. Lo que acababa de oír era una buena noticia para él. El joven Doro no veía con buenos ojos que Stefano rondara por el garaje, y tampoco le permitiría interrogar a su hermano.

—Jamón, queso, cerezas, un par de cervezas y alguna cosa más. A ver si te arreglas con esto —dijo Doro al tenderle la bolsa de plástico.

—Claro que sí. Y menos mal que había pan de molde —comentó Carlos mirando el contenido de la bolsa.

—No te preocupes. Ya traerán el pan. Y aunque no lo traigan, saldremos del paso —repuso Doro.

—Me gustaría tener tu tranquilidad, Doroteo. Yo ya les habría dado un par de gritos por teléfono.

—Vete al País Vasco una temporada, y la tendrás. No sabes qué bien se duerme en mi casa con el ruido que hacen las olas en la playa.

—De momento me conformo con la Banyera. Pero ya hablaremos.

—Hasta luego, entonces —le despidió Doro empujándole suavemente hacia la puerta, y Carlos salió a la terraza con las dos bolsas, la suya y la de los perros, en una mano. A continuación, con Belle y Greta saltando a su lado, atravesó corriendo los doscientos metros de distancia que le separaban de la panadería y el almacén. Quería ahuyentar el sueño. Y junto con el sueño, aquel estribillo que le daba vueltas en la cabeza: *El bonito barco blanco está dentro del puerto, el bonito barco blanco está sobre el agua, el bonito barco blanco, tan silencioso, tan callado...*

La melodía acabó por desvanecerse en su mente, pero, más que por la carrera, por los perros que comenzaron a saltar a su alrededor al darse cuenta de que no iban a ser encerrados. Locos de alegría, querían lamerle la cara a toda costa, y él tenía que revolverse y hacer esfuerzos por evitarlo. Resultaba difícil prestar atención a otras cosas.

—¡Que sí! ¡Que ya vamos! —les dijo Carlos—. Ni que hubieran pasado cien años desde nuestro último picnic en la Banyera.

Belle y Greta desistieron de su intento y le miraron interrogantes. Su memoria no era muy espaciosa, no

cabían en ella los cien mil detalles de una vida ni las mi-
limétricas clasificaciones en torno al ahora, al antes y al
después. Para ellos, cualquier intervalo de tiempo era
grande o enorme: una noche, grande; un mes, enorme.

—¿Huelen bien las bolsas? —les preguntó mientras
cogía una hamaca que colgaba de un gancho. Se trataba
de un regalo de Guiomar, de la época en que empezó a
distanciarse del grupo y a pasar días enteros en la Banyera. «Te la entrego como un logro de la civilización —le
había dicho su compañero de apartamento—. Antes de
convertirte al salvajismo, reflexiona sobre esta hamaca».

Los perros no apartaban el hocico de las bolsas, y
Carlos cogió la correa de dos tiras y la agitó en el aire.
Nada más verla, Belle corrió a esconderse detrás de un
aparato que utilizaban para embotellar tomate; en cuanto a Greta, se fue directamente hasta la puerta del almacén y se echó en el suelo, parpadeando a causa del sol
que deslumbraba sus ojos.

Más tranquilo, Carlos se quitó la chaqueta de mahón y se vistió una camiseta roja que los jugadores de
Polonia les habían regalado a todos los del hotel. Luego cogió una toalla grande blanca y se la echó alrededor
del cuello.

«Cuidado, Carlos —oyó entonces. Era Sabino—.
No te dejes la cuartilla de los asteriscos en el bolsillo de la
chaqueta que acabas de quitarte. Y no te dejes tampoco el
libro de Rosa Luxemburgo, recuerda que es tu talismán».

«¿Y la correa?», pensó Carlos recuperando el dibujo de los asteriscos y el libro de Rosa Luxemburgo. Metió
el primero en el bolsillo del pantalón; el segundo en un
resquicio de su hamaca plegada.

«Yo la llevaría —respondió Sabino inmediatamente—. Si Belle y Greta van sueltas, volverán a atacar a ese Morros. Y ese guardia está ya bastante irritado. Más vale que esta vez le dejéis en paz».

«De acuerdo», pensó Carlos envolviendo la correa alrededor de la mano.

Eran casi las diez, y el sol bañaba los arbustos y los árboles con una luz de tinte metálico. El tipo de luz y la neblina afeaban el día.

—¡Belle! ¿Vas a quedarte ahí? —le dijo al setter, al ver que tenía miedo de salir del almacén. Daba la impresión de que prefería quedarse allí antes que ir atada.

Carlos necesitaba una mano libre para sujetar la correa de los perros, y colocó las cosas que tenía que llevar a la Banyera en un solo lado del cuerpo. Pero de aquel modo —la hamaca en el brazo como una chaqueta, las bolsas de comida colgadas de la mano— caminar le resultaba incómodo, sobre todo por el calor que le daba la toalla puesta al cuello, y finalmente cambió de idea: no ataría a los perros hasta llegar al terreno vigilado por Morros, y entretanto utilizaría los dos brazos para llevar la carga.

—¡Aquí, Belle! ¡Y tú también, Greta! —gritó. Los perros se le acercaron con aprensión—. Escuchad bien esto —les dijo entonces mostrándoles las bolsas de comida—. Ahora no os voy a atar. Pero como no vengáis en cuanto os llame, no hay comida. ¿Sí? ¿Entendido?

Los dos perros menearon el rabo con lentitud y sin alzarlo.

—Entonces, vámonos. A correr un poco.

Los perros —Belle primero y después Greta— iniciaron un movimiento alegre hacia él. Pero enseguida, demasiado impacientes para completarlo, dieron media vuelta y se adentraron en un olivar a la carrera. Carlos los observó complacido: sí, se comportarían igual durante todo el paseo, corriendo a toda velocidad, ahuyentando los pájaros de los huecos de los árboles o de la maleza, saliendo del camino y volviendo a él. Pero no se alejarían demasiado, de eso estaba seguro. Recordarían lo que les había dicho, al menos Belle se acordaría.

Hizo el camino despacio, debido sobre todo a la molestia que le ocasionaban tanto las bolsas como la hamaca, y tardó más de un cuarto de hora en llegar a la zona supuestamente vigilada. Entonces, dejó la carga en el suelo y se llevó los dedos a la boca para silbar.

No tuvo que repetir el silbido. Belle y Greta aparecieron de inmediato, jadeando y con algunos cardillos pegados al pelo.

—Así hay que hacer las cosas —les dijo mientras los sujetaba con la correa. Belle le lamió una mano. Sí, el setter entendía casi todo lo que le decía. Y no sólo eso. Había veces en que entendía lo que no se le había dicho, como si fuera capaz de leer el pensamiento.

Continuó hacia la Banyera entretenido con aquella idea acerca de la capacidad de Belle, y le recordó algo que una vez le había contado su hermano, un caso en el que, según Kropotky, podía comprobarse la capacidad telepática de los animales. Se trataba de un perro llamado Ayax.

«Está probado que ese perro tenía telepatía con su dueño —le había dicho su hermano durante la visita que él le había hecho al salir de la cárcel—. Por eso era capaz de resolver ejercicios matemáticos. Si se le preguntaba cuánto sumaban dos y tres, golpeaba cinco veces con la pata en el suelo. Si se le preguntaba cuántos días tenía la semana, golpeaba siete veces. Y cuando le preguntaban qué salía al restar diez menos diez, entonces se ponía a rascar en el suelo, porque ése era el sistema que usaba para indicar el cero. Todo eso se lo decía el dueño, claro. Era el dueño el que hallaba la respuesta y luego se la transmitía telepáticamente al perro. Sí, ya veo tu sonrisa, pero a mí me da igual. Yo conozco bien a mis perros, y sé que son como Ayax, y que viven en empatía conmigo. Mis perros notan el más leve cambio en mi humor, saben cuándo estoy un poco más triste de lo normal o un poco más alegre. Sólo que no saben hablar, y no pueden expresar los sentimientos como hacía Ayax con los números. Pero si pudieran, nos sorprenderíamos con lo que saldría de su boca».

Carlos estudió el aspecto de Belle y Greta. Debido al calor, y a que por falta de costumbre no sabían andar con soltura atadas a la correa, llevaban la boca completamente abierta, con la lengua fuera y rastros de baba en los labios. No, no parecía que de aquellas bocas fueran a salir maravillas. Las ideas de su hermano eran realmente ridículas. Él podía aproximarse a alguna de ellas o incluso aceptarlas en parte, pero, en general, le deprimían. Todavía le costaba comprender la penosa evolución de su hermano.

Sacudió la cabeza. No quería pensar en su hermano y que luego su imagen se le quedara flotando en la mente.

Miró hacia los arbustos que flanqueaban el camino. No percibió nada anormal: había pedruscos, espinas, hojas verde oscuro, flores blancuzcas, fragmentos de cielo azul; no se veía nada más. Ya más tranquilo, Carlos reanudó el camino hacia la Banyera hasta llegar al punto en que se dejaba sentir el frescor de la charca. Entonces, sintiéndose seguro, decidió soltar de nuevo a los perros.

Advirtió la tensión de Belle en cuanto se inclinó hacia ella y agarró el collar. Gruñía como si fuera a romper a ladrar y lanzaba una mirada angustiosa hacia la espesura del matorral. Carlos comprendió: en línea recta con la mirada del perro, a diez o quince metros, había una gorra como las de béisbol. Y bajo la visera de la gorra, dos ojos que vigilaban sus movimientos. Y bajo los dos ojos, la nariz y unos labios muy gruesos, y la barbilla, el cuello, el pecho. Y a la altura del pecho había una metralleta que parecía de juguete apuntando hacia él. Y debajo de la metralleta, el vientre de un hombre, y su sexo, y el vello empapado de sudor que rodeaba su sexo; y había también dos muslos carnosos y blancos, y dos rodillas llenas de cicatrices, y las pantorrillas, los tobillos, los pies, las uñas de los dedos de los pies. Pero en la imaginación de Carlos, Morros ya no estaba de pie entre las hojas verde oscuro y las flores blancuzcas del matorral, sino tumbado sobre la mesa de mármol de un tanatorio. «Tranquilo, Carlos, estate tranquilo —le ordenó Sabino en su interior—. No va a dispararte sin más ni más. De todas formas, no te pongas a discutir con él como esta mañana».

—¡Calla, Belle! ¡Sigue adelante! —le dijo Carlos sujetándole por el cuello y con la vista puesta en el camino. Gruñendo cada vez más furiosamente, el setter parecía querer romper la correa para lanzarse contra aquella presencia oculta.

«¿Qué quiere este cerdo? ¿Por qué me vigila tan de cerca?», le preguntó a Sabino, a la vez que reemprendía la marcha. El comportamiento de Morros no se explicaba

267

por una simple cuestión de carácter o un problema personal. Era probable que se tratara de un guardia más receloso y agresivo que los demás, pero su celo seguía pareciéndole excesivo. Sí, Morros sabía que era él quien estaba en contacto con Jon y Jone. No Guiomar, Ugarte o cualquier otro, sino él.

«No, no es así. Ese guardia no sabe nada concreto —volvió a intervenir Sabino. Hablaba categóricamente—. No exageres el peligro, Carlos. Es verdad que saben mucho y que están cerca, pero no tanto como tu miedo te hace pensar».

Sintió los ojos del guardia clavados en su espalda durante todo el trayecto hasta la Banyera, y esa impresión se acentuó cuando colocó la hamaca entre dos ramas de arbusto y se desnudó para bañarse. Poco después iba a entrar en el agua cuando, a unos cinco metros del lugar en que estaba, ocurrió un fenómeno que le pareció extraño: un puñado de arena se levantó del suelo y se desparramó por toda la orilla de la charca. «¿Qué ha sido eso?», pensó Carlos mientras los perros saltaban tras las salpicaduras. Lo comprendió al cabo de unos segundos. Una bala había levantado la arena, y el sonido del agua que se precipitaba por la grieta le había impedido oír el disparo.

«¿Por qué me ha disparado?», pensó Carlos atónito, echando a correr hacia la hamaca. Pero no era como en el pasado. Entre la ropa doblada sobre la hamaca no había ninguna pistola. Allí sólo había un talismán, el libro de Rosa Luxemburgo.

Permaneció un rato sin saber qué hacer. Después, recordando las palabras de Sabino —«ese guardia no sabe nada concreto»—, regresó lentamente a la orilla de la charca. No se oían sino los sonidos que producía el agua: su estruendo al precipitarse por la grieta, su chapoteo al golpear las piedras de la orilla. Parecía como si la bala que acababa de atravesar el aire hubiera borrado todos los sonidos restantes.

«Si hubiera tirado a dar, no habría fallado por tanto, ¿no?», le dijo Sabino con un deje de duda. Avanzó entonces dos pasos, hasta que el agua le llegó a las rodillas. A los sonidos del agua —el estruendo, el chapoteo— se había añadido ahora el de los latidos de su corazón. Belle empezó a gemir. Greta emitió un ladrido.

«Ha sido una tontería por su parte —le dijo Sabino—. Está irritado contigo, y al verte desnudo ha tenido esa reacción agresiva. Pero no volverá a dispararte, seguro. Ya tiene bastante con lo que ha hecho. Tendrá que justificarlo ante sus jefes».

«Estoy de acuerdo», dijo Carlos algo más relajado. Después, avanzó otros dos pasos y se sumergió en el agua.

Carlos pensó que el comportamiento de Morros no era tan raro. No, no era sorprendente que un guardia cometiera un acto insensato. Vivían, también ellos, en el territorio del Miedo, y les costaba mucho reparar en pequeñeces y someterse a las reglas que rigen la vida de la gente corriente. Los policías, en particular los especiales como Morros —los que habían recibido un adiestramiento militar—, se hastiaban de la monotonía del camino correcto, y un día decidían jugar a la ruleta rusa, o cometer un atraco, o disparar contra una persona que iba a bañarse desnuda en una charca. Naturalmente, a veces les tocaba pagar por ello, y así, por ejemplo, Morros tendría que responder por la bala que faltaba en el cargador de su metralleta. Si no encontraba una justificación, o si el responsable de la operación, el propio Stefano o quien fuese, llegaba a enterarse de lo que realmente había sucedido, tendría que pasar quizá un mes en el calabozo: «Por malograr el secreto de la operación poniendo sobre aviso a un terrorista con un disparo innecesario». Aun así, ni a Morros ni a nadie de los que vivían en el territorio del Miedo les preocupaba el precio a pagar. A la gente como ellos le era imposible actuar con prudencia. ¿Cómo apartar el dedo que ya estaba en el gatillo? Era imposible. Una vez puesto el dedo, había que disparar, fuera o no un acto sensato.

Carlos dejó de nadar y permaneció tumbado de espaldas sobre el agua, sintiendo la fuerza del sol en los párpados y dejando que la corriente de la charca le arrastrara hacia la grieta. Pensó: «Si Morros supiera cómo es esta charca, si supiera que toda el agua que brota aquí va a dar a la cueva y que si ahora mismo me pegara un tiro no le pasaría nada, que no quedaría en el agua ni sangre ni huella alguna, sino que al contrario, mi cuerpo se despeñaría por la grieta para no volver a aparecer más a la superficie de la tierra, entonces seguro que me dispararía. Pero como no lo sabe, le parece una acción muy arriesgada».

La corriente de la charca iba creciendo poco a poco, hasta hacer que su cuerpo se balanceara. ¿Cuántos metros faltarían hasta la grieta? A juzgar por la fuerza con que le empujaba el agua, unos diez metros. De continuar en aquella postura, el agua le arrastraría. Y, en realidad, ni siquiera necesitaba acercarse tanto. La corriente aumentaba tanto en los metros anteriores a la grieta que incluso para un buen nadador resultaba imposible retroceder.

Belle empezó a ladrarle desde la orilla. ¿Cómo sabía Belle que nadar en aquella zona podía ser peligroso? ¿Por telepatía? No, por telepatía no. Pero la cuestión era que lo sabía, y que con sus ladridos intentaba impedir que se acercase a la grieta. En ocasiones, prolongaba el juego hasta el último momento, y entonces el perro se lanzaba al agua a buscarle. Como decía Guiomar: «Belle tiene demasiado juicio, y va a tener que sufrir mucho en este mundo».

Cuando también Greta comenzó a ladrar, abrió los ojos y se puso boca abajo.

—Tranquilas, ya voy —gritó a los perros. Luego metió la cabeza en el agua y nadó hasta la orilla—. ¡Conque era el hambre! Yo creía que estabais preocupadas por mí —les dijo mientras se secaba. Los dos perros se habían dirigido a las bolsas de comida nada más verle salir del agua—. De verdad, estaba convencido de que ladrabais por mí, porque me veíais en peligro —terminó, abriendo una de las bolsas y haciendo dos montones con los trozos de carne.

Puso a refrescar en el agua las cervezas que había traído en la bolsa. De cuclillas en la orilla, observó por un instante el matorral del otro lado de la charca. No sintió la mirada de nadie. Sí, el guardia se había marchado. Por fin, las cosas volvían a estar en su sitio: había superado los dos primeros asteriscos del dibujo de la cuartilla, estaba ya en el tiempo muerto que separaba el segundo asterisco del tercero. Era el momento de tumbarse en la hamaca y dormir.

«Querida mía, aquí todo marcha muy bien», leyó después de auparse a la hamaca y cubrirse con la toalla. Se trataba de una carta que Rosa Luxemburgo había escrito en Varsovia durante la huelga general de 1906. «Todos los días hay en la ciudad dos o tres personas degolladas por los soldados, y las detenciones son constantes; aparte de eso, aquí reina la alegría. Pese al estado de sitio, publicamos todos los días nuestro *Sztandar*, que se vende por las calles. Cuando se levante el estado de sitio, aparecerá el diario legal *Trybuna*. Por el momento, estamos obligados, todos los días, a conseguir la impresión del *Sztandar* tras una dura lucha —a veces con el revólver en la mano— en las imprentas burguesas...»

Carlos dirigió de nuevo la vista a la primera línea de la carta, «Querida mía, aquí todo marcha muy bien. Todos los días hay en la ciudad dos o tres personas degolladas por los soldados...», y un estremecimiento comenzó a subirle desde la boca del estómago para acabar convirtiéndose en una carcajada incontenible. «Aquí todo marcha muy bien. Todos los días hay en la ciudad dos o tres personas degolladas por los soldados.» Cada vez que reconsideraba la frase le volvían a acometer las carcajadas y rompía a reír. Eran sus primeras carcajadas desde hacía tiempo. Sí, le sentaba bien llevar el libro de Rosetta consigo. El espíritu de aquella mujer era un ejemplo para cuantos debían moverse en el territorio del Miedo.

«Sueño constantemente, ¡qué vanidosa me he vuelto!, pienso, en un bonito traje nuevo guarnecido con galones», decía Rosetta en otra carta, desde Cracovia. «Aquí me han mostrado el túmulo funerario de Kosciuszko, los sepulcros de los reyes polacos, la antigua alma máter de Cracovia y otros objetos patrióticos, pero yo, en mi fuero interno, pienso sin parar: "¡Oh!, cómo me gustaría tener galones aquí, y aquí, y aquí también".» La carta proseguía, pero a Carlos le bailaban todas las letras de la página, y dejó el libro sobre su pecho. Alrededor suyo, los sonidos subieron repentinamente de intensidad. Ya sólo oía el estridor regular y metálico de los insectos, y detrás, como fondo, el estruendo del agua que se precipitaba en la grieta. Al segundo siguiente, todo el sueño acumulado desde la víspera cayó sobre él, y se quedó profundamente dormido.

Su sueño estuvo lleno de pesadillas. En la última, su hermano le aguardaba ante la puerta de un chalet de montaña acompañado de las cinco o seis personas que en la época en que se desarrollaba el sueño —otoño de 1977— formaban parte de su comunidad. Mientras rodeaba el terreno del chalet, un grupo numeroso de perros le ladraba desde el otro lado de la alambrada que protegía la propiedad. La mayoría de los perros no le inquietaba, pero los dos dóberman que iban al frente parecían peligrosos. Le enseñaban los dientes, y saltaban contra él amenazando romper la alambrada.

—¡Llama a estos perros! —le gritó a su hermano después de alcanzar la puerta que se abría en la alambrada.

Desde allí hasta el porche del chalet había unos treinta metros.

—¡Llámalos! —repitió. Dudaba de que su hermano pudiera oírle.

Con todo, a pesar de la distancia y los ladridos, su hermano entendió enseguida lo que le había dicho. Dio un silbido y todos los perros —¿veinte?, ¿veinticinco?— acudieron corriendo al porche. Una vez allí, continuaron ladrando con la vista puesta en el lugar donde él se encontraba.

—Ya voy —dijo Carlos al ver que su hermano y los demás componentes de la comunidad le animaban a acercarse. Antes de cruzar la puerta cogió una estaca que había tirada sobre la hierba. No se fiaba de los dóberman.

No pasó nada. Caminó con paso tranquilo por el sendero que cruzaba el yerbal, y llegó al porche sin ningún incidente. La algarabía de los perros era ahora tan espantosa que su hermano y él no podían oírse mutuamente. Aun así, nadie les dio orden de callarse; al contrario, todos los del grupo, y Kropotky el primero, sonreían. Parecía que el coro de ladridos les resultaba agradable.

Esperando el momento de iniciar la conversación con su hermano, los ojos de Carlos —torpes, recién salidos de la cárcel— recorrieron el valle que se extendía delante del chalet, y vieron el pueblo de Obaba justo en el punto en que arrancaba el valle, y más allá, siguiendo la carretera del valle, los montes que Carlos más quería, los montes que de lejos parecían de color azul y de cerca eran verdes.

Carlos no pudo dar fin a la contemplación. Antes de ello, los perros se callaron y su hermano, como si hubiera esperado aquella señal, le abrazó y dio la bienvenida.

—Felicidades, Carlos. Toda la comunidad se alegró mucho al saber que habías salido de la cárcel.

—Así que ahora os dedicáis a cuidar perros —dijo Carlos.

—Ya sabes. Los buenos ciudadanos no pueden prescindir de las vacaciones y los perros les estorban. Nosotros recogemos lo que ellos abandonan como si fuera basura. En ese tema seguimos a Chazal: «Cuando el dolor es insoportable, los papeles cambian. El humano chilla como los animales, en tanto que los animales lo hacen como los humanos». Es decir, que los animales y nosotros no somos tan distintos. De manera que ¿cómo vamos a dejar que enloquezcan y mueran de hambre en el monte? Mientras podamos, no vamos a permitirlo.

Carlos sintió compasión por su hermano, y no irritación o vergüenza, como en los tiempos anteriores a la cárcel. Nada quedaba ya de la arrogancia de Kropotky, nada tampoco de sus miradas de superioridad o de su belleza física. Le faltaba la mayor parte de los dientes, y hablaba quedo, con una voz que parecía más frágil que el hilo de una araña. Únicamente sus ojos —azules, brillantes— seguían siendo los de antes.

—Como acabas de salir de la cárcel estarás lleno de energía negativa —prosiguió Kropotky, atrayéndose la atención respetuosa de sus compañeros—. Así que te conviene apartarte y pasar una temporada completamente solo en algún sitio retirado. No se te ocurra ir a los ambientes de costumbre, a discutir sobre la reciente democracia y otros temas políticos. Si lo haces, tu energía negativa se multiplicará por dos, y entonces...

El discurso de Kropotky quedó interrumpido por el ladrido de un perro. Pero el que ladraba no era ninguno de los perros que estaban en el chalet del monte, sino Greta. La vio en cuanto abrió los ojos. Y también a Belle. Y a Danuta. La intérprete se encontraba a unos cinco metros de él, sentada sobre una roca y leyendo un libro.

—No cabe duda de que tenía una gran necesidad de dormir. Los perros no han parado de ladrarme, y sin embargo usted ha tardado muchos minutos en despertarse —dijo Danuta con una sonrisa, dejando el libro en el regazo. Llevaba un vestido sencillo pero elegante, de color gris claro.

Carlos miró el reloj. Eran las cuatro y veinte de la tarde. El libro de Rosa Luxemburgo estaba en el suelo.

—Soñaba con perros —acertó a decir mientras se colocaba mejor la toalla que le tapaba. Belle y Greta se acercaron a la hamaca enderezándose sobre las patas de atrás y saludándole con el rabo.

—No sé por qué me han ladrado tanto. A estas alturas ya deberían conocerme —dijo Danuta señalando a los perros y haciendo ademán de levantarse. Corroborando aquellas palabras, Belle y Greta respondieron a su movimiento con nuevos ladridos.

—Porque tienen hambre. Piensan que ha venido a quitarles la comida.

La situación le hacía sentirse incómodo. No sabía cómo levantarse de la hamaca. No quería mostrarse desnudo delante de Danuta.

—Pues la verdad es que hoy no he comido mucho —suspiró Danuta adoptando uno de aquellos gestos que la rejuvenecían—. Pero no tengo ni pizca de hambre. Así que me voy a dar un baño mientras todos ustedes comen. Y después de bañarme le explicaré todo, por qué se me ha quitado el apetito y por qué he abusado de su confianza volviendo de nuevo aquí. Si le parece bien, claro.

—Muy bien —dijo Carlos.

Danuta se despojó del vestido y se dirigió a la charca con un traje de baño blanco que le daba un cierto aire de tenista. Después de tantear la temperatura del agua con los dedos de un pie, se tiró de cabeza y se puso a nadar. Lo hacía con soltura, al estilo braza.

—Me parece muy bien, sí —musitó Carlos. Agradecía la discreta retirada de la mujer. Así podría vestirse tranquilo. Además le apetecía comer en silencio, sin tener que hablar con nadie.

Se puso su ropa y, moviéndose con rapidez, distribuyó los trozos de carne que quedaban en la bolsa de los perros en una zona de juncos más atrás de la arena de la Banyera: para que Belle y Greta se los disputaran, para que se divirtieran buscando la comida. A continuación, recogió las cervezas que había puesto a refrescar, se sentó cruzando las piernas sobre una piedra plana y se dispuso a comer. Tenía hambre, y antes de ponerse a preparar un sándwich de jamón devoró una rebanada de pan.

Danuta dejó de nadar enseguida. Fue hasta la zona más somera y se recostó en las piedras del fondo igual que si estuviera en una verdadera bañera. A su alrededor, el sol doraba las crestas del agua, y en el aire, en los matorrales, los insectos dejaban oír su canto de siempre, regular y metálico. Sí, también la Banyera estaba a resguardo del mundo. Y, curiosamente, la presencia de Danuta no le restaba sosiego. No, una conversación con ella no le perjudicaría, ni siquiera en su situación. Más bien al contrario, podría hacerle más llevadero aquel tiempo muerto comprendido entre el segundo asterisco y el tercero.

—Lástima que no he traído el termo de café. Si no, tomaríamos café —le dijo Carlos un cuarto de hora más tarde. Se encontraban ya frente a frente, él comiendo cerezas y ella volviéndose a poner los pendientes verdes. Muy cerca de ellos, Belle y Greta dormitaban a la sombra de un matorral.

—La verdad es que yo también lo tomaría. Pero en esta ocasión tendremos que prescindir de él. Si Guiomar estuviera en el hotel tendría alguna esperanza, pero esta tarde no está. Ha ido a Barcelona con Laura y Pascal. Han ido a ver *Peter Pan*, creo.

—Todos en familia —dijo él con cierta guasa.

—¿A qué se debe esa sonrisa? —dijo Danuta mientras le ofrecía un cigarrillo. Ella también sonreía.

«Seguro que ya lo sabe —pensó Carlos—. Seguro que Laura ya le ha contado algo». Luego cogió el cigarrillo que le ofrecía y añadió:

—Por nada. La palabra familia me ha hecho gracia de pronto.

—Como sabemos todos los que hemos leído a Alexandra Kollontai, la familia tradicional ha muerto —dijo Danuta, añadiendo una segunda sonrisa a la anterior y encendiendo su Marlboro y el de Carlos—. Y junto con la familia tradicional, también ha muerto la esclavitud de la mujer, con lo cual un matrimonio será la unión libre de dos personas que se aman y tienen fe la una en la otra. O será eso, o no será nada.

No cabía duda de que estaba al tanto de los cambios sentimentales que se habían dado en el hotel. Laura y ella habían estado juntas, y no hacía mucho de ello.

—¿Qué ha dicho antes? ¿Que no ha comido? —dijo Carlos sentándose en la arena con una roca como respaldo. No tenía mucha costumbre de fumar, y el humo del primer cigarrillo del día le mareaba un poco.

—¡Ah, sí! El baño me ha relajado y ha hecho que lo olvidara, pero así es. He tenido una mañana terriblemente pesada. ¿Sabe lo que ha pasado esta noche?

—¿Qué?

Danuta le explicó lo sucedido con Masakiewicz y Banat, y las consecuencias del incidente. Piechniczek, el entrenador, se había puesto fuera de sí, y había amenazado a los dos jugadores con enviarlos a Polonia. Entonces, como una repetición de lo ocurrido años antes con el portero Mlynarczyk, Boniek se había puesto a favor de sus dos compañeros diciendo que si aquella amenaza se cumplía él se negaría a jugar contra Rusia.

—Pero el problema no ha acabado ahí —prosiguió Danuta mirando el humo del cigarrillo—. Zmuda y Lato han reprochado a Boniek que defendiera a Masakiewicz y Banat. Le han dicho que quienes andan emborrachándose teniendo tan cerca un partido importante no son solidarios con el equipo, y que por lo tanto no merecen la solidaridad de los demás. Al final, todos han acabado enfadados.

—Mal están las cosas, entonces.

—Y tan mal. Porque ahí sigue el problema con la policía.

—¿Qué problema? —dijo Carlos frunciendo la frente con gesto teatral. La historia le parecía divertida.

—Por lo visto, uno de los guardias quiere poner una denuncia por agresión. Asegura que Masakiewicz le dio una patada cuando le pidió la documentación. ¿No ha oído el jaleo de esta noche? Ha habido una bronca fortísima delante del hotel. Si no llega a intervenir Piechniczek, Masakiewicz estaría en este momento en comisaría. Y Banat también, por acompañarle.

—¡Conque le dio una patada al policía! —exclamó Carlos. Y a continuación, iluminándosele la cara al borde de la carcajada—: Pues qué bien, ¿no? ¡Realmente, tengo que felicitar a Masakiewicz!

«¿Desde cuándo un activista manifiesta sus verdaderos pensamientos ante extraños?», oyó entonces. La voz de Sabino sonaba más severa que otras veces.

Carlos tosió a propósito para disimular el desasosiego que le había producido la reconvención de Sabino.

—No estoy muy acostumbrado —le dijo a Danuta señalando el cigarrillo.

—A mí también me ha parecido divertido, pero sólo hasta que han empezado a venir los periodistas —dijo Danuta siguiendo con el tema—. ¿Sabe cuántas veces he tenido que traducir «no, no creo que el incidente de anoche tenga repercusiones en el partido del domingo...»? Por lo menos veinticinco veces. Al final, Piechniczek me hacía un gesto y yo le respondía al periodista de memoria.

De vez en cuando, Belle y Greta liberaban el calor que se les iba acumulando en el cuerpo y se ponían a jadear ruidosamente. Cuando a continuación cerraban la boca y se callaban, los sonidos habituales de la Banyera —el estridor de los insectos, el estruendo del agua que se precipitaba por la grieta— regresaban y todo volvía a su sitio. En aquel ambiente, la voz de Danuta se hacía más profunda, y sus palabras aparecían y desaparecían lenta y apaciblemente, como si no tuvieran prisa ni interés por llegar a ninguna parte. Incluso al aire libre, la voz de Danuta confería intimidad a cualquier conversación.

—Tengo que reconocerlo —dijo Danuta después de una pausa. Había apagado el cigarrillo y tenía la vista puesta en la charca—. Tengo que reconocerlo ante usted y también ante mí misma. Odio a esos futbolistas. Quisiera que no fuera así, pero no puedo evitarlo. Ya lo dije el otro día en este mismo lugar. Para mí, todos ellos son la prueba de que las ideas progresistas han fracasado.

Danuta volvió a hacer una pausa, que Carlos aprovechó para apagar su cigarrillo. Greta comenzó a jadear.

—Guiomar se enfadaría si oyera esto, pero creo que lo que yo decía el otro día es cierto —continuó Danuta—. Esta gente no tiene espíritu. No les preocupa más que el dinero. El dinero y todo lo que se puede comprar con dinero. Y, no crea, no son excepción en la Polonia actual. La mayoría de la gente siente y piensa como estos jugadores. He visto antes que ha traído un libro de Rosa Luxemburgo... ¿Cree usted que ahora mismo hay alguien en Polonia que lea a Rosa Luxemburgo? No, no hay, no se lee a Rosetta, se leen novelas rosas, y nuestro mayor héroe es Boniek. Si eso no es el fracaso de las ideas progresistas, ¿qué es entonces?

Pareció que iba a callarse. Pero, tras una risita, continuó con más firmeza que antes.

—¡De verdad! A veces me pongo a pensar en lo que creíamos de jóvenes y me dan ganas de reírme. ¿Sabe una cosa? Allí en Polonia nos reuníamos en la sede de las Mujeres Revolucionarias a leer y discutir los escritos de Rosa Luxemburgo, Alexandra Kollontai o de otras mujeres revolucionarias, y, ¡parece increíble!, ninguna asistente a aquellas reuniones puso jamás en duda la posibilidad real de aquellas teorías. Nunca preguntó nadie «pero ¿esas ideas no son completamente irreales?, ¿no son espejismos los objetivos de nuestra lucha?, ¿no seremos como niños en busca del País de Cucaña?». No sé si a alguna de nosotras se le ocurrieron esas preguntas, pero en tal caso, nunca se atrevió a ponerlas sobre la mesa. Claro, seguramente fue eso lo que pasó, que quienes intuían la vaciedad de aquellas reuniones no se atrevieron a declarar su verdad ante los demás. Claro, fue eso lo que pasó, sospechó que aquellas reuniones discurrían sobre el vacío, no se atrevió a declarar su verdad ante los demás. Es muy difícil declarar la propia verdad allí donde esa verdad tuya no va a ser compartida. Por algo se da muerte al mensajero. Se le mata porque trae una verdad solitaria, porque trae la verdad que, aunque todos sospechan, nadie quiere reconocer. Eso es lo que pasa, que la gente no suele querer despertar, no suele querer desprenderse de la mentira. Una estupidez, por supuesto, porque a fin de cuentas los que van tras el espejismo no beben más agua que los que sólo ven arena. Y ahí tenemos el resultado, por un lado Boniek, por otro Walesa, y por encima de todos el Papa con la Virgen de Chestokowa en los brazos.

Danuta guardó silencio de nuevo, y sus palabras se perdieron en el aire junto con los jadeos de Belle y Greta. Carlos estaba pensativo, intentando retener las ideas que pasaban por su mente. Se trataba de las mismas ideas —las mismas nubes— que solían venirle a la cabeza mientras amasaba el pan; pero ahora, ante la reflexión de Danuta, quería expresarlas, sin limitarse a verlas pasar.

—Hace poco vi en la televisión un programa sobre las costumbres de los hombres del Paleolítico —acertó a decir avanzando lentamente, relacionando las ideas a medida que hablaba—. Según parece, aquellas personas de hace cuarenta mil años se tomaban enormes trabajos para conseguir unos moluscos llamados *Nassa reticulata*. ¿Y sabe para qué los necesitaban?

—¿Para comer? —le dijo Danuta. Seguía las palabras de Carlos atentamente, pero con su tranquilidad habitual.

—Bueno, en eso consiste lo fundamental de la historia. En que no necesitaban los moluscos para comer, sino para hacerse collares. Padecían frío, se agotaban, probablemente ponían su vida en peligro, y todo lo hacían para satisfacer un capricho, por una frivolidad, para adornarse.

Ante la mirada seria de Danuta, Carlos titubeó, sin saber en qué dirección desarrollar su reflexión. Pero de pronto —con el alivio que produce el dar con una palabra que no se podía recordar— las tres o cuatro palabras que circulaban por su cabeza se relacionaron, y pudo continuar:

—¿Sabe de qué me acordé nada más oír la historia de los moluscos? Pues del viaje a Cuba que hicimos Guiomar y yo.

Danuta abrió mucho los ojos y le preguntó en qué lugares de la isla habían estado. Pero antes de que él tuviera tiempo de contestar, hizo un gesto con las manos y le pidió que siguiera.

—No quiero que pierda el hilo de sus pensamientos.

—Guiomar salió de la cárcel más entero que yo —continuó Carlos cediendo al ruego de ella. Al igual que Danuta, Belle y Greta le observaban con mucha atención—. Quiero decir que salió de la cárcel con sus ideas de siempre. Y en Cuba también anduvo así, con las ideas por delante. Si yo criticaba algo, la presencia constante de la policía secreta, por ejemplo, él saltaba enseguida: «Sí, de acuerdo, pero mira todo lo que han conseguido. Aquí nadie pasa hambre, aquí todos tienen la oportunidad de ir a la escuela o a la universidad, los hospitales están al alcance de todos...».

—Los logros del socialismo. Como decía Castro en sus discursos.

—Exactamente. El caso es que el viaje entero anduvimos así. ¿Que yo mencionaba de pasada el mal servicio de un restaurante? Pues entonces Guiomar me recitaba línea por línea el repertorio de logros del socialismo. Y en aquel momento... Esto fue hace cerca de cinco años, nada más salir los dos de la cárcel... Pues en aquel momento yo admitía su argumentación: había fallos en Cuba, sí, pero el sistema daba respuesta a las cosas que eran verdaderamente importantes. Sin embargo ahora lo veo de otra forma. El socialismo, o cualquier otro movimiento revolucionario, no hace nada si sólo responde a lo verdaderamente importante. Tiene que dar respuesta también a las cosas que no son importantes, a los caprichos y demás. Si no, está perdido, no puede sobrevivir.

—¿Adónde quiere llegar? ¿A los collares de los hombres del Paleolítico? —preguntó Danuta vacilante. Cogió el paquete de Marlboro y le ofreció un cigarrillo a Carlos.

—Puede que esté equivocado —dijo él aceptando el cigarrillo—. Pero en mi opinión este episodio demuestra claramente una cosa. La importancia que tiene lo que no es importante.

Se rió brevemente por la frase que acababa de construir. Antes de seguir, acercó el cigarrillo al mechero que le tendía Danuta.

—El capricho tiene mucha importancia. Por desgracia, quizá, pero es de gran importancia. Cuando estábamos en Cuba, Guiomar veía los hospitales y las escuelas, pero no veía, o al menos no tomaba en cuenta, al joven que estaba dispuesto a dar cualquier cosa a cambio de unos pantalones vaqueros, o la lamentable calidad de los platos de pescado del restaurante. Pero ¿cuál era la verdad? Que todos los que no podían satisfacer sus caprichos despreciaban el socialismo.

—Pero ¡no puede haber un sistema que cubra todos los caprichos de la gente! —intervino Danuta enérgicamente. Parecía disentir de Carlos—. Y no lo hay por dos razones. En primer lugar, porque los caprichos son innumerables, y en segundo lugar porque muchos caprichos serían opuestos entre sí. Así que no sé si le entiendo muy bien —Danuta dio una chupada breve a su cigarrillo—. Pero siga, siga, por favor. Aquí me siento como en la sede de las Mujeres Revolucionarias de Varsovia. De verdad, le agradezco enormemente estas charlas. Después de estar con Boniek y los demás me son tan necesarias como el aire, ya se lo dije el otro día.

Carlos se puso a mirar al suelo para sobrellevar la incomodidad que le producía el agradecimiento de Danuta, y musitó unas palabras reconociendo que sí, que estaba bien aquel tipo de charlas, tan poco corrientes, y que él también se alegraba de encontrarse ante una interlocutora como ella. Después, hablando con mayor aplomo, le expuso su conclusión acerca del tema:

—Estoy de acuerdo con usted. No hay un sistema que pueda satisfacer todos los caprichos. Por lo tanto, los proyectos que exponíamos en nuestros panfletos no eran más que cuentos. Cuentos o, como usted dice, espejismos.

—¿Puedo cambiar completamente de tema? —preguntó Danuta levantándose de repente. Belle y Greta se levantaron también.

—Desde luego, ¿le pasa algo? —dijo él algo sorprendido.

—No, no es nada. Sólo que tengo que ir a la *toilette*. Creo que el ruido del agua de esta charca tiene efectos diuréticos.

Danuta le miraba con toda naturalidad, pero él estaba un poco desconcertado. Las mujeres mayores que él había conocido no solían hablar de forma tan desenfadada.

—Esto está lleno de cuartos de baño naturales —acertó a decir al fin mientras Danuta se dirigía a los matorrales. Enseguida, por asociación de ideas, se acordó de su pueblo natal y de las mujeres que había conocido allí. ¿Cómo habría reaccionado su tía Miren en caso de encontrarse en la Banyera? «¿Qué ha querido decir? ¿Que iba a mear?» «Sí, tía, eso ha querido decir.» «Pues ¡qué marrana! ¡Lo que hay que ver! ¡Una señora con edad para ser abuela y que va por ahí nombrando el coño!» Naturalmente, había diferencias entre su tía y él, pero la educación pesaba mucho, y su espíritu conservaba todavía —como conservan las vísceras el residuo de un alimento— el eco desagradable de palabras como marrana o coño.

—¡Belle! ¡Greta! ¡Venid aquí! —gritó al ver que los perros iban detrás de Danuta.

La mirada de Carlos se dirigió hacia la ladera desde donde le había disparado Morros. El sol estaba en todas partes, y sobre todo en las hojas de las zarzas y los matorrales, donde se condensaba y se hacía más dorado. En el cielo no se veía ni una sola nube.

«Y en mi cabeza tampoco», pensó Carlos. Después de lo que le había explicado a Danuta se sentía vacío, como si hubiera perdido el hilo de la argumentación. Dio una chupada al cigarrillo y bajó los ojos al agua de la charca. El agua se rizaba, el sol doraba los rizos, la grieta se tragaba todos los dorados.

«La mayoría de las revoluciones del pasado no merecían ese nombre», recordó de repente. La frase figuraba en otra de las cartas que su hermano le había enviado a la cárcel, y representaba el núcleo de un modo de pensar que él, en aquella época, había rechazado de plano. Pero ¿qué más decía Kropotky? Sin levantar los ojos del agua, se entretuvo en reconstruir los renglones de la carta: «Cuando un padre que no puede dar de comer a sus hijos se rebela y se levanta contra su patrón, ¿qué diremos? ¿Que es un acto revolucionario? Y cuando otro hombre, que ha sido castigado por hablar su lengua, se convierte en enemigo del dictador, ¿qué diremos? ¿Que está a favor de la revolución? ¿Acaso son revolucionarios los vietnamitas ahora que intentan quitarse la bota de los yanquis del cuello? Vosotros decís que sí. Y yo te digo que no. También un perro se rebelaría si su dueño le tuviera muerto de hambre y luego le azuzara, pero eso no traería un Rin-tin-tin revolucionario al mundo. En mi opinión, la revolución no se concreta al nivel de las necesidades primarias, sino en el nivel siguiente, cuando dichas necesidades primarias están satisfechas. Es entonces cuando empieza la apuesta a favor de un mundo diferente. Y la mayoría de la gente no quiere apostar, porque está muy a gusto con el viejo mundo y porque considera como propios los valores de la burguesía. ¡Qué decepción más grande vais a llevaros, Carlos! Vais a ver lo pronto que dirá vuestro pueblo: ¿La revolución? ¿Qué revolución? Nosotros estamos muy a gusto como estamos».

Ésas eran poco más o menos las ideas que le había expuesto su hermano seis o siete años antes, y a Carlos —en aquel momento, mirando al agua— le parecieron mucho más sensatas que cuando las había leído en la cárcel. No podía calcular todas las implicaciones de aquellas ideas, pero había algo de lo que estaba seguro: lo que se situaba más allá de las necesidades primarias, fuese el capricho o fuese otra cosa, era la clave de toda revolución.

Belle y Greta se alejaron de él unos diez pasos, y Danuta apareció poco después. Chasqueaba los dedos a los perros, pero no para que se le acercaran, sino a modo de defensa, para proteger su vestido gris.

—¿Qué haría usted, Danuta, por conseguir un capricho? —le dijo cuando ella volvió a sentarse frente a él. Quería continuar con el tema que ocupaba su mente—. Antes le he dicho lo que hacían los hombres del Paleolítico por conseguir un collar. ¿Qué haría usted por unos pendientes buenos? Me refiero a unos de esmeraldas auténticas.

Danuta se llevó ambas manos a los pendientes, y reaccionó como si le hubieran dado una bofetada. Cerró los ojos de golpe, y un momento después su expresión era de abatimiento. Parecía que todos los músculos de la cara se le hubieran quedado inertes.

—¿He dicho algo inapropiado? —preguntó Carlos un poco desconcertado. Greta dio un ladrido—. ¡Calla, Greta! —le gritó él.

—No, no es eso —dijo Danuta después de una pausa—. Lo que sucede es que no me acostumbro a la pobreza, y que me afecta cuando me la recuerdan.

—Pero ¡el hecho de no poder comprar unas esmeraldas no convierte a una persona en pobre! La mayoría de la gente vive sin esmeraldas, ¿no? —dijo Carlos con una voz que no pudo controlar del todo. Se sentía incómodo, no sabía qué decir. Ahogó una palabrota. La reacción de Danuta ¿con qué se relacionaba? ¿Con una supuesta ofensa o con una alteración química que tenía lugar en sus tripas?

«Al orinar se ha dado cuenta de que se le ha adelantado la regla, y eso ha cambiado su humor. O si no, será por la menopausia», oyó en su interior. El comentario de Sabino acrecentó su incomodidad. La palabra regla —tal como le había sucedido poco antes con las palabras marrana y coño— había agitado los residuos de su educación.

—En Polonia vivimos en una gran escasez, y yo tengo mucho orgullo —dijo Danuta.

—No entiendo. ¿No estábamos hablando del capricho? Bueno, yo sólo pretendía seguir con el tema —respondió Carlos. Las reacciones absurdas le sacaban de sus casillas, y le resultaba difícil disimular la irritación—. Además, ahora me doy cuenta, ya sé por qué se me ha ocurrido hacerle esa pregunta... —dijo

Carlos. Sin terminar la frase, se levantó y fue hacia la hamaca en busca del libro de cartas de Rosa Luxemburgo. Seguía en el suelo, y a su lado, Carlos palideció al verlo, había algo con forma de bellota y que parecía de oro. Era una bala de metralleta.

«Yo creo que ya va siendo hora de dejar la charla y acudir a tus asuntos. ¿Por qué no vas a marcar con pintura blanca el camino de la fuga de Jon y Jone?» Sabino también parecía algo irritado. Carlos recogió la bala y el libro, en ese orden, y regresó donde Danuta.

—«Sueño constantemente, ¡qué vanidosa me he vuelto!, pienso, en un bonito traje nuevo guarnecido con galones» —leyó después, pero de pie, sin hacer amago de volver a sentarse. Belle y Greta permanecían atentas a sus gestos aguardando la orden de marchar hacia el hotel—. «Aquí me han mostrado el túmulo funerario de Kosciuszko, los sepulcros de los reyes polacos, la antigua alma máter de Cracovia y otros objetos patrióticos, pero yo, en mi fuero interno, pienso sin parar: "¡Oh!, cómo me gustaría tener galones aquí, y aquí, y aquí también...".» ¿Lo ve? La misma Rosa Luxemburgo tenía sus caprichos. No debería avergonzarse por desear unas esmeraldas auténticas.

—Es verdad —dijo Danuta esforzándose en sonreír—. Igual me he portado como una estúpida. Creo que las insufribles entrevistas de esta mañana me han cansado demasiado. Por eso he reaccionado de una forma tan histérica, porque estaba cansada. Discúlpeme, por favor.

—No tiene importancia —le dijo Carlos mirando el reloj—. De todos modos, no podemos seguir hablando.

Tengo que terminar un pequeño trabajo antes de acudir al campeonato de ping-pong que ha organizado Guiomar.

Pasaron por su mente, como nubes errantes, varios pensamientos aislados. Una nube: que Danuta era seguramente una esnob que se había aproximado al comunismo por pura estética, y que por eso mismo, por puro clasismo, despreciaba a los futbolistas. Otra nube: qué grande era la distancia que lo separaba de aquella mujer. Tercera nube: con qué mal criterio había actuado al tomarla por interlocutora. Pero aquellos pensamientos no le afectaron. Se sentía tranquilo. Podía vivir sin interlocutores.

—Yo también tengo que regresar. Todavía me quedan un par de entrevistas —dijo Danuta. Se levantó y ayudó a Carlos a plegar la hamaca. Belle y Greta se movían inquietas alrededor de ellos.

—¡Marcharos ya! ¡Venga, a correr! —les dijo Carlos. No tenía intención de atarlas. Si querían molestar a Morros, que lo hicieran.

El guardia que vigilaba el sendero era un joven rubio de aspecto adolescente. Más amable que su compañero, se llevó la metralleta al hombro y, después de saludarles, silbó a los perros y se puso a jugar con ellos. Carlos pensó que no todos los guardias que había alrededor del hotel eran tan agresivos como Morros, y que eso facilitaría las cosas.

—¿Puedo decir algo acerca del tema que hemos tratado antes de enfadarnos un poco? —le dijo Danuta cuando llegaron a la zona donde el camino se hacía más ancho. El almacén y la panadería quedaban ya a la vista.

—Bien —le dijo Carlos. Pero no tenía el menor deseo de hablar de ello. No le gustaban los arreglos que seguían a una conversación malograda.

«Supongo que con Beatriz harías una excepción. Con ella sí aceptarías un arreglo, ¿no?» Carlos sacudió la cabeza para alejar el comentario de la Rata, y cogió en la mano la toalla que llevaba al cuello. Hacía mucho calor. Debía de haber unos tres grados de diferencia entre la Banyera y aquel lugar.

—Es una idea poco original. Yo creo que los primeros tiempos de la revolución fueron los más hermosos. Los tiempos de Rosa Luxemburgo o los tiempos en que la gente cantaba los himnos dedicados a la misma Rosa o a Karl Liebknecht...

Danuta silbó entre labios siguiendo el primer compás de una melodía. Belle y Greta, que estaban cerca, la miraron con extrañeza.

—Yo viví esos comienzos. Durante un tiempo breve, pero los viví. Para mí, lo único importante es eso, aquella época. Los años posteriores han sido a veces buenos y a veces malos, pero ni uno solo de ellos ha sido comparable a los primeros. En nuestra juventud no teníamos los pies en el suelo. Se ponía uno a observar a la gente de la calle, y parecía que iban por el aire.

—Tiene razón, las épocas buenas no duran mucho —dijo Carlos.

—¿Sabe cuánto tiempo estuvieron Adán y Eva en el Paraíso? —le preguntó Danuta volviéndose hacia él.

—No.

—Si Dante está en lo cierto, siete horas nada más. Desde las seis de la mañana hasta una hora después de mediodía. Así se lo confesó el propio Adán a Dante.

—¿Sí? No creía que fuera tan poco.

Carlos estaba realmente sorprendido.

—Pues, así es.

—Ese pasaje le hubiera gustado mucho a mi hermano —dijo Carlos inopinadamente.

—¿Por qué?

Carlos recordó sin esfuerzo una noticia periodística que Ugarte le había leído en la cárcel: «Escucha lo que dice aquí, Carlos, seguramente te sonará mucho la noticia: "El pasado sábado, en una localidad de nuestra provincia, el cabecilla de una comunidad orientalista distribuyó gratuitamente zumo de naranja mezclado con polvo de LSD aprovechando la circunstancia de que se celebraban las fiestas locales, lo que ocasionó un caos que no tuvo, afortunadamente, consecuencias graves. Muchos vecinos de la localidad precisaron atención médica para superar el shock que les produjo la droga. El responsable se encuentra detenido y se tienen serias dudas acerca de su salud mental"». Se trataba de una acción estrechamente ligada a la idea que tenía Kropotky de la lucha contra el sistema: cambiar radicalmente una situación durante un tiempo. Sí, le hubiese complacido aquella historia de que el paraíso sólo había durado siete horas.

—Le gustaba mucho leer, y siempre andaba buscando cosas curiosas —dijo al fin, advirtiendo que Danuta seguía a la espera de su respuesta.

—Perdone, pero no sé, habla de él en pasado. ¿Le sucedió algo a su hermano?

—Murió hace cinco años, en 1977.

Fue una respuesta dictada por el mal humor, por las pocas ganas que tenía de seguir hablando con Danuta, y en un primer momento le sorprendió incluso a él. Pero

¿qué le importaba? No le apetecía adentrarse en explicaciones. Además, la respuesta no era del todo falsa.

—Oh, lo siento mucho —dijo Danuta fijando la vista en el suelo. Luego se pusieron a andar, pero en silencio.

—Yo me quedo aquí —dijo Carlos al llegar a la zona de la panadería y el almacén.

—Yo tengo que seguir hasta el hotel. Ya sabe, a hacer las entrevistas.

—Muy bien. Hasta luego, entonces.

—Ya nos veremos. Si me queda tiempo, iré al campeonato de ping-pong —dijo Danuta. Pareció que iba a añadir algo más, pero finalmente saludó con la mano y siguió hacia el hotel.

Belle y Greta se regocijaron al darse cuenta de que la salida de aquel día se prolongaba, y se pusieron a brincar alrededor de Carlos en el momento en que éste —otra vez con la chaqueta de panadero y llevando el spray de pintura blanca disimulado «allí donde la espalda pierde su nombre»— se encaminó pendiente abajo, hacia la Fontana.

—No os quedéis a mi lado. Esto es malo para vuestros ojos —les dijo a los perros cuando dejó atrás la Fontana y entró en el cauce seco, la Riera Blanca, que recorría la base de Amazonia. Acababa de utilizar el spray, y tanto Belle como Greta olisqueaban cerca de la zarza que había recibido la primera mancha blanca. Cuarenta metros más allá, tras hacer cinco señales a lo largo del cauce, comenzó a subir la ladera.

Al principio se mantuvo alerta, guardando el spray nada más usarlo, consciente en todo momento de la bala de metralleta que llevaba en el bolsillo del vaquero y de lo que aquella bala significaba. Pero a medida que se iba acercando a la carretera, cobró confianza: en aquella maleza no se le presentaría ningún guardia. Podía tener el spray en la mano y podía también, sobre todo, liberar su pensamiento de la sombra de Stefano y dirigirlo hacia otras cosas. Al final, repasando el episodio con Danuta, empezó a maldecir y atacarse a sí mismo. Se equivocaba siempre. Sí, había algún punto débil en su interior, y ese punto débil le hacía confiarse, revelar a un extraño como Danuta sus reflexiones más íntimas. Qué comportamiento más infantil. Qué poca medida a la hora de relacionarse con la gente.

Con el spray en la mano, levantó la cabeza hacia el sol que declinaba en el horizonte. Pero no advertía nada. Sólo veía las imágenes que acompañaban a sus pensamientos. Sí, su hermano tenía razón, a partir de cierto momento era imposible encontrar interlocutores, y aquel nuevo fracaso, por pequeño que fuera, era una demostración de la inconsistencia de todos sus proyectos. No habría ningún cambio de vida. No se procuraría un apartamento en Barcelona, no se matricularía en un curso de catalán. Las olas del mar lo llevarían quizás a alguna playa, o lo arrastrarían al fondo, o le dejarían en el lugar de siempre; pero no le conducirían al lugar desconocido, nuevo y agradable que a veces imaginaba. Ahora le parecían ridículos sus propósitos de la víspera. Era realmente prodigioso el poder que tenía la ilusión. Se perdían mil ilusiones, desaparecían todas como pavesas en el aire; pero inmediatamente llegaban otras mil disfrazadas de pura realidad. En algún lugar, quizás en el cerebro, quizás en la sangre o en las vísceras, debía de haber alguna sustancia que producía ilusiones constantemente. «Menos mal que a veces eres lúcido. Siempre es una ayuda ver los puntos flacos de uno mismo», oyó. Por una vez, la Rata coincidía con él.

Cuando alcanzaron la cima de la ladera y divisaron la gasolinera, Belle y Greta se detuvieron en seco. El rugido del tráfico de la carretera les atemorizaba.

—Tranquilas, no volveremos por la carretera, volveremos por donde hemos venido —les dijo después de desprenderse del spray, mostrándoles la dirección que debían seguir. Los perros se lanzaron corriendo pendiente abajo, pisando la misma hierba y las mismas piedras que al subir. Ellos no tenían necesidad de itinerarios ni de señales blancas.

Durante el camino de vuelta, Carlos siguió madurando la misma reflexión. La cuestión del punto débil le recordó una historia que había oído en el hostal de su familia en Obaba, la de la campana que se había caído de la torre de la iglesia. Al caerse y resquebrajarse la campana había perdido la sonoridad, y entonces la gente se había visto en la necesidad de romperla del todo a fin de transportarla al taller donde debía ser fundida y reconstruida. «Sin embargo, nadie del pueblo lo consiguió —continuó el narrador de la historia apareciendo en su memoria. Se trataba de uno de los huéspedes del hostal de su familia—. Lo intentaron de todas las maneras, con mazos, con palancas, con todo, pero ni siquiera los hombres más forzudos lograron aumentar un ápice la fractura de la campana. Al final, cuando ya todos los del pueblo habían desistido, se presentó un constructor de campanas con un martillo pequeñísimo, un martillo de unos veinte centímetros de largo; se acercó a la campana, la observó un poquito, y le dio un golpe, uno sólo. Entonces, como por arte de magia, la campana se hizo añicos. "La campana tiene un punto débil, y ahí es donde se debe golpear", explicó el constructor a la gente que miraba atónita».

Sí, todas las campanas tenían un punto débil, igual que las personas, y ahí estaba probablemente la explicación del episodio de la Banyera. Su pregunta, aun siendo inocente, había dado en el punto débil de Danuta. ¿Por qué? Él no podía adivinarlo. A fin de cuentas, Danuta era una mujer de distinta edad y distinta cultura, y como Ugarte solía repetir, no había forma de comprender del todo a la gente de otros países; mucho menos si se trataba de una mujer. «Al principio da la impresión de que sí —decía Ugarte—. Al principio parece que Brigitte o Samantha o Masako son como las chicas que nos rodean, pero no es así en absoluto. Por poner un ejemplo, una vez, cuando estaba haciendo un cursillo de inglés en Londres, empecé a salir con una hija de Japón. Y la tercera o cuarta vez que salimos, nos sentamos los dos en un parque comiendo *fish and chips*, y va y me pregunta: "Y tú, ¿qué tal has hecho cacas hoy?". La verdad, me dejó aturdido. Comprendí de pronto lo variado que es este mundo».

El recuerdo de las palabras de Ugarte puso fin a su reflexión. Había salido ya de la maleza de Amazonia, y se dirigía hacia la Fontana por el cauce seco de la Riera Blanca. Iba a entrar de nuevo en la zona sobre la que, desde la víspera, se cernía la amenaza de Stefano.

—Sí, ahora tenéis que quedaros aquí. Luego os traeré algo para cenar —les dijo a los perros antes de encerrarlos en el almacén. Ellos le miraban suplicantes, en especial Greta—. Ahora tengo que ir al ping-pong, y vosotras no podéis acompañarme. Además, Greta —el braco enderezó las orejas—, ¿no te acuerdas de lo que te pasó allí cuando eras más pequeña? ¿No te acuerdas de que Pascal te tiró a la piscina y casi te ahogas?

No se acordaba, y tampoco comprendía muy bien el tono que en aquel momento estaba empleando Carlos. Miraba hacia algún punto situado en la pared del almacén, como si esperara un cambio de situación. Pero viendo que aquel cambio no se producía, y viendo también que Belle iba a su rincón y se echaba sobre su saco de arpillera, se rindió y se fue para adentro.

—Así está mejor, Greta. Ya te has cansado bastante por hoy —le dijo Carlos. A continuación, cerró la puerta y se encaminó hacia su apartamento, a ponerse el chándal. No tenía ganas de jugar al ping-pong, pero tampoco quería disgustar a Guiomar.

—¿Qué haces, Pascal? —preguntó Carlos cuando iba a cruzar la entrada al recinto de la piscina del hotel. El niño estaba en una postura muy rara: completamente inclinado hacia delante, tenía la cabeza metida entre las piernas y observaba el mundo desde allí.

—¡Garfio! —gritó la boca invertida de Pascal. Estaba junto a la entrada de la piscina, colocado en medio de la calzada como si quisiera vigilar a los que fueran a pasar por allí.

—¡Vaya! —simuló admirarse Carlos—. ¿Quién eres ahora? Al parecer, ya no eres D'Artagnan. Y tampoco eres Boniek. Entonces, ¿quién? ¿No serás el capitán Garfio?

Pascal quiso negar con la cabeza, pero perdió el equilibrio y acabó cayéndose a la cuneta de la calzada.

—¡No! ¡Yo no soy Garfio! ¡Soy Peter Pan! —le explicó desde el suelo un poco enfurruñado. Muy imbuido de su papel, reproducía los gestos bruscos y mecánicos de la película de dibujos animados que había visto aquella tarde.

—Perdona, Peter Pan. Y ahora te repito la pregunta. ¿Qué haces aquí? ¿Te ha dicho Guiomar que me esperaras? —le preguntó mirando el reloj. Llegaba con retraso.

El niño vaciló antes de decidir si valía la pena salir del juego un momento y dar una respuesta.

—Boniek no ha venido a jugar al ping-pong —acabó por decir. Un instante después, expuesta ya la razón de su vigilancia, volvió a sumergirse en el personaje de Peter Pan y se alejó hacia la piscina dando mandobles con una espada invisible.

El día estaba ya en su último trecho, y el sol, oblicuo, sólo doraba las ramas de un lado de los árboles; los cipreses —pues en aquella zona dominaban los cipreses— sobrepasaban a los olivos y almendros del entorno unos cinco o seis metros, y parecían penachos mitad verde claro y mitad verde oscuro, sombríos y luminosos a la vez. Con la vista puesta en aquellos penachos, Carlos siguió los pasos del niño y entró en el recinto de la piscina.

El camino de entrada y el recinto propiamente dicho estaban separados por una barrera metálica, y Carlos contempló desde allí todo lo que le quedaba delante: el césped, la piscina azul, las sillas y las hamacas de lona anaranjada, la mesa de ping-pong pintada de un verde más amarillento que la hierba.

Todo estaba vacío. No se veía a nadie descansando en las sillas o en las hamacas, nadie nadaba en la piscina, y sobre todo, no había ningún tipo de actividad alrededor de la mesa de ping-pong. Las únicas personas que se habían presentado al campeonato estaban sentadas frente al bungalow del bar: Guiomar y Laura en la primera mesa de la fila, Ugarte y Stefano —como si hubiesen querido apartarse— en la última.

—¡Garfio! —le gritó Pascal saliendo de la parte posterior del bungalow. Sostenía en la mano un palo, y lo blandía como una espada.

—Tranquilo, Peter Pan —le dijo Carlos mientras se sentaba al lado de Laura y Guiomar. Le saludaron todos: Guiomar con las cejas, Laura sonriente, Ugarte levantando un botellín de cerveza, Stefano con un movimiento comedido de la mano.

—Tarde, ¿no? Son ya las ocho y media —le dijo Guiomar mirando el reloj. Estaba muy serio.

—Creía que estaríais jugando unos partidos de entrenamiento. ¿Qué ha pasado? ¿Por qué hay tan poca animación? —le preguntó.

Pero no fue Guiomar quien le dio la respuesta, sino Laura. Ella estaba mucho más alegre que Guiomar.

—Piechniczek ha castigado a todos los jugadores. Han surgido unos problemas bastante graves.

—Han surgido, no, Laura. Podían haber surgido. Al final no ha pasado nada. Además, Carlos ya conoce el caso.

Pasando por alto la observación de Guiomar, Laura le explicó lo sucedido aquella noche con Banat y Masakiewicz, pero añadió un dato nuevo: no les denunciarían por agredir a un policía, ni darían publicidad a la agresión.

—Si informaran de la agresión, tendrían que detenerles. Por eso lo callan —apuntó Guiomar.

—Lo de la borrachera de esos dos ya es noticia. A las nueve ya lo estaba diciendo la radio —dijo Carlos. Miraba a Guiomar mientras hablaba, pero sin lograr que él le devolviera la mirada.

—Pues el problema no se ha resuelto tan fácilmente. Según dice Stefano, ha tenido que intervenir la embajada de Polonia.

Laura llevaba un chaleco gris de filigrana plateada y una camisa rosa, y sus ojos, negros de por sí, parecían aún más oscuros por el maquillaje de las pestañas y los párpados. Pocas veces se la podía ver tan arreglada, tan sonriente, tan comunicativa, y Carlos pensó que los asuntos amorosos del hotel ya estaban definitivamente resueltos, y que en adelante el grupo se distribuiría más o menos como entonces: Guiomar y Laura en una mesa y Ugarte en otra con una cuarta persona, quizá con Nuria. Por un instante, su pensamiento giró en torno a aquel nombre. ¿Dónde estaría en aquel momento? ¿Habría hablado Stefano con ella? Pero no se encontraba en la situación idónea para reflexionar sobre ello, y su mente dejó a Nuria y pasó a ocuparse de Pascal. El niño estaba otra vez cerca de la mesa, tirando a Guiomar de la mano.

—Ahora no, Pascal. Iremos dentro de un rato —le dijo Guiomar. Luego, por fin, se dirigió a Carlos—:

Quiere hacer una casita en la Fontana de Derby, igual que la que Peter Pan y Los Niños Perdidos hicieron para Wendy. ¿No es verdad, Pascal?

El tono en que se dirigía al niño era afectuoso, pero la expresión de su rostro seguía siendo sombría. Tratándose de Guiomar, aquello resultaba extraño. ¿Sería por la suspensión del campeonato de ping-pong? Conocía el interés que ponía su amigo en los juegos, pero la reacción parecía excesiva.

«¿No te dijo que tenía un secreto? Quizá le haya salido mal lo que tenía entre manos. Lo raro es que Laura manifieste un humor opuesto», le ayudó Sabino.

Lo del humor opuesto era absolutamente cierto. En aquel preciso momento, Laura canturreaba a Pascal una de las canciones de la película:

—*Quisiera tener una casa bonita, que tuviera las paredes rojas. Que fuera del mundo la más pequeñita, y tuviera un tejado de musgo y de hojas...*

Mientras cantaba, hacía cosquillas al niño. Sin duda alguna —pensó Carlos juzgando lo que veía— el enamoramiento, fuese o no mera ilusión, venía a ser una especie de renacer, y activaba los átomos que años y años de monotonía habían ido apagando. En la cárcel se decía: «Un hombre está preso, pero todas y cada una de las noches sueña que es rey y vive con todas las comodidades de un rey; en cambio, muy lejos de la prisión, un rey tiene cada noche el sueño opuesto, es decir, que está preso y vive penando en la cárcel. ¿Quién será más feliz de los dos?». Y la respuesta: «En invierno el preso, en verano el rey». El mensaje de la fábula era que, en la práctica, la veracidad de una situación carecía de importancia. Siempre que se viviera feliz, nada importaba que la base de dicha felicidad fuera real o irreal. Carlos observó a Laura: no se hacía preguntas, no se preocupaba por el futuro. Le bastaba con sentir cómo los átomos se iban renovando en su interior.

Una mano le dio un apretón en el hombro, e interrumpió sus pensamientos.

—Todos los organizadores de este campeonato de ping-pong te lo agradecemos mucho, Carlos —dijo Ugarte desde detrás de él—. De verdad, agradecemos mucho tu presencia y que hayas venido en chándal, porque un campeonato que cuenta con un jugador vestido con chándal es siempre un campeonato serio, aunque no se celebre. En otras palabras, Carlos: un millón de gracias por salvar el campeonato.

Ugarte le tendió la mano con fingida seriedad. Pero antes de que Carlos dijera nada, se tropezó y tuvo que retroceder dos pasos. Parecía haber bebido más que de costumbre.

—Pascal, ¿por qué me enseñas el culo? ¿Qué manía te ha dado ahora? —dijo luego yendo hacia el niño que le miraba por entre las piernas. Al lado de Ugarte, Stefano soltó una risita falsa.

—Por si no sabes, es la postura de Peter Pan. Poniéndose así vencía a todos los lobos. ¿No es así, Pascal? —dijo Laura con la mayor tranquilidad.

Pascal asintió como pudo, moviendo la cabeza torpemente. Estaba algo sofocado, y tenía la cara colorada.

—¿Los lobos? ¡Por favor, Pascal! Seamos racionales. ¿Dónde hay lobos aquí? —preguntó Ugarte.

El niño titubeó, y sus ojos puestos al revés —en aquella posición parecían más grandes— observaron de uno en uno a todos los del grupo.

—¡Ése! —gritó a continuación abriendo los labios por encima de los ojos y señalando a Stefano.

Todos se rieron, excepto el propio Stefano y Guiomar. Stefano parecía desconcertado, como si buscara una respuesta apropiada a la situación; en cuanto a Guiomar, sacó un cigarrillo y se puso a fumar con la cara tan seria como antes.

—Ahora mismo vamos a ver si lo que dices es verdad —dijo Ugarte al niño.

—Ya basta, ¿no? Estás alargando el asunto más de la cuenta —manifestó Laura.

—Señor Stefano, ha llegado el momento de saber si es usted un lobo —continuó Ugarte sin hacer caso a su mujer y volviéndose hacia Stefano—. Le haremos la prueba que nunca falla. Por favor, levántese esa mata de pelo y enséñenos las orejas.

Stefano hizo lo que se le pedía tratando de sonreír, y dejó sus dos orejas al descubierto. Eran desproporcionadamente pequeñas en relación con el tamaño de la cabeza, y más bien femeninas. Quizá por eso llevaba el pelo al modo de los magos y los payasos.

—Enhorabuena, Stefano. Sus orejas no son puntiagudas. Así que no es usted un lobo —dijo Ugarte dando la mano a Stefano.

—Yo ya sabía que no lo era. Los lobos andan a cuatro patas —dijo Pascal volviendo a ponerse de pie. Tenía la cara muy roja y Laura tuvo que sostenerle para que no se cayera. El cambio brusco de postura le había mareado un poco.

—¡Así que antes me has mentido! —exclamó Ugarte con muestras de asombro. Y volviéndose hacia Stefano—: ¡Hay que ver qué mundo, Stefano! Hasta los niños mienten.

—Y los borrachos también —intervino Laura sin perder la calma.

—Vámonos para el hotel, Stefano. Allí hay marcas de whisky que no se pueden encontrar en este chamizo.

—Sí, Ugarte, ahora mismo vamos, pero antes una cosa...

Carlos quedó a la expectativa. Stefano llevaba un buen rato aguardando aquel momento mientras aparentaba seguir las bromas de Ugarte, y no le resultaba fácil lanzar la pregunta con naturalidad.

—Oiga, Carlos, le hablé ayer de la filmación que nos gustaría hacer en la panadería, y desgraciadamente el sábado sería demasiado...

—Entonces, mañana mismo —le interrumpió Carlos.

—¿Mañana? Mañana es jueves... —Stefano no esperaba tantas facilidades, sino una duda o una resistencia que confirmara sus sospechas.

—Sí, mañana mismo, hacia las once de la mañana. Estos días estoy de vacaciones, y me levanto tarde —volvió a interrumpirle Carlos con voz neutra.

—Estupendo, entonces mañana a las once de la mañana —balbuceó Stefano. Luego hizo una pausa, como si quisiera decir algo más y se tomara tiempo para pensarlo; pero al final cambió de idea y se dirigió hacia la salida del recinto de la piscina sin esperar a Ugarte. Carlos le siguió con la vista. Sí, el poli estaba un tanto confuso ante la tranquilidad que él había mostrado.

Ugarte tenía el brazo levantado para despedirse. Su expresión era seria.

—Así que el panadero del hotel está de vacaciones —acabó diciendo—. Pues muy mala señal. Y muy mala señal que yo esté borracho, borracho de verdad, quiero decir. Y Guiomar con la cara muy seria, y eso también es mala señal. Y mi mujer con cara alegre, y esa señal, bueno, no diremos que sea una mala señal, pero no deja de ser rara. Y yo me pregunto: ¿qué va a pasar en este hotel? ¿Qué va a pasar, Carlos? ¿Qué va a pasar, Guiomar? ¿Qué va a pasar...?

—Vete a beber ese whisky del hotel. La verdad, te estás poniendo muy pesado —le interrumpió Laura.

—¿Qué va a pasar, Pascal? —terminó él. Pero el niño estaba entretenido con el palo que le servía de espada y no quiso darse por enterado.

Entonces Ugarte miró a Carlos:

—Pues yo crreo, Carlos, que pasarrá lo que dice Piechniczek, que en caso de jugarr bien, los rresultados serrán excelentes. Yo porr mi parrte estoy trranquilo, crreo que estoy trrabajando bien. Jugando sin balón, clarro, perro abrriendo huecos.

Culminó su declaración con una sonrisa, y luego se fue hacia la barrera donde le esperaba Stefano. Hizo el trayecto más rápidamente de lo que deseaba, porque el terreno tenía una ligera cuesta abajo y él no parecía capaz de controlar sus piernas. Sin embargo, no estaba más borracho que en otras ocasiones; sólo fingía estarlo, como casi siempre. Después de lo que acababa de oír, a Carlos no le cabía ninguna duda.

Los alrededores de la piscina estaban llenos de sombras, y el sol había desaparecido incluso del vértice de los cipreses. El ambiente nocturno se acentuaba, además, con el cambio de colores: la piscina parecía verdosa, no azul; las hamacas se veían pardas; la mesa de ping-pong no era más que un rectángulo oscuro cruzado por una línea blanca. Contemplando aquellas transformaciones, Carlos reprodujo en la memoria la última frase de Ugarte: «Crreo que estoy trrabajando bien. Jugando sin balón, clarro, perro abriendo huecos». Si su interpretación era correcta, aquellas palabras querían decir que Ugarte estaba haciendo su trabajo con Stefano, *sin balón*, es decir, haciéndose él mismo sospechoso y mareando a Stefano cuanto podía. Pero ¿por qué le ayudaba? ¿Porque también a él le convenía que las cosas salieran bien? Sí, probablemente era por eso. De cualquier forma, Ugarte acababa de darle una lección. «Mercucho siempre ha sido muy inteligente. Lo era antes y lo es ahora. Un militante muy inteligente y disciplinado», le dijo Sabino. Mercucho era uno de los alias que Ugarte había utilizado en la clandestinidad.

—Nosotros también nos vamos. Tengo que darle la cena al niño —dijo Laura cuando Ugarte y Stefano desaparecieron en dirección al hotel.

Guiomar se levantó de la silla, y señaló a Carlos.

—Oye, Laura, ¿te importa que nos quedemos a jugar un partidillo? Id tú y Pascal por delante, yo iré allí enseguida.

—No me importa en absoluto, pero está muy oscuro para jugar, ¿no? ¿Veréis la pelota?

—Sí, todavía se ve algo. Sólo jugaremos un partidillo.

Guiomar besó a Laura en la mejilla. La relación entre ambos pronto sería pública.

—Vamos, Pascal —le dijo Laura tendiéndole la mano.

El niño aceptó su mano sin vacilar.

—Tienes hambre, ¿verdad? —le dijo Laura.

Y cuando el niño asintió:

—Entonces, ¿por qué no vamos a todo correr? Seguro que Doro nos ha preparado algo muy rico.

Pascal salió disparado hacia la calzada, y Laura fue tras él. Unos segundos después, los dos desaparecieron de la vista. Guiomar y Carlos fueron hacia la mesa de ping-pong después de coger la pelota y las palas, pero sin apresurarse, con la lentitud de los participantes en un cortejo; no como dos jugadores deseosos de aprovechar al máximo la última luz del día. No, no habría partido entre ellos; únicamente una conversación sobre un tema que Carlos desconocía.

Guiomar no empezó a hablar inmediatamente, y, para afrontar su silencio, Carlos se apoyó en la mesa de ping-pong y dejó que sus ojos y oídos se concentraran en lo que sucedía alrededor. Sus ojos vieron entonces la superficie verdosa de la piscina, y más allá de la piscina la silueta de tres cipreses, y aún más allá la masa negra de las rocas de Montserrat a punto de difuminarse en el negro más amplio del cielo. No tan sutiles, sus oídos sólo percibieron el ruido de las ramas de los árboles: un murmullo semejante al sonido de un sonajero.

Después de un rato, la voz de Guiomar destacó sobre aquellos murmullos.

—Primero te diré mi secreto —comenzó con gesto grave—. No hemos ido a Barcelona sólo a ver *Peter Pan*. Hemos ido también al oculista, porque Laura se había dado cuenta de que el niño tenía algo en la vista.

Nos han dicho que tiene astigmatismo. Que el eje de la córnea tiene una desviación de unos diez grados, hacia la derecha.

Por la mente de Carlos cruzó una idea, tan leve como la brisa entre las ramas de los árboles. Pero no dijo nada.

—Y luego, hay otra cosa —prosiguió Guiomar—. Que Pascal va a ser muy alto. Tú ves muy pocos niños y seguramente no te habrás dado cuenta, pero la altura de Pascal con cinco años no es normal.

—Resumiendo, que es como tú. Alto y con mala vista —resolvió Carlos afirmándose en la idea que le rondaba por la cabeza—. Realmente, es una sorpresa. ¿Estáis seguros? No sé, yo también soy alto...

Carlos se separó de la mesa de ping-pong meneando la cabeza. Estaba seguro de la verdad de lo que Guiomar decía, pero quería conceder la debida importancia a la noticia: que Guiomar hablara, que diera detalles de la buena nueva. Pese a todo, no estaba tranquilo. Guiomar continuaba con la misma expresión sombría que en el bungalow.

—Hasta ahora no hemos estado seguros. Sí que lo sospechábamos, porque, ya sabes, cuando estuvimos en Francia, Laura y yo salimos juntos una temporada. Pero no estábamos seguros. Ahora, en cambio, no hay duda. No porque el niño sea alto, sino por la vista. El astigmatismo siempre es hereditario.

—¿Y tú tienes astigmatismo? Yo creía que eras miope.

—Tengo las dos cosas. Miopía y astigmatismo. Y además, el eje de la córnea se me desvía diez grados a la derecha. En serio, no hay duda. Para mí es una alegría enorme, desde luego, ya sabes cuánto he cuidado al niño todos estos años. Sin embargo...

Guiomar se alejó un poco hacia la piscina. Cruzó los brazos y se quedó un rato mirando los cipreses. Parecía meditar lo que iba a decir.

—Sin embargo, yo quería contarte otra cosa.

—Adelante. Te escucho —le ayudó Carlos. Las palabras le salieron en un tono que dejaba traslucir la tensión que sentía. Intuía que estaba a punto de escuchar una mala noticia.

—Cuando nos hemos acercado al cine donde daban *Peter Pan*, Laura ha ido a coger las entradas, y el niño y yo nos hemos quedado paseando en la acera. Entonces hemos pasado junto a las fotografías de esos activistas que han bautizado como Jon y Jone, y yo me he parado a leer el cartel, por nada en especial, por pasar el tiempo. Y de pronto, Pascal ha levantado la mano para señalar a la tal Jone y me ha dicho tan tranquilo: «Esa chica me prometió que metería la pistola debajo de la tierra. Yo he andado buscándola en el sitio que me dijo el tío Carlos, pero todavía no la he encontrado». Eso es lo que me ha dicho el niño, palabra por palabra. Así que no tienes necesidad de contar tu secreto. Ahora todo está claro.

—Ahora lo entiendo. Por eso estabas tan serio cuando he llegado —dijo Carlos.

—¿Esa es tu conclusión? —le increpó Guiomar.

—¿Qué quieres decir?

Carlos también cruzó los brazos. Tenía los labios fruncidos.

—¡Yo no quiero decir nada! ¡Por qué están esos dos en el hotel, eso es lo único que pregunto! ¡Y quién te ha dado a ti permiso para traerlos aquí! ¡Esa decisión nos correspondía a todos!

Guiomar hacía esfuerzos para no gritar.

—Te equivocas de época. No somos un grupo, y nuestras decisiones tampoco son colectivas. Son decisiones personales.

—Eso no es cierto, Carlos —dijo Guiomar calmándose un poco—. Este hotel es de todos. Y si aquí pasa algo, lo pagaremos todos, y con el pellejo además. ¡Ahí es nada, esconder a dos tipos que han participado en no sé cuántos atentados mortales! La verdad, Carlos, no puedo comprender tu comportamiento. ¿Qué pretendes? ¿Volver a la cárcel? Pues yo no quiero volver.

No hablaba muy fuerte, pero la necesidad de controlarse le hacía jadear. Sacó un cigarrillo y lo encendió. Le costó bastante que la cerilla y la punta del cigarrillo coincidieran.

—Estuvieron aquí, pero se marcharon. Los saqué cuando estabais viendo el partido entre Bélgica y Polonia. Por eso no me presenté en el salón.

«Muy bien, Carlos. Ahora le mientes hasta a tu mejor amigo», oyó en su interior.

—Ya, claro —dijo Guiomar expulsando el humo del cigarrillo y haciendo un gesto de desánimo—. Pero Ugarte no cree lo mismo. Lo acaba de decir bien claro, «qué va a pasar en el hotel»... Y ésa es otra, que aquí todos estabais enterados, todos menos yo. Y si recuerdas —Guiomar le señaló con el dedo—, yo también te pregunté, primero en el apartamento y después en la panadería, por qué andabas tan raro esta última temporada. ¿Y qué me respondiste tú? Pues que tenías un secreto. ¡Bonito secreto! De verdad, Carlos, me has quitado la alegría que tenía por lo de Pascal.

Carlos masculló una maldición, y se acercó a Guiomar.

—Dejemos este asunto, por favor. Te he dicho que los saqué. Desde hace dos días el hotel está despejado.

—¿Seguro? ¿Seguro que si ahora voy a la panadería no voy a encontrar a nadie en el sótano?

Guiomar le miraba fijamente desde detrás del cristal de sus gafas. «No puedes moverte de tu posición, Carlos, de lo contrario perderás autoridad. No olvides que eras tú el responsable del grupo.»

—¿Se puede saber qué te pasa, Guiomar? —dijo con absoluta frialdad y hablando como si estuviera totalmente tranquilo—. ¿Por qué me pides cuentas? Si ayudé a esos dos, ¿a ti qué? Si las cosas fueran mal, ¿quién lo pagaría? ¿Tú? Tú no, Guiomar. Lo pagaría yo. Así que déjame en paz, ¿vale?

Se hizo un silencio entre ambos, y el murmullo de los árboles volvió a hacerse audible. Guiomar aspiró el humo de su cigarrillo.

—¿Quieres saber qué me pasa? —habló luego. También su voz era calmosa, pero tenía un deje de cansancio—. Pues me pasa que ahora tengo un hijo. Como antes, claro, porque también antes estaba mucho con Pascal. Pero ahora de otra forma. Ya sé que te parecerá una vulgaridad, pero un hijo lo cambia todo. Y si no me crees, recuerda lo que decía nuestro amigo Tolosa, que tenemos un gen dormido y se despierta cuando nos hacemos padres. Pues a mí se me ha despertado del todo.

Volvieron a quedarse callados. Carlos recogió la pelota y las palas de la mesa de ping-pong.

—¿Nos vamos? Ya hemos hablado bastante —dijo luego observando aquellas pelotas. Eran muy nuevas, probablemente compradas por Guiomar aquella misma tarde.

—Sí, pero primero escúchame —le dijo Guiomar tras tirar el cigarrillo a la hierba y pisarlo—. Yo no quiero problemas. Y mucho menos por culpa de los que andan en nuestra antigua organización. Así de claro te lo digo.

—Queda claro. Y yo por mi parte te quiero decir otra cosa. Haz lo que quieras, pero no vuelvas a mencionar el asunto de Jon y Jone. Ni a mí ni a ningún otro. Yo no sé quiénes son esos Jon y Jone. Y tú tampoco lo sabes. Tenlo en cuenta, por favor.

—Lo haré —dijo Guiomar.

La oscuridad de la noche lo igualaba todo. Los penachos de los cipreses no se podían distinguir de las rocas de Montserrat o de las nubes del cielo. Sólo el murmullo de las ramas denotaba su presencia.

—¿Qué opinas del incidente de Banat y Masakiewicz? ¿Influirá en el partido del domingo? —le preguntó Carlos cuando iban camino del hotel.

Pero Guiomar no quiso responderle, y recorrieron en silencio los doscientos metros que había hasta el hotel. Luego, una vez que llegaron a la altura de la terraza, se despidieron con un saludo discreto: Guiomar hacia la mesa en que cenaban Laura y Pascal, y Carlos en dirección a la cocina.

—¿Desde cuándo te gusta el pulpo, Carlos? —le preguntó Doro cuando entró en la cocina. Estaba delante de la parrilla, asando carne para la cena de los polacos.

—¿Ha llamado Mikel? —preguntó.

—Sí, ha llamado. Me ha dicho que puede traer pulpo y que estés tranquilo. Pero ¿por qué no me lo has dicho nunca? Ya sabes, te lo hubiese preparado con mucho gusto.

—Ya lo sé, Doroteo. Muchas gracias. Pero la verdad es que nunca me había apetecido hasta ahora.

—Todo cambia con los años. Y también el gusto. Mira a Pascal. No come más que chucherías. Pero cuando llegue a mis años preferirá un buen rape al horno.

Doro hizo una pausa mientras daba la vuelta a los trozos de carne que había sobre la parrilla.

—De todas formas, esto del pulpo es más raro —prosiguió con una sonrisa—. Si fueras mujer, pase, pero siendo hombre...

—¿Pues? ¿Por qué?

—Cosas que decía mi madre. Mi madre les prohibía comer pulpo a mis hermanas. Decía que si comían pulpo se aficionarían a los hombres. Y claro, ya te imaginarás qué hacíamos nosotros. Ir a la playa a pescar pulpos para invitar luego a todas las chicas del pueblo.

Se rieron los dos.

—No está mal saberlo —dijo Carlos mientras cogía una bandeja de los estantes—. Tendremos que avisar a María Teresa, por si acaso.

—Ya lo sabe. Estaba aquí cuando ha llamado Mikel, y hemos estado hablando de ello. Pero ya sabes cómo es María Teresa. Ha dicho que se lo comerá todo ella.

Volvieron a reírse.

—¿Vas arriba a cenar? —le dijo Doro entonces. Ante la respuesta afirmativa de Carlos, cogió la bandeja que éste sostenía en las manos y puso sobre ella tres platos, cubiertos y una servilleta blanca.

—¿A qué hora lo han traído? —preguntó Carlos señalando el cesto de pan que había en un rincón de la cocina.

—A los cinco minutos de irte tú. Los chicos me han dicho que se les había estropeado la furgoneta y que por eso se han retrasado.

—Ya veremos qué pasa mañana. Seguro que les ocurre alguna otra cosa...

—Da lo mismo, Carlos. Estos polacos no se preocupan mucho por la comida, y menos a la hora del desayuno. Esta mañana les he puesto pan de molde tostado, y ellos tan contentos. En ese grupo la única sibarita es esa mujer, la intérprete.

—¿Danuta?

—Sí, Danuta. Hoy me ha preguntado a ver por qué no uso arroz de la India para hacer paella, que quedaría mucho mejor. Le he dicho que ni siquiera sabía dónde comprar ese arroz, y entonces, fíjate, me ha contestado que si Juan Manuel y Doro la llevaban a Barcelona, ella lo encontraría. Así es que se han ido los tres.

—Se habrá marchado para no traducir más entrevistas.

—Eso mismo he pensado yo —convino Doro mientras volvía a donde él y le enseñaba lo que había puesto en la bandeja—. ¿Qué te parece? Ensalada de tomate, carne asada en salsa de limón y queso curado con membrillo.

—Muy bien, Doro, pero me has puesto demasiado. Con la mitad tendría bastante. De verdad, tengo muy poca hambre.

Carlos intentó coger el plato de carne de la bandeja, pero Doro no se lo permitió.

—Llévatelo todo, Carlos —le dijo de un modo que no admitía réplica—. En serio, Carlos, algo te pasa. Primero lo del pulpo, y ahora te asustas con este plato de carne de nada.

—Tienes razón. No sé, a lo mejor me está cambiando la química del cuerpo.

—Vete, vete al apartamento antes de que la carne se enfríe del todo —dijo Doro abriéndole la puerta que daba a las escaleras.

—¿Han arreglado la luz, o voy a tener que subir a oscuras?

—Yo mismo la he arreglado —respondió Doro, yéndose hacia la parrilla. Carlos le deseó las buenas noches y desapareció escaleras arriba.

Nada más entrar a su apartamento, depositó la bandeja en una mesita que había delante del sofá y encendió el aparato de televisión. No quería pensar mientras cenaba, o más exactamente, no quería que las palabras y las frases de la conversación que había mantenido con Guiomar vagaran dispersas en su cabeza. Ya pensaría más tarde, cuando se retirara a su habitación.

«Me gustaría abundar en la idea formulada al principio —oyó Carlos desde la cocina americana del apartamento adonde había ido a buscar una cerveza. Era una voz profesoral, acostumbrada a hablar en televisión—. La vida matrimonial es como un fuego que hay que mantener vivo con pequeñas cosas. Cada día hay que alimentar ese fuego con algo. Sirve cualquier cosita, cualquier insignificancia, pero siempre que se haga todos los días. Muchos creen que el matrimonio es algo parecido a una oposición a funcionario, que una vez que se consigue aprobar ya está todo resuelto para siempre y pueden dormir tranquilos. Pero se trata de una idea completamente errónea...».

De vuelta en la sala, Carlos se detuvo a mirar al hombre de la pantalla. Sin duda era psicólogo, sin duda era católico.

«Así que usted piensa que es una tarea de todos los días», dijo la presentadora. Parecía un programa de debate en el que, además de la mujer, participaban cuatro hombres que rondaban los cincuenta años.

«Así es —afirmó el psicólogo—. Y por eso, a las parejas que acuden a nuestra consulta les enseñamos a luchar contra algunos puntos concretos. Por ejemplo, si no voy a ir a casa a cenar llamo para avisar que no voy».

Carlos dio al botón para quitar el sonido y alargó la mano hasta el teléfono. Marcó el diecisiete, colgó y volvió a marcar. Jone le contestó al instante.

—Parece que estáis despiertos.

—¿Por fin salimos pasado mañana?

—Sí, todo según lo que hablamos. He señalizado el itinerario de la fuga con un spray. No habrá ningún problema.

—¡Que lo has señalizado! —exclamó Jone secamente—. ¿Y si los polis descubren las señales? Lo que has hecho puede ser muy peligroso.

Carlos guardó silencio. No tenía el menor deseo de iniciar una discusión.

—No las van a encontrar. Y aunque las encontraran, ¿qué? Todos los alrededores de Montserrat están llenos de señales. Pensarían que son marcas hechas por los montañeros.

—Yo no estoy tan segura.

Carlos hizo una segunda pausa.

—¿Y si yo no pudiera acompañaros? Entonces, ¿qué? —replicó en un tono que pretendía ser firme. Pero la garganta no le respondió, y la pregunta le salió de los labios sin fuerza. Tuvo que toser para disimular la debilidad de su voz—. ¿Cómo llegaríais a la gasolinera? Hay que subir un montículo para llegar hasta allí. Y a las nueve y pico de la noche está bastante oscuro.

—Yo no vi ningún montículo cuando llegué —se obstinó Jone. Hablaba como responsable del comando.

—Oye... —dijo Carlos. Su voz cogió fuerza en el acto. Se sentía irritado—. No sé si lo recuerdas, pero la fuga quedó a mi cargo. Así que no te metas en mi terreno. ¿Vale?

—¡Qué remedio! No creo que las señales que has hecho se puedan quitar con una esponja —suspiró Jone.

—Otra cosa. Los de la televisión irán mañana por la mañana. Te acuerdas, ¿no?

—Sí, ya nos acordamos —dijo Jone con fastidio antes de colgar.

La palabrota de Carlos se quedó en el hilo del teléfono. No quiso devolver el sonido al televisor, e intentó continuar con la cena, dejando el tomate a un lado y empezando con la carne. Pero muy pronto, renunciando también a la carne, se recostó en el sofá y se puso a pensar con los ojos cerrados. ¿Tendría razón Jone? ¿Sería una de las trampas del Miedo la idea de señalizar el itinerario? Sucedía a menudo que el hombre atemorizado sufría un espejismo y confundía el camino de perdición con el de salvación. La opinión de Jone le hacía dudar de la oportunidad de lo que había hecho. Pero no, no era como Jone decía. Lo mejor para salir del hotel era atravesar Amazonia, y si había que subir aquella ladera y salir a la carretera directamente, la ayuda de las señales podía resultar imprescindible. No, no debía dejar espacio a la duda. Después de todo, la situación no era tan grave. Cierto que tenía cada vez más cerca a los lobos que merodeaban por el hotel, pero como decía la vieja sentencia, los lobos y los zorros sabían muchas cosas, pero el erizo la definitiva y fundamental. Dónde estaban Jon y Jone, dónde estaban exactamente, eso era lo que sus enemigos no sabían.

Le vino a la memoria algo que había dicho Guiomar en la piscina: «¿Seguro? ¿Seguro que si ahora voy a la panadería no voy a encontrar a nadie en el sótano?». Sí, Guiomar le conocía bien, y sospechaba la verdad. La verdad completa. Y eso podía constituir un problema. Nunca se le habría ocurrido hacer un juicio negativo sobre el Guiomar de siempre. Pero el nuevo Guiomar, el padre, al que finalmente se le había despertado aquel gen dormido, ¿qué clase de hombre era? ¿Hasta dónde podía llegar en su esfuerzo por defender a Pascal? Incluso Ugarte le había dicho, «No querría decepcionar demasiado a Pascal, no querría que nuestro *hereu* se quedara sin nada». Y Guiomar sería un padre mucho más preocupado que Ugarte.

Abrió los ojos y devolvió la voz al televisor confiando en que así ahogaría sus pensamientos, y se encontró de nuevo con el psicólogo.

«Yo creo que para poder hablar de este tema de un modo taxativo tendríamos que recurrir a las estadísticas —le decía a un hombre de barba sentado frente a él—. Y todavía no disponemos de estadísticas fiables sobre la comunicación. Lo que sucede es lo siguiente, que la comunicación atraviesa de arriba abajo la vida de la pareja, y es muy importante, como antes he dicho...».

Carlos dejó el queso que estaba mordisqueando, y pulsó otro botón del mando. En la segunda cadena, terminaba el noticiario.

«Los incendios, he ahí la plaga de todos los veranos, especialmente en Galicia y en el Mediterráneo. Y lo más lamentable es que la mayor parte de ellos no surgen espontáneamente, sino provocados por una mano criminal —decía el comentarista después de mostrar las imágenes de un incendio—. Sin embargo, es posible que mañana disminuya el riesgo, pues parece ser que tendremos un día bastante nublado. Pero eso nos lo explicará mejor nuestro hombre del tiempo».

En la pantalla apareció una fotografía de la Tierra tomada aquel día por el satélite, y un hombre muy bien trajeado empezó a explicar la dirección en que se desplazaban las nubes. Pero Carlos tenía sus propias nubes en la cabeza, su propio tema que analizar, y —a pesar de los deseos de distraerse— no consiguió oír las explicaciones del meteorólogo. No, los incendios no surgían espontáneamente, y tampoco los policías se presentaban espontáneamente.

«Deja ese tema, Carlos, y vete a descansar», le interrumpió Sabino desde su interior. Pero le resultaba imposible seguir el consejo. Las nubes —los nubarrones— ocupaban toda su cabeza.

No, la policía no se había presentado espontánea- mente, sino después de recibir la llamada de alguien, y de un alguien que debía forzosamente vivir en el hotel. Stefano le buscaba a él, sabía que él, Carlos, era el con- tacto con Jon y Jone, y estaba al acecho, a la espera de un movimiento en falso que le mostrara el camino hacia el escondite. Porque, evidentemente, el otro método para enterarse de las cosas, la tortura, no se podía apli- car así como así en un Estado que acababa de estrenar la democracia. Y no se trataba sólo de Stefano. También Morros y los demás guardias estarían enterados. De lo contrario, ¿cómo se entendía el disparo de Morros en la Banyera? Cierto que aquel guardia vivía en el territorio del Miedo y que sus pautas de comportamiento no po- dían ser normales, pero aun así, ¿por qué tanta agresivi- dad hacia él? De no saber nada, ¿se habría atrevido Mo- rros a hacer aquel disparo? Probablemente no. Y lo peor era que por culpa de las imprevisibles confidencias de Pascal, cualquiera podía estar enterado. Se imagina- ba al niño yendo a donde uno de los guardias y dicien- do: «Yo también voy a tener pronto una pistola como la tuya».

Carlos sacudió la cabeza para librarse de sus pen- samientos y volvió a fijarse en la pantalla. Sabino tenía razón, debía olvidarse de la cuestión del chivatazo. Ca- da vez que empezaba a considerarlo su cabeza se llena- ba de recelos, y tenía la impresión de que todos estaban conjurados contra él. Y eso no era bueno. Los recelos no le llevaban a ninguna conclusión práctica, no hacían sino lastrar el camino que le quedaba por recorrer has- ta el tercer asterisco.

«Prescindiendo del que disputarán España y Alemania, dos partidos atraen principalmente el interés de los aficionados. En primer lugar, el partido que pasado mañana disputarán Brasil y Argentina —decía el nuevo comentarista de televisión. Estaban dando la parte final del noticiario, dedicada a la información deportiva—. Por otro lado, tenemos el partido del domingo que viene, el que jugarán Polonia y Rusia. Y también este partido ha creado gran expectación, tanto desde el punto de vista puramente deportivo como por el ambiente que se está creando en torno a él. Cabe mencionar, antes que nada, el acto político que los representantes del sindicato Solidarnosc pretenden organizar en las gradas. Efectivamente, Solidarnosc quiere aprovechar el acontecimiento futbolístico para reclamar la libertad de su dirigente Lech Walesa. Por otro lado, ahí está la presencia del Vaticano, ya que el Papa ha hecho saber que seguirá el partido por televisión, para animar a Polonia, naturalmente, por lo que el partido de la tarde del domingo ha terminado por convertirse en un desafío entre el catolicismo y el comunismo. ¿Quién ganará? Veamos lo que nos responden unos aficionados».

Por la pantalla desfiló un grupo de religiosos, a cual más anciano, y todos —después de reconocer su ignorancia en la materia— declararon que si habían de elegir preferían que ganara Polonia. Al fin y al cabo, el sucesor de San Pedro era polaco.

«Como nuestros espectadores se habrán imaginado, esto ha sido una pequeña broma. Hecha con todo respeto a la Iglesia y a los religiosos, por supuesto —dijo el comentarista después del reportaje—. Pero ahora oigamos las declaraciones de un verdadero protagonista. Piechniczek, el entrenador de la selección de Polonia, nos va a dar su opinión acerca del partido. No así Beskov, ya que nos ha resultado imposible conseguir sus declaraciones. Desde hace varios días, las puertas de la residencia en que se aloja la expedición rusa permanecen cerradas a los periodistas. Por lo visto, los rusos no tienen costumbre de hablar abiertamente a la prensa».

—¡Qué baboso eres! —masculló Carlos.

En la pantalla apareció la piscina del hotel, y la cámara mostró unos planos de Boniek: sumergiéndose en el agua de la piscina, nadando, saliendo de la piscina, secándose con una toalla blanca. En la imagen siguiente apareció Piechniczek, y a su lado Danuta, ambos sentados en las sillas de lona.

«Sabemos que todos los polacos nos estarán viendo, y que en caso de ganar vamos a dar una gran alegría a nuestro pueblo —tradujo Danuta hablando con su característica erre—. Probablemente, ganará el que marque el primer gol. Y eso significa que por nuestra parte tendremos que vigilar a Blokhin. Si neutralizamos a Blokhin nos resultará fácil ganar o empatar. Y teniendo en cuenta que nos basta con un empate, yo creo que nos clasificaremos para la penúltima fase».

Carlos apagó el aparato. No tenía ganas de oír nada más sobre fútbol, y menos aún sobre el partido entre Polonia y Rusia.

Fue a la cocina con intención de hacerse un café, pero cambió de opinión. Después de su inapetencia, después de las ideas recurrentes y angustiosas que le habían rondado por la cabeza, el estómago comenzaba a dolerle. O quizás había ocurrido al revés, quizás el dolor de estómago había sido lo primero. No, no tomaría un café, sino un tazón de leche caliente con un Valium. La leche le sentaría bien al estómago; la pastilla proporcionaría un poco de sosiego a su cabeza.

«No se puede decir que seas muy consecuente, Carlos. Reprochaste a Jone que tomara pastillas, y ahora tú vas a hacer lo mismo», oyó al entrar en la cocina. Pero se concentró en la tarea de poner la leche en un cazo, y no hizo caso de las palabras de la Rata.

Entró en su habitación con el tazón de leche en una mano, y cerró la puerta con pestillo. Si Guiomar venía más tarde y llamaba, no le serviría de nada. Él no iba a abrirle la puerta.

«Te diré lo que he estado haciendo hasta hace un momento», leyó Carlos después de tomar la pastilla de Valium que había sacado del cajón de su escritorio. Se trataba de una carta que su hermano le había enviado a la cárcel, una de las últimas. «He estado tumbado en el suelo de mi habitación, y me he concentrado en las vísceras de mi cuerpo, pero no en el corazón o los pulmones, ni tampoco en el estómago, o sea, no en los órganos próximos y que nosotros podemos oír, sino en el hígado, el páncreas, la vesícula y, en general, en todos los que trabajan silenciosamente. Cuando llevaba una hora concentrado, he conseguido visualizarlos, y allí estaban todos, filtrando los líquidos, mezclando las sustancias, produciendo reacciones químicas. Y entre todos el más hermoso era sin duda el hígado, una víscera majestuosa, distante, bellísima. Viendo todo aquello, me he puesto a meditar y se me ha figurado que todas aquellas vísceras, a pesar de pertenecerme, a pesar de estar subordinadas a mí, funcionaban por su cuenta, sin preocuparles nada lo que yo pudiera querer o desear, y que seguirían así hasta que una de ellas, empleando el lenguaje de la enfermedad, expresándose a través del dolor, empezara a hablar conmigo y me dijera, "aquí estoy, no soy la de antes, algo ha ido mal y no tienes más alternativa que aceptar este cambio". En aquel momento, como el trabajo de visualizar me quitaba mucha energía, he abandonado la contemplación de los órganos y he vuelto a concentrarme en el techo de la habitación. Entonces me he sumergido en una nueva meditación. He pensado que no eran las únicas vísceras que actuaban al margen de nuestra voluntad o nuestros deseos; que otro tanto sucedía en nuestro espíritu; que también en nuestro espíritu existen órganos parecidos al hígado o al páncreas, vísceras que por ejemplo producen ilusiones y controlan su duración; vísceras que también trabajan por sí mismas y toman por su cuenta la decisión de cambiar.»

La leche templada le sentaba bien, y su estómago fue volviendo al silencio anterior. Carlos —tenía de nuevo ganas de fumar— se levantó y buscó el paquete de Marlboro, primero en los cajones del escritorio, a continuación en los bolsillos de la ropa que había dejado tirada sobre la cama. Enseguida, esbozó una sonrisa: sus dedos habían tocado un objeto frío y puntiagudo. Sí, allí seguía la bala de metralleta que había recogido en la Banyera. Y allí seguían igualmente —ambos en el bolsillo de la camisa— el paquete de Marlboro y la cuartilla de los asteriscos. Lo cogió todo y dejó las tres cosas encima del escritorio, la bala de pie y justo frente a él. Después, encendió un cigarrillo y continuó con la carta de su hermano. Era curioso, muchas de las ideas de su hermano empezaban a resultarle dignas de atención. Más aún, acababa comprobando que muchas reflexiones suyas pertenecían en realidad a su hermano, a Kropotky, como aquella que trataba de las ilusiones.

«Pensemos ahora en un hombre o una mujer de treinta años», leyó después de dar las dos o tres primeras chupadas al cigarrillo. «Él cree que básicamente es el de siempre, el mismo de cuando tenía dieciocho o veinte años, dueño de unas ideas y una sensibilidad idénticas o similares, y sobre ese supuesto habla en las cenas entre amigos o a la hora de poner en marcha un proyecto. Pero para entonces sus vísceras silenciosas ya han hecho su trabajo, ellas han cambiado, y han cambiado, además, en una dirección que va en contra de todo eso que él sinceramente —o creyendo ser sincero— cuenta a sus amigos. Y un día, se levanta ese hombre de la cama, y siente un dolor peculiar: se trata de una de sus vísceras espirituales, una víscera que ha empezado a protestar, que ya no cree en tales ideas, que ya no tiene ilusión en tales proyectos, que se aburre con aquella canción que diez o quince años atrás le conmovía. Tú me dirás: tengo treinta años y hasta ahora nunca me ha pasado nada parecido. Pues te pasará. Hace unos días vi en un panfleto una foto del día de vuestro juicio, todos con el puño en alto y —según decía el pie de la foto— cantando la canción del soldado vasco: *Eusko gudariak gara Euskadi askatzeko, gerturik daukagu odola bere alde emateko...*[*]

* *Somos soldados vascos por la libertad de Euskadi, estamos dispuestos a derramar nuestra sangre por ella.*

Pues llegará el día en que a esa canción no le encuentres ningún brillo. A ti, ahora, te parecerá increíble, pero piensa, Carlos, en los pinos de Navidad. Ves los pinos de Navidad con sus luces y sus adornos colgados, y no parece que al cabo de dos semanas vayan a estar en la basura. Os pasará lo mismo con vuestros cantos y vuestras ideas. Así que, actúa con sensatez y no escribas esas arrogantes cartas. Mis ideas no son más disparatadas que las tuyas. Por otro lado, las mías son más placenteras...»

Aquellas líneas de su hermano y otras parecidas le ponían furioso cuando las leía en la cárcel, y habían sido una de las causas de la ruptura entre ellos; pero en aquella noche del 30 de junio de 1982 —quizá por la melancolía que la pastilla de Valium aportaba a su sangre— le parecían una descripción de su trayectoria. No una descripción completa, puesto que tras la canción del soldado vasco él seguía viendo a amigos tan queridos como Sabino, Beraxa y Otaegui, o también las fotografías de los batallones suicidas que se habían organizado en 1937 para defender Bilbao contra el fascismo; pero, prescindiendo de los detalles, le parecía encontrarse tal como su hermano le había vaticinado, o acaso peor, ya que al cambio de sus vísceras espirituales le había seguido el nacimiento de aquella Rata que le debilitaba y le impulsaba a comportamientos ridículos. Porque ridículo era, por ejemplo, lo que había sentido hacia Beatriz; algo comparable al embarazo histérico que solían tener Belle o Greta de vez en cuando.

Se levantó del escritorio y fue a abrir la ventana. Echó un vistazo al cielo: no había estrellas, y la luna iluminaba dos nubes enormes. Tal como había anunciado la televisión, el día siguiente sería gris. Pero a él le daba lo mismo. Su plan para el día siguiente consistía en tomarse un segundo Valium y dormir durante el mayor tiempo posible. Debía aligerar —con la ayuda de Morfeo— el tiempo muerto comprendido entre la primera acotación y la segunda, entre la visita de Stefano y la cena con María Teresa.

Volvió al escritorio y estuvo revisando su carpeta azul hasta que encontró un pequeño papel arrugado. Era un panfleto que él mismo había redactado once años antes.

«La lucha que mantienen los trabajadores y todas las demás capas sociales de nuestro pueblo está dirigida a hacer de Euskadi una patria libre y socialista», leyó después de apagar el cigarrillo. Sostenía el panfleto con las dos manos, sin apoyarlo en el escritorio. «Por ello, en nuestras acciones debemos actuar contra todos los enemigos de nuestro pueblo, y sobre todo contra la clase que lo domina, explota y oprime. El edificio del club de golf de Bilbao ha sido destruido. Un comando popular armado ha llevado a cabo esta acción y seguiremos por este camino hasta que Euskadi sea libre y socialista.»

La pastilla de Valium restaba fuerza a sus dedos, y le costó volver a introducir el panfleto en la carpeta. Con todo, no abandonó el propósito de desempolvar viejos papeles, y logró sacar un folio escrito con bolígrafo rojo. Era una carta de Esther, una de las chicas que le escribía a la cárcel. «¿Qué tal, *gudari*[*]?», le preguntaba en la primera línea.

* *Soldado vasco.*

Violentamente, Carlos arrojó el folio al aire y el ¿qué tal, *gudari*? y el resto de las letras rojas fueron a parar al suelo junto a la puerta. Le resultaba imposible leer aquella carta. Procedía de otro planeta, de otro siglo. Lo mismo que el panfleto escrito por él once años antes. Y el equipararlos, cómo decirlo... podía tener su lógica, ya que, incluso en su origen, en los días de su primera juventud, ambos sentimientos —el referido a las mujeres y el referido a la patria— habían estado asociados: las palabras y los actos inspirados por el amor hacia Esther o Anita se convertían luego en palabras y actos referidos a Euskadi, y viceversa. *Euskal Herri nerea, ezin zaitut maite, baina non biziko naiz zugandik aparte* [*], decía una canción de aquellos años, y él, en un mensaje enviado a Esther —lo recordaba perfectamente—, había escrito: *Esther nerea, ezin zaitut maite, baina non biziko naiz zugandik aparte* [**].

—¡Bah! —exclamó de pronto, cortando el hilo de sus reflexiones. Luego, se levantó de la silla y recogió del suelo la carta de Esther. Un instante después, la carta estaba en la carpeta y un nuevo papel aparecía en su mano: la cuartilla que contenía el dibujo de los asteriscos. Sí, aquél era el único papel del escritorio que parecía próximo y real.

«Stefano, panadería, once», leyó bajo la acotación que correspondía a la mañana del día siguiente. Pero no iría a las once. Iría a las once y media. Eso haría que aquel cerdo se pusiera nervioso.

[*] *Patria mía, no puedo quererte, pero dónde viviré si me alejo de ti.*
[**] *Esther mía, no puedo quererte, pero dónde viviré si me alejo de ti.*

Carlos se desvistió lentamente, haciendo esfuerzos para que no se le cerraran los ojos. Ya en la cama y a punto de dormirse, se acordó de los perros: se había olvidado de su cena, a la mañana siguiente tendría que llevarles algo extra.

Cuando llegó a la panadería —eran más de las once y media—, Stefano y sus compañeros ya le estaban esperando. Iban con gafas de sol todos ellos, con sus chalecos de la otra vez, y se apoyaban en la pared de la caseta o en el tronco de los árboles como nunca lo hubieran hecho unos periodistas de verdad. Al igual que las prostitutas, también los policías tenían su forma de esperar de pie.

—Ahora voy. Primero tengo que dar de comer a los perros —les dijo Carlos desde la puerta del almacén. Agitó la bolsa de plástico que llevaba en la mano.

—Por favor, Carlos, andamos con mucho retraso —le dijo Stefano sin quitarse las gafas de cristal verde. Estaba crispado, pero el mal humor sólo se le notaba en el modo de pronunciar las palabras, no en el timbre de la voz ni en la expresión de la cara. Su sonrisa era bondadosa.

Al igual que la primera vez que lo había tenido delante, le llamó la atención su tonillo blando, meloso, frailuno, y esa observación le trajo a la memoria uno de los comentarios que Sabino solía hacer en sus clases: «La mayor parte de los policías españoles suelen proceder de familias campesinas. Unos se hacen policías directamente, yendo de sus aldeas al cuartel, y otros en cambio, la mayoría de los que están de comisarios o de secretas, pasando antes por el seminario. Así que, si encontráis a alguien con el imborrable estigma sacerdotal, ¡cuidado! O es un sacerdote de verdad o es policía. O si no, ahora caigo en ello, es alguien de nuestra organización, porque, ja, ja, en nuestra organización también hay muchos que han seguido la misma trayectoria».

—¿Qué es lo que le hace gracia? —le dijo Stefano con frialdad. El comentario de Sabino le había hecho sonreír.

—No, no es nada. Me he acordado de una cosa. ¿Qué, me concede un minuto? —le preguntó Carlos mirando directamente a los cristales verdes de las gafas de sol.

—Si no queda otro remedio, de acuerdo —aceptó Stefano con un suspiro. Luego, por fin, se quitó las gafas y, a pesar de que el cielo estaba nublado, parpadeó ostensiblemente, como ante un sol intenso. Carlos pensó que había dormido poco, quizá porque había pasado la noche reunido con sus compañeros o con sus superiores, examinando los pormenores de la operación. ¿Sería ésa la razón por la que los policías eran tan aficionados a las gafas de sol? ¿Porque dormían poco? ¿O para disimular los rasgos de su cara? ¿Por ambas razones?

Belle y Greta le acogieron como siempre, como si hubieran pasado muchísimo tiempo sin verse y no les preocupara la carne que llevaba en la bolsa. Pero cuando les llenó los platos, enseguida se olvidaron de él.

—No os atosiguéis comiendo, que os voy a dejar la puerta abierta. Antes de media hora estoy otra vez con vosotras —les dijo Carlos al ver que se atragantaban en su afán de acabar pronto y seguirle. Luego fue hasta la panadería y les abrió la puerta a Stefano y a los otros tres hombres.

Carlos sintió el olor de la harina, pero no el del pan recién hecho en el horno. Sin este segundo olor, la pared invisible que protegía la caseta era ahora endeble, y no conseguía que el mundo y sus problemas se mantuvieran en el exterior. Su espacio más íntimo, la panadería, que hasta entonces apenas había sido visitada por nadie, lo pisaban ahora cuatro policías.

Arriba y abajo anda errante mi alma, implorando reposo: de esta manera huye el ciervo herido..., leyó Stefano del papel que estaba clavado en la puerta. Tenía a su lado al gordo con la cámara, listo para filmar.

—Así es que estuvo en la cárcel —le dijo Stefano tocando con el dedo el sello que figuraba sobre el poema.

—Así es —le respondió Carlos mientras quitaba la hoja de la puerta y se la guardaba en el bolsillo. No quería que Stefano leyera las líneas que le había enviado su hermano. Acudió a su mente la imagen de una culebra que pasaba sobre la hoja dejando un rastro viscoso de baba. Sí, Stefano guardaba más parecido con los reptiles que con los lobos.

—Tranquilo. No pensábamos filmar ese sello comprometedor —le dijo Stefano dándole unas palmaditas en la espalda. Bajo la máscara de su sonrisa se adivinaba la tensión, y no el mal humor de antes.

—Me parece muy bien —dijo Carlos reprimiendo las primeras palabras que se le habían ocurrido: «Considero un honor haber estado en la cárcel durante el fascismo y el sello no me parece comprometedor». No le convenía mostrarse arrogante. Además, era evidente que

Stefano quería provocarle; provocarle o bien entretenerle a fin de que sus acompañantes, el que había atrapado la mariposa y el de la cara de fumador, pudieran examinar la panadería tranquilamente. A juzgar por las insistentes miradas que éstos le dedicaban, su interés se centraba sobre todo en el interior del horno. Pero no, Jon y Jone no estaban dentro del horno.

—¿Qué hace? ¿Ve la televisión mientras está trabajando? —le preguntó Stefano señalando el aparato que se encontraba en el saledizo del horno. Un instante después, sus ojos fueron a la leñera. No cabía duda de que tenía mejor olfato que sus acompañantes.

—De vez en cuando —acertó a responder mientras se felicitaba a sí mismo por su previsión con respecto al aparato—. Pero, ya que menciona la televisión, ¿a qué esperamos? ¿Cuándo vamos a empezar a filmar? Tengo que pasear a los perros antes de la hora de la comida.

—Es cierto. Nos estamos retrasando mucho. ¿Cómo le filmamos? —dijo Stefano volviéndose hacia el gordo que llevaba la cámara.

—En la mesa, ¿no? Haciendo la masa del pan —dijo el gordo.

—¿Y horneando? ¿No sería más bonito tomarle horneando el pan? —dijo el que había atrapado la mariposa. Se aferraba a la idea que había tenido nada más entrar en la panadería: que Jon y Jone estaban dentro de aquel horno —tras un tabique falso, quizá—, y que si encendían el fuego los dos terroristas saldrían de allí a todo correr.

—No, Alfredo. Mejor amasando el pan en la mesa. Acabaremos antes —ordenó Stefano.

El primer paso para elaborar la masa era coger la harina y hacer un montón sobre la mesa; el segundo, hacer un pequeño cráter en el montón e ir echando allí, poco a poco, el agua traída de la Fontana hasta conseguir la mezcla adecuada; el tercero y último, añadir a aquella mezcla un pellizco de masa de la víspera a fin de que no le faltara levadura. Normalmente, Carlos seguía aquellos pasos con mucho esmero, con el espíritu de un calígrafo que quiere escribir con letra primorosa; pero aquella mañana, con Stefano y los otros tres policías observándole, lo hizo todo atropelladamente, embadurnando la mesa de agua y harina. Por un momento pensó en dejarlo y en suspender la filmación. Pero la cuartilla de asteriscos que sentía en el bolsillo de la camisa —ahora estaba junto con el poema que acababa de arrancar de la puerta— le dio fuerza para llegar hasta el final. El trecho que le separaba del tercer asterisco era cada vez más corto. Un día y medio más, y la pareja estaría en el pinar de la gasolinera esperando la furgoneta, no debajo de un suelo que los policías pisaban con sus zapatos llenos de mierda.

—Ya basta —le dijo Stefano al gordo de la cámara cuando la masa de pan estuvo completamente suelta. Para entonces, el llamado Alfredo y el de cara de fumador lo tenían todo revisado, rendija por rendija. Pero sin resultado alguno.

—Yo me voy —dijo Carlos mirando el reloj.

—Si quiere pasear a los perros antes de la comida, anda con el tiempo justo —dijo Stefano—. Y a decir verdad, yo también. Ya no llego a una cita que tengo en Barcelona. Llamaré por teléfono, si no le importa.

«Se os ha olvidado subir el teléfono. Teníais que haberlo subido, igual que el televisor», oyó en la voz de Sabino. «Qué estúpido eres», oyó a continuación. La Rata parecía contenta.

—Tendrá que llamar desde el hotel. Hace bastante que no tengo teléfono aquí —contestó Carlos controlando bastante bien la voz. Cogió un paño blanco y cubrió la masa recién hecha.

—¿Seguro? Pues Beatriz me ha dicho lo contrario. Y esta mañana le ha llamado estando yo delante —sonrió Stefano poniéndose otra vez las gafas de cristal verde. El silencio se adueñó de la panadería. El de la cámara y los otros dos tenían la vista clavada en él.

—¿Beatriz? ¿Y qué quería Beatriz? —dijo Carlos frunciendo el ceño.

—¿Dónde está el teléfono? —volvió a preguntar Stefano. Era la pregunta de un policía, no la de un periodista.

—Por si no lo sabe usted, hace muchos meses que Beatriz y yo rompimos nuestra relación —exclamó Carlos mirando directamente a los dos cristales verdes y consiguiendo que su voz no perdiera firmeza. Le pareció conveniente actuar como si oír el nombre de la mujer le irritase—. Antes lo tenía aquí, para hablar con ella, por supuesto, pero después lo llevé al apartamento. Es portátil. De todas formas, no sé a cuento de qué viene esto. ¿A usted qué le importa lo que yo hago con mi aparato de teléfono?

A su reacción siguió un momento de silencio, y Carlos pensó: «Ya está, ahora me enseñará su placa y ese Alfredo que se ha puesto detrás de mí me dará un golpe en la cabeza y me tirará al suelo».

Pero las dudas de Stefano derivaron en otro sentido: quizá porque se había quedado un poco sorprendido con su respuesta —él también conocía a *la bellissima Beatriu*, y de ahí su sorpresa, y de ahí, tal vez, su envidia—; o quizá —esta hipótesis parecía más correcta— porque seguía sin saber dónde estaban Jon y Jone, de manera que, como el lobo frente el erizo, no le quedaba más remedio que seguir dentro del juego.

—Disculpe, Carlos. Creo que hoy estoy demasiado nervioso —le dijo Stefano exhibiendo su máscara sonriente.

—Son muy prácticos esos teléfonos portátiles. Les vendrían muy bien para su trabajo. En el puerto de Barcelona se consiguen bastante baratos —dijo Carlos mientras se lavaba las manos con el agua del bidón. También él tenía que mantenerse dentro del juego.

—Posiblemente me compre uno. Muchísimas gracias por todo, Carlos —le dijo Stefano ofreciéndole la mano—. En cuanto acabemos el reportaje le mandaremos una copia.

El sudor de la mano de Carlos se mezcló con el de la mano de Stefano, y todos —el gordo de la cámara y los otros dos muy serios, y desfilando de uno en uno— salieron afuera. El día continuaba nublado, con grises de diferente tono. Allí donde el gris era más tenue se barruntaba la presencia del sol.

Tras despedirse del grupo, Carlos llamó a los perros con un silbido y, corriendo hasta la Fontana, se echó sobre la hierba conteniendo a duras penas las ganas de gritar. Cuando, al cabo de unos segundos, aparecieron Belle y Greta, dejó primero que se le acercaran y luego, cogiéndolas desprevenidas, comenzó a empujarlas con brazos y piernas; al momento, Greta fue rodando casi hasta la misma fuente, en tanto que Belle daba un salto atrás y esquivaba su empujón. Comprendiendo perfectamente el mensaje, los perros volvieron donde él ladrando alegremente y lanzándole mordiscos.

—Ya basta —les rogó Carlos interrumpiendo el juego.

Tenía la impresión de que alguien le observaba. Miró a su alrededor y se encontró con dos ojos que le acechaban. Estaban en una cabeza invertida, y le miraban por entre las piernas.

—¿Llevas mucho tiempo ahí? No te había visto, Peter Pan —dijo Carlos. Casi al mismo tiempo, los perros corrieron hacia el niño y comenzaron a lamerle la cara.

—He hecho una casita —dijo Pascal después de perder el equilibrio y caerse al suelo. Señalaba la parte de atrás de la fuente.

—¿Puedo verla? —dijo Carlos.

La casita estaba en el cauce seco de la Riera Blanca, al lado de la primera señal blanca que él había hecho con el spray, y se limitaba a un espacio entre dos rocas rodeado de palos y con un techo de ramitas y hojas de olivo.

—Muy bonita casa, Pascal. No creo que la de Peter Pan fuese mejor —le dijo.

El niño se hizo el sordo. Desde su punto de vista, aquélla era la casa de Peter Pan. «No se puede decir que seas muy habilidoso en esto de hablar con los niños», oyó.

—Adiós, Pascal. Voy a dar una vuelta por ahí arriba —se despidió, marchándose en la dirección de las señales blancas. Pero el niño ya se había metido dentro de la casita, y no le contestó.

Carlos apenas recordaba la historia de Peter Pan y, mientras subía por Amazonia, intentó escarbar en su memoria. Sabía quién era Wendy, y quién Campanilla, pero no recordaba cuál era la relación de ambas con Peter Pan. Los episodios del capitán Garfio, en cambio, los veía con más detalle: se trataba de un pirata que tenía miedo de un cocodrilo, y el cocodrilo jamás se alejaba del barco esperando que el capitán cayera al agua para poder comérselo entero. Al final Garfio se salvaba gracias a un reloj, porque el cocodrilo se había tragado un reloj y el tictac de éste le avisaba al capitán.

Se detuvo cuando todavía le faltaban unos cuarenta metros para divisar la gasolinera, y lo hizo tan de golpe que Belle y Greta se le quedaron mirando. Le resultaba imposible seguir pensando en el cuento. Por debajo de palabras como Peter Pan o Garfio, oía otras palabras y otras frases, referidas todas ellas a lo que acababa de ocurrir en la panadería: «Estás perdido, el error del teléfono te llevará otra vez a la cárcel, y antes de eso, ya sabes, las torturas, las mismas torturas que emplearon con Arregui hace algo más de un año. Muy mal panorama. Y todo por un chivato asqueroso. En serio, deberías encontrar al que dio el chivatazo, encontrarlo y liquidarlo de un tiro». Le resultaba muy difícil acallar aquel murmullo y desviar sus pensamientos.

«Tienes que hacer frente a la situación, Carlos —oyó en su interior. Sabino se dirigía a él con voz muy serena—.

Yo creo que la alarma roja todavía no se ha encendido. No saben dónde están Jon y Jone, y eso es lo más importante, tienes que agarrarte a esa idea para resistir. Ellos han debido ya darse cuenta de que no eres un adolescente que se asuste con dos bofetadas, y no se arriesgarán a detenerte. Porque, vamos a ver, si te detienen y aguantas dos o tres días sin hablar, entonces ¿qué? Entonces se quedan sin Jon y Jone, y no olvides que el objetivo principal son ellos. No, yo creo que seguirán al acecho, a ver cuándo cometes un fallo. Al menos durante un tiempo. Ya has visto cómo ha actuado Stefano después de preguntar lo del teléfono. Se ha echado atrás. Por otra parte, recuerda lo poco que falta. Un día y medio más y todos estaréis a salvo. Cuando Jon y Jone se hayan marchado, no tendrán pruebas contra ti».

Carlos abarcó con la vista el recorrido que acababa de hacer: la panadería, el olivar desde la panadería hasta la Fontana, el cauce seco de la Riera Blanca que pasaba por detrás de la fuente, la raya blanca intermitente que ascendía desde la Riera hasta el punto donde se encontraba. ¿Había sido paranoica la decisión de marcar el itinerario de la fuga? Sí, podía ser, podía ser que tanto aquella acción como el error del teléfono fueran resultado de la labor de zapa del Miedo.

Comenzó a bajar la ladera a toda prisa, y Belle y Greta le siguieron de cerca contagiadas por su mismo desasosiego. No tenía ganas de pensar más sobre aquel tema, ni siquiera con ayuda de Sabino. Quería regresar a su apartamento y dormir, abreviar como fuese el tiempo muerto que le faltaba por recorrer hasta el tercer asterisco. Pero a poco de ponerse en marcha, volvió a asaltarle la idea del teléfono, y se le ocurrió que también Stefano podía hacer lo mismo que él, marcar el diecisiete, colgar y volver a marcar. ¿Y qué sucedería entonces, cuando Jone cogiera el aparato? Entonces sí que todo estaría perdido. Asustado por la idea, Carlos avivó aún más el paso y luego, ya en la Riera Blanca, se puso a correr con todas sus fuerzas...

—¡Adiós! —le dijo Pascal cuando pasó al lado de su casita. Él le respondió levantando la mano y sin detenerse.

—¡Rápido, adentro! —se impacientó con Belle y Greta cuando llegaron al almacén. Los perros querían seguir fuera, y se resistían a entrar. Pero la situación sólo duró unos segundos. Conocían a su dueño y les bastaba el tono de una palabra para percibir su humor.

—¿Qué te pasa? —le preguntó María Teresa cuando ambos coincidieron en la entrada del hotel. Iba vestida con el uniforme negro, preparada para empezar a servir las comidas en la terraza, y miraba a Carlos con una mezcla de preocupación y alegría—. Estás empapado de sudor —añadió señalando la pechera mojada de su camisa.

—Me ha dado por correr un poco, eso es todo —le contestó Carlos dándole un beso en los labios y siguiendo escaleras arriba.

—Ya sé por qué me has dado un beso. Para acabar antes. Una conversación siempre lleva más tiempo —exclamó María Teresa antes de que él subiera los primeros cinco escalones.

—De todas formas, un beso es un beso —declaró él deteniéndose en el séptimo escalón.

—Te acuerdas, ¿no? Tenemos una cita. A las nueve, si no me equivoco —dijo ella mientras abría la puerta de la cocina. Tenía una sonrisa maliciosa en los labios.

—A las ocho y media, si no te importa —corrigió Carlos haciendo esfuerzos por corresponder a la sonrisa.

—Menos mal que te acuerdas. Me alegra mucho. Y ahora, sigue para tu apartamento, que lo estás deseando —le respondió María Teresa con un guiño, desapareciendo en dirección a la cocina.

Se sintió mejor en cuanto entró al apartamento. No era un lugar como la panadería, no tenía una pared invisible o un aura protectora que lo separara del mundo; pero así y todo, tampoco estaba, como la terraza o la piscina del hotel, expuesto al mundo. Se dejó caer en el sofá de la sala y cogió el teléfono. Marcó el diecisiete, colgó y volvió a marcar.

—*Diguim?* —dijo una voz al otro lado.

—Eres tú, ¿no? —preguntó Carlos dubitativo.

—Sí, soy yo. He contestado en catalán por si acaso —aclaró Jone.

—¿Ha llamado alguien?

—Sí, ha habido dos llamadas. Pero no hemos cogido el teléfono. La primera vez han dejado que sonara tres veces y entonces han cortado. Me ha parecido raro. ¿Eras tú?

—No. No era yo —dijo Carlos aliviado. Stefano sabía cada vez más cosas, pero no, afortunadamente, las más imprescindibles; había adivinado lo del teléfono y lo de la clave, pero no la clave misma. No era tres señales de llamada y colgar. La clave era una señal y colgar.

—¿Cómo están las cosas? —preguntó Jone con frialdad. Carlos se la imaginó con la pistola a la vista, en tensión, dominando perfectamente los nervios.

—Están cerca, pero no saben cómo jugar la última carta.

—¿Te presionan mucho? —dijo Jone de repente cambiando de voz y en un susurro. A Carlos le pareció el tono de una hermana mayor algo preocupada.

—Sí, pero llegaré entero hasta el último extremo de la raya —respondió. En su imaginación, aquel extremo tenía la forma de un asterisco.

—Yo creo que sí. Me enfadé cuando me dijiste que habías marcado el camino con spray, pero fue una tontería por mi parte. Estás trabajando bien. De verdad, te lo agradezco mucho. Y la organización también te lo agradecerá.

Jone seguía hablando en susurros, y la conversación entre ambos tenía, además de un tono íntimo, cierto aire solemne; como las que mantienen entre sí los suicidas, como las de los enfermos que se hablan de una cama a otra y al amparo de la noche. Sí, estaban en el extraño territorio de los que se encuentran en peligro de muerte, y compartir esa patria los unía, los hermanaba.

—Una cosa, Jone. Supongamos que mañana no aparezco, que dan las nueve y no aparezco. En ese caso, os vestís las chilabas y vais a la gasolinera por el camino señalado. Llegaréis en veinte o veinticinco minutos, y sin correr mucho riesgo. El único peligro, yo creo, puede estar en el trecho que hay entre la panadería y la fuente.

—Esperaremos hasta las nueve y media. Supongo que por media hora no pasará nada. Además, estará más oscuro. Ya te dije que me gusta la oscuridad. Los polis se asustan bastante cuando no pueden ver de dónde les vienen los tiros.

Jone acabó la frase con una risita. El juego de palabras había sido involuntario.

—Quedamos en eso, entonces.

—Y de la ropa no te preocupes —siguió Jone con una segunda risita—. Ya estoy vestida con la chilaba. La verdad es que es mucho más cómodo. Y Jon también está a favor. Dice que así estoy más guapa.

—Ya sabes lo que tienes que hacer de aquí en adelante.

—Lo de la furgoneta estará bien atado, ¿no?

—Sí, seguro. No habrá problemas.

—No, no los habrá. Pues, hasta mañana, entonces.

—Sí, hasta mañana.

—Si tienes necesidad de llamar aquí, usa una clave nueva. Antes de colgar deja que el teléfono suene tres veces. El tipo que ha llamado antes no lo hará así. Probará otra clave distinta.

—No está mal pensado.

—Hasta mañana. Y, tranquilo, no habrá problemas.

—Lo mismo os digo.

Carlos se quedó un rato sentado en el sofá. Jone estaba muy en su sitio, alerta y segura, e infundía a sus palabras la confianza que el responsable de un comando siempre debía manifestar. Sí, lo más probable era que todo saliera bien.

Primero fue a la cocina a coger un vaso de leche, y luego a su habitación. Cinco minutos después estaba acostado en la cama y las sustancias de la pastilla de Valium circulaban por sus venas llevando el sueño a todo su cuerpo.

«Hoy me he levantado a las cuatro y media de la mañana», leyó Carlos a la luz que entraba a la habitación a través de las rendijas de la persiana. Era el comienzo de una carta escrita por Rosa Luxemburgo desde la prisión de Breslau. «Después de levantarme he estado mucho tiempo contemplando las nubecillas grises del cielo, y mirando también el patio de la prisión que todavía dormía. Después, he pasado revista minuciosa a las macetas de flores, y las he regado. Además, he cambiado de sitio los jarros de cristal y los tiestos; ahora son las seis de la mañana y estoy sentada ante la mesa con la intención de escribirte. ¡Ay, mis nervios! ¡Mis nervios! ¡No puedo dormir! Incluso un dentista —aunque ante él me porto como un corderito— me lo hizo notar: ¡Ay! ¡Tiene usted los nervios destrozados! Pero yo me burlo de todo...»

Se le fue el pensamiento a la pastilla de Valium que circulaba por sus venas. Quería dormirse cuanto antes. ¡Cómo le habría gustado dormir hasta la tarde del día siguiente! Pero no podía, por su cita con María Teresa y porque debía seguir haciendo vida normal a fin de no levantar sospechas. Se acordó de La Masía. Al final, no había llamado al restaurante para reservar mesa. Pero daba igual, entre semana no habría problemas.

«Siempre que hablamos de Max Schippel —leyó después de hojear el libro y elegir otra página—, me asoma a los labios una sonrisa de melancolía. Némesis, lo mismo entre nosotros que en cualquier otro lugar, no hiere al más culpable, ni siquiera al más peligroso, sino al más débil».

Era la segunda vez que coincidía con aquellas líneas, pero esta vez percibía en ellas un sentido nuevo. En la situación en que se encontraban, ¿a quién golpearía Némesis? ¿A él mismo? ¿A Stefano? ¿A Jone? ¿A Jon, que según ella era tan histérico? ¿A los del hotel? Le resultaba difícil aventurar un juicio. Además, le costaba pensar, se estaba durmiendo. El libro se le caía de las manos.

Al instante, o después de un tiempo que a él le pareció un instante, le despertó el sonido agudo del teléfono. Estaba sonando en la sala, prolongadamente, como si quisiera conseguir la comunicación costara lo que costara. Carlos, al tiempo que saltaba de la cama, imaginó a Jone al otro extremo de la línea telefónica. Quizás había ocurrido algo, algo imprevisto y poco conveniente para ellos.

—¿Te he despertado? Pensaba que estarías en la ducha y por eso he insistido —oyó cuando cogió el teléfono. Era Guiomar.

—¿Y por qué has pensado que estaría en la ducha? La cama me gusta más que la ducha —respondió Carlos prestando un tono festivo a su voz. Se sentía bien, como después de un sueño lleno de imágenes agradables. Pero no recordaba lo que había estado soñando.

—Por María Teresa. Me ha dicho que pensaba cenar contigo y que iba a casa a ponerse elegante. Por eso he pensado que estarías en la ducha.

—¿A cenar? Pues ¿qué hora es? —preguntó sorprendido Carlos.

—Van a ser las ocho menos cuarto.

—¿Ya? —Carlos estaba realmente sorprendido. El rato que a él le había parecido un instante había durado seis horas.

Intercambiaron algunas frases más, sin otra finalidad que la de tantear en qué punto estaba la relación entre ambos. Al fin, una vez comprobado que la discusión del día anterior en la piscina no había hecho tanta mella, Guiomar pasó a explicarle la razón principal de su llamada.

—Mañana, si te parece bien, vamos a Barcelona —comenzó con el tono de quien desea exponer rápido un programa—. Por la mañana consultaremos agencias inmobiliarias, a ver si tienen un apartamento o un piso para nosotros. Como te puedes imaginar, ahora me interesa mucho tener un campamento en Barcelona. Es posible que también yo tenga que cambiar de vida. Depende de cómo vayan las cosas...

«Y de cómo reaccione Ugarte», pensó Carlos. Pero no dijo nada, ni sobre aquel tema, ni sobre la posibilidad de una nueva vida. En su caso, estaba seguro, el cambio no era posible.

—Y a la tarde vamos al fútbol. He conseguido dos entradas para el partido entre Brasil y Argentina. Estupendas. En palco.

Guiomar soltó una risita al pronunciar las últimas palabras.

—¿En palco?

—Las he conseguido a través de Danuta. Me las ha dado para ti y para mí —le dijo Guiomar bajando un poco la voz, como si contara un secreto—. Por lo visto, eran para Piechniczek y algún otro del equipo, pero como entre ellos están todos enfadados, han llegado a manos de Danuta. ¿Qué te parece? Será un partido soberbio.

—Sin ninguna duda. Maradona, Zico y los demás no son ninguna tontería jugando al fútbol —le dijo Carlos. El partido era a las cinco de la tarde. Se acoplaba perfectamente con el horario de la fuga.

—Entonces, ¿qué me dices?

—Me parece buen plan.

—Entonces, vamos al partido. Estupendo. Además... —Guiomar titubeó antes de dejar caer la broma—.

Si tienes que ir a la cárcel, que sea después de ver un partidazo.

—Tienes toda la razón. Pero no tendré que ir, no creo. Dime, ¿a qué hora saldríamos para Barcelona?

—Hacia las diez, si te parece bien. Vamos allí y desayunamos una ensaimada en el Zurich, como los turistas. A fin de cuentas, habrá turistas que visiten Barcelona más a menudo que tú. ¿Cuánto tiempo llevas sin ir, si puede saberse? —dijo Guiomar.

—Cerca de un año. Algo menos.

—Por eso digo lo del Zurich. Pero... —Guiomar hizo una pausa, para pensar mejor lo que iba a declarar—. De aquí en adelante tenemos que hacer las cosas de otra forma. A ver si encontramos un buen dúplex y emprendemos esa nueva vida de la que hablábamos el otro día.

—Tú ya la has emprendido, ¿no?

—Creo que sí. Ahora tengo más preocupaciones.

Soltó una risita y calló por segunda vez, como si se hubiera quedado atento al eco producido por sus palabras. Carlos pensó que se estaría representando mentalmente a Pascal.

—Hasta mañana, Guiomar. A las diez, como hemos dicho.

—De acuerdo. Nos encontraremos en el garaje mismo, porque yo saldré del apartamento antes que tú. Quiero dar una vuelta con Pascal antes de ir a Barcelona. Me ha dicho que ya ha terminado la casita de Peter Pan, y me la quiere enseñar.

—Muy bien. En el garaje, entonces. ¿Qué coche llevaremos? —preguntó Carlos. Le vino la imagen de la casita de detrás de la Fontana.

—El pequeño. Por la ciudad andaremos mejor con el R-5. Así que hasta mañana. Que lo pases bien con María Teresa.

—Otra cosa —se apresuró a decir Carlos—. Hoy voy a traer aquí... Quiero decir que María Teresa y yo dormiremos hoy en el apartamento. Si no te importa.

—Menos mal que has corregido la frase. Al decir que la ibas a *traer* me has asustado un poco. Parecía que hablabas de una maleta —comentó Guiomar en tono burlón.

—No leo a Alexandra Kollontai todo lo que debería, ya sabes.

—No hace falta que lo digas. Y en cuanto a la otra cuestión, fuiste tú el que impuso la prohibición de traer chicas al apartamento. A mí me da igual...

Guiomar volvió a hacer una pausa, la tercera de la conversación. Esta vez, también Carlos se quedó callado.

—Laura y yo también iríamos al apartamento —continuó al fin—. Pero no me parece correcto. No tengo ganas de enfadarme con Ugarte. Todavía no nos hemos sentado a hablar.

—No te preocupes. Seguro que mañana encontramos ese dúplex —dijo Carlos, subrayando la palabra dúplex—. Y ahora, perdona, pero tengo que ducharme.

—Muy bien —concedió Guiomar volviendo a adoptar un tono de broma—. A ver si consigues hacerlo en menos de una hora. Es muy fácil. Los que hemos nacido en La Habana lo conseguimos casi sin esfuerzo.

—Sí, me lo has repetido muchas veces. Pero siempre sin razón.

«¿Sabes por qué pasas tanto tiempo en la ducha? —le decía Guiomar a veces, cuando Carlos le hacía esperar—. Pues por la sencilla razón de que vosotros, tú y todos los que habéis nacido entre montañas, le tenéis un respeto atávico al agua, y nunca os metéis en ella sin un ritual previo. Por eso necesitas un cuarto de hora sólo para entrar en la bañera; no es porque estés regulando la temperatura del agua, sino para ahuyentar los malos espíritus que pueda haber en el cuarto de baño. Y lo peor es que no te das cuenta».

Volvió a su habitación y miró el reloj. Eran las ocho menos diez. Si iba a pie, y era lo que le apetecía, necesitaría veinte minutos para llegar a La Masía. Así que no le quedaban más que otros veinte minutos escasos para ducharse, afeitarse y vestirse. Para él era muy poco tiempo, porque, tal como decía Guiomar, le gustaba quedarse en la ducha mucho rato, y afeitarse luego con la radio encendida y escuchando las noticias. Pero aquella tarde la falta de tiempo no le producía ningún malestar. El sosiego proporcionado por las seis horas de sueño iba creciendo en su interior, sin que él pusiera ningún empeño en ello, por el mero discurrir de la sangre en sus venas. Tenía la impresión de que la sangre recorría su cuerpo una y otra vez, y que a cada vuelta depositaba en su cabeza —como el río que deposita arena en los meandros— palabras gratas y favorables; palabras que poco a poco se iban agrupando y formando montículos: «Mañana terminará todo; acabarán saliendo bien las cosas; tiendes a exagerar los problemas y en esta ocasión has hecho lo mismo; por mal que vayan las cosas siempre puedes alegar la atracción sexual. Que tenías ganas de darle un viaje a Jone, y que por eso te metiste en este lío. Puedes decirlo exactamente así: que tenías ganas de darle un viaje a la chica. Resultará muy convincente».

Las palabras gratas y favorables siguieron acumulándose en su mente mientras las gotas de agua le iban cayendo sobre el cuerpo, y Carlos se fue sintiendo cada vez más seguro. Su seguridad era, además, generalizada, y lo mismo afectaba al problema concreto de Jon y Jone que a los asuntos de su vida personal. Por ejemplo, no sentía necesidad de masturbarse, como hacía casi siempre en previsión de acostarse con una mujer. No, aquel día afrontaría el riesgo de una eyaculación precoz. Quizá de esa manera gozaría más del cuerpo de María Teresa.

Se afeitó rápidamente, sin dar tiempo a que la espuma le acondicionara la piel, y, en lugar de encender la radio, se entretuvo en observar los objetos que tenían Guiomar y él en la balda de delante del espejo. Sus cosas y las de su amigo eran muy diferentes. El cepillo de dientes y el dentífrico de Guiomar, por ejemplo, eran corrientes, se podían comprar en cualquier tienda; los suyos, en cambio, los había adquirido en una farmacia. En cuanto a la colonia y las lociones de Guiomar, venían en grandes botellas de plástico y tenían colorines de caramelo, y costaban poco. En el otro extremo, tanto su colonia como su loción eran de marca, y llenaban dos exquisitos frascos de cristal verde oscuro. Carlos leyó en ellos: *Paco Rabanne, pour homme, eau de toilette Paris 100 ml. 3,4 Floz; Paco Rabanne pour homme, baume après-rasage Paris 100 ml. 3,4 Floz.* Indudablemente, ese tipo de objetos mostraba el camino hacia su interior. Igual que el abrigo de galones de Rosa Luxemburgo, igual que los pendientes en el caso de Danuta o el deseo de viajar al extranjero de los cubanos, igual también que el gusto por los collares de los hombres del Paleolítico, aparentaban ser meros caprichos. Pero no: si era cierto que cualquier persona tiene su secreto esencial, los caprichos venían a ser algo así como las cifras de la combinación de una caja fuerte; bastaba con conocerlos y ordenarlos debidamente para poder acceder al interior de cualquier persona.

Carlos siguió con su reflexión aún después de afeitarse, mientras se vestía. Como los frascos de colonia, también los zapatos, zapatillas, pantalones, chaquetas y todo el resto de la ropa que guardaba en los armarios de su habitación informaban acerca de su secreto: componían una nueva cifra de la combinación de su caja fuerte. Entre aquellas muchísimas cosas —sólo los zapatos y zapatillas ocupaban todo un armario de baldas— no había una sola de una marca corriente. «Manías burguesas —sentenciaba Guiomar—. A los que nos hemos criado en una familia bien se nos acaba notando el origen, da lo mismo qué ideas tengamos o en qué militancia entremos. En tu caso, como naciste en una aldea, se te nota en la confianza y el respeto ciego que tienes a las cosas caras; en mi caso, como a la mayoría de los que nacimos en el Vedado de La Habana, el origen se me nota en la indolencia; en la pereza, si prefieres esta palabra». Naturalmente, Guiomar tenía razón, pero su punto de vista no hacía más que extender el problema, igual que se extendía una bola de masa de pan hasta darle la delgadez de una torta. Pero extender no era profundizar.

Abriendo los armarios, eligió unos zapatos ligeros de Camper, y después —vistiéndose de abajo hacia arriba— unos calcetines negros de algodón, unos Levi's —también negros—, una camisa verde con rayas grises y una chaqueta negra de lino. «Manías burguesas», repitió mentalmente cuando volvió al cuarto de baño y se miró en el espejo. Pero estas palabras, ahora, le hacían gracia. «Sois unos chicos serios y guapos, saldréis muy bien en la foto de la escuela», oyó entonces, y se vio a sí mismo ante el espejo del salón de su casa natal y acompañado de su hermano, vestidos los dos con traje y corbata, y la tía Miren detrás de ellos con el peine en la mano y diciendo aquellas palabras. Carlos sacudió la cabeza, casi riéndose. Sí, al fin se daba cuenta, sabía de dónde procedía aquel optimismo: de la segunda pastilla de Valium que había tomado seis horas antes, sin duda alguna. Parecía que las pastillas cambiaban el funcionamiento de las vísceras de su espíritu. No estaba mal. Quizá fuera mejor alcanzar un estado de ánimo semejante por sí mismo y sin salir de la realidad, pero no estaba mal.

Volviendo a la habitación, abrió un cajón del escritorio y sacó la caja de Valium de debajo del sobre a nombre de Guiomar. En el prospecto ponía que la sustancia principal de las pastillas era la llamada diazepán, y que tenía efectos tanto ansiolíticos como sedantes y amnésicos. Desde luego, el nombre era feo, pero la sustancia era noble, venida al mundo para hacer el bien. En aquel mismo momento lo estaba haciendo, le estaba ayudando a él. Sobre todo por su efecto amnésico. Naturalmente, seguía acordándose de muchas cosas, recordaba por ejemplo lo que había escrito en la carta dirigida a Guiomar, pero aquello no le inquietaba, se le antojaba algo sin ningún significado especial.

Carlos cortó el hilo de sus pensamientos no bien salió del apartamento y se encaminó hacia La Masía, y acometió el descenso del primer tramo de la calzada con una agradable sensación de ingravidez. Le parecía que sus pies iban a perder el contacto con el suelo, y que tendría que hacer fuerza sobre su cuerpo para que dejara de deslizarse por el aire. Y a aquella sensación pronto se le añadió una segunda, la de que sus ojos estaban más limpios y veían mejor que nunca. La montaña de Montserrat se le aparecía como una muralla pálida, aunque la palidez no fuera total debido a que las puntas de la montaña —«como las puntas de los espárragos», pensó— eran de color morado. Entre la muralla y la calzada, las ventanas de las casas de las urbanizaciones aportaban la luz más amarilla de todas, y los cipreses del recinto de la piscina, la oscuridad más profunda. El movimiento, en cambio, se centraba en los autos de la carretera, y también, a otro nivel, en el murciélago que iba y venía sin rumbo sobre la calzada. ¿Sería el mismo que solía girar alrededor de la farola del hotel? No podía saberlo. No recordaba haber visto un murciélago al salir de allí. Pero ¿estaban encendidas las farolas? Tampoco lo recordaba. No había comido y tenía hambre, pero le parecía que todas las vísceras de su cuerpo estaban bien, en su lugar, en su tiempo, en su medida.

Después de pasar junto a la entrada de la piscina, vio un grupo de guardias frente a dos jeep. Casi al mismo tiempo, oyó el ruido del motor de un coche que se le acercaba por detrás. «Ahora te detendrán», le dijo la Rata con una voz muy debilitada por la sustancia que circulaba en sus venas. Se volvió, y vio un Citroën de modelo antiguo, y en su interior una mujer joven. Beatriz se iba a casa tras terminar el trabajo.

—¿Adónde vas? Si quieres te llevo —le dijo frenando el coche y abriendo la ventanilla. Contra su costumbre, iba vestida con sencillez, con pantalones vaqueros y una camiseta blanca con números impresos a la altura del pecho.

—La verdad es que voy a una cita con una mujer —respondió Carlos acercándose a la ventanilla. El tono utilizado le pertenecía sólo a medias. Más que suyo, o tanto como suyo, era el propio de Ugarte—. Así que será mejor que siga a pie. No puedo presentarme a la cita con una mujer como tú. Las mujeres como tú acomplejan a las demás.

La mano de Beatriz dio un golpe al volante, y sus labios dibujaron un suspiro de cansancio. Pero lo cierto era que la forma de hablar de Carlos le divertía.

—Como quieras —dijo con un encogimiento de hombros y disponiéndose a arrancar. Pero antes de quitar el freno de mano se volvió de nuevo hacia Carlos—. Y otra cosa. ¿Desde cuándo estás sin teléfono en la panadería? ¿Qué ha pasado con la extensión diecisiete?

Carlos calló un momento para elaborar una respuesta adecuada. El murciélago que volaba sobre la calzada dio dos vueltas completas por encima del Citroën.

—¿Las azafatas hacíais el servicio militar? —le preguntó.

—Luego te lo digo. Sigue, por favor —le rogó Beatriz cruzando los brazos.

—Claro, claro, no lo hacíais. Y por lo tanto no conocéis las costumbres de los cuarteles. Pues, según una de esas costumbres, si un fusil se dispara por su cuenta y mata o hiere a alguien, va al calabozo directamente. Queda preso. Y lo mismo pasa con los camiones y con los coches. Si son responsables de un accidente grave, van directos al calabozo. Para siempre o para unos cuantos años. Según la gravedad de lo que hayan hecho.

Terminó de hablar, y se quedó mirando los dos jeep de los guardias. Estaban a unos cincuenta metros.

—¿Es cierto eso? —se extrañó Beatriz. También ella miraba los jeep.

—Completamente cierto.

—¿Y tiene eso algo que ver con tu teléfono de la panadería?

—Sí que tiene. Ese teléfono me jugó una mala pasada —declaró Carlos con la mayor seriedad. Más que nunca, bajo su forma de hablar discurría el espíritu de Ugarte—. Un día me pasó unas palabras tuyas, y me las pasó muy mal, haciéndome entender cosas que no eran y empujándome a dar un paso en falso. Por esa razón, por ser el responsable de la mayor decepción amorosa que he recibido últimamente, lo saqué de la panadería y ahora lo tengo preso en un cajón del apartamento.

Beatriz cerró los ojos, y se llevó el dedo índice a la sien dando a entender que estaba loco. Pero no rechazaba el juego de Carlos, no le hacía retroceder con frases agresivas como «¿Ahora hablas como Ugarte?» o similares. Carlos leyó las cifras de la camiseta pasando de un pecho de Beatriz al otro, 3, 7, 9, 1, 5, 3, 6, 4, 1... Era una maraña de números, un revoltijo sin ningún orden. ¿Cuál sería la combinación para acceder al cuerpo desnudo de Beatriz? ¿Nueve-uno-cinco-nueve-tres?

¿Siete-siete-seis-uno-uno? Él creía conocer dos de los números, pero le faltaban los otros tres. Quizás algún día daría con ellos.

—No sé si ese tal Stefano aceptaría la explicación. Otro loco, ese periodista. Hoy a mediodía se me ha puesto a gritar y me ha llamado incompetente. Me reprochaba que le hubiera informado mal sobre tu teléfono. Si no llega a intervenir Ugarte, yo qué sé lo que me habría dicho.

Beatriz frunció la frente. Todavía estaba enojada por el altercado del mediodía.

—¿Qué le ha dicho Ugarte?

—Que eres un tipo muy raro, y que esta última temporada te ha dado por la misantropía. Y que por eso quitaste el teléfono de la panadería, para estar más solo. Evidentemente, no estaba enterado de tu cena de esta noche...

Beatriz le miró burlonamente.

—¿Sabes lo que le tienes que decir la próxima vez? A Stefano, me refiero —le dijo Carlos. Le alegraba que Ugarte hubiese intervenido a su favor, le ponía un poco eufórico—. Pues tienes que decirle, Stefano, vete a tomar por el culo. Se lo dices tal cual. Y si se pone tonto, me lo cuentas y le largo del hotel de inmediato. No es más que un hijoputa.

«Tranquilo, Carlos», le dijo Sabino.

—También es verdad que luego me ha pedido disculpas —dijo Beatriz.

—Me lo creo, eso también. Es un hijoputa, pero de los falsos.

—A mí me parece lo mismo.

Carlos hacía esfuerzos por no ceder espacio a aquel tono, nuevo en él. Pero, paradójicamente, a Beatriz parecía gustarle. Tenía que pensar en ello. Quizás el tercer número de la combinación estaba en aquel tono.

—Tienes que irte, y yo también —le dijo Carlos mirando al reloj. Eran las ocho y veinticinco.

—Bueno, hasta luego. Que lo pases bien en la cena —se despidió Beatriz quitando el freno de mano.

Las luces traseras del Citroën pasaron al rojo al ponerse a la altura de los guardias, y de allí a un instante volvieron a apagarse. Antes de que él diera diez pasos, el coche había salido de la calzada y circulaba por la carretera principal, hacia Barcelona.

Los guardias del control le miraron de reojo cuando pasó por delante de los jeep. Eran unos diez, todos ellos jóvenes y corpulentos, y los trajes y las armas que llevaban parecían recién estrenados. «Tendrás que pensar algo para entretenerles, Carlos —oyó en su interior. Era Sabino—. Si todo va bien, entonces nada, pero ¿qué harás si surge algún imprevisto? Supongamos que mañana a la tarde estos guardias y todos los que andan por el hotel reciben la orden de patrullar. Claro, puede que no se den cuenta del significado de las señales blancas, aunque... —Sabino interrumpió su reflexión durante un momento—, aunque Jone sí tiene un poco de razón, porque desde luego, éstos no son guardias corrientes, éstos son de los que empiezan a hacer preguntas y luego pasan un informe. Pero aunque no sea así, no puedes correr el riesgo de encontrarte con dos o tres de ellos; Jone o su compañero podrían liquidar a alguno, pero aun así, estaríais perdidos. De modo que tienes que pensar algo para despejar de guardias los alrededores de la panadería. Ya sé que a esa hora televisan el partido España-Alemania, pero no me parece suficiente. En una situación normal sí, pero sabiendo lo que saben, no creo que dejen las metralletas y se vayan a ver el partido, ni mucho menos. Morros y sus amigos son más profesionales que todo eso».

Estaba a punto de llegar al término de la calzada, y el rugido del tráfico le impedía oír adecuadamente las palabras de Sabino. Pero la idea había prendido en su mente, y un poco más adelante, mientras simulaba esperar el momento de cruzar la carretera, inspeccionó el terreno que quedaba a su izquierda. Había allí un tramo de la Riera Blanca que, más que el cauce seco de un arroyo, parecía un gran socavón. Por un lado daba a la carretera, y por el otro a un terreno baldío donde en otra época había habido viñas.

Se acercó al socavón y fue hasta un punto que la gente utilizaba para tirar escombros y basuras. Sí, era un buen sitio para provocar un incendio. Llegado el caso, Mikel podría bajar allí llevando un bidón de gasolina metido en una bolsa de basura o valiéndose de cualquier otra artimaña. Quizá le vieran los guardias que en ese momento estuvieran controlando la calzada del hotel, pero era difícil que la escena les llamara la atención. Además, la operación parecía segura también desde otro punto de vista, pues tanto la carretera como el terreno baldío harían de cortafuegos, evitando así todo peligro para el hotel y las urbanizaciones. Desde luego que las zarzas y las basuras del socavón producirían mucho humo e incluso llamas muy grandes, pero, en cualquier caso, sería un incendio como para entretener a la policía durante un par de horas, y nada más.

Contento por la rapidez con que había resuelto la objeción de Sabino, cruzó la carretera y tomó el camino del pueblo. ¿Lograrían su propósito? En cualquier caso, apostarían fuerte, harían movilizarse a todos los guardias alrededor del incendio. Si la táctica daba resultado, él rompería la cuartilla de los asteriscos y saldría del territorio del Miedo. Si fracasaba... Pero no quería pensar en esa posibilidad. «Pues yo creo que deberías considerarla. El diazepán se te va agotando en la sangre. Ya verás pronto, ya verás qué bonito futuro vas a contemplar cuando se te pase el efecto de la pastilla», oyó en su interior. Sacudió la cabeza una vez más. No quería pensar. No al menos hasta después de acabar la cena.

Contra lo que su nombre daba a entender, La Masía no era exactamente una casa rural acondicionada como restaurante, sino una antigua hospedería que, en su etapa más reciente, se había convertido en el centro de reunión de la gente que vivía en las urbanizaciones o en las torres de la zona de Montserrat. Como recuerdo del pasado, la casa conservaba un amplio zaguán para las caballerías y la gruesa piedra de las paredes; el resto de las estancias, tanto el bar de estilo inglés que seguía al vestíbulo como el comedor y la cocina, habían sido renovadas dos o tres años antes.

—El sitio es un poco pretencioso, pero se come muy bien —dijo Carlos cuando María Teresa aceptó sus disculpas por llegar tarde.

—A mí me parece un sitio muy bonito —dijo ella. Estaba sentada delante de la barra del bar tomando un martini, y vestía un traje beige entallado.

—Estás muy bien —le dijo Carlos dándole un beso en los labios.

—¡Cuidado! ¡Me vas a quitar la pintura! —dijo María Teresa sonriendo.

—La pintura y muchas más cosas. Dame tiempo —respondió Carlos mientras hacía un gesto al camarero del mostrador—. Otro martini para mí.

—¿Quiere que se lo prepare? —le preguntó el camarero. Carlos hizo un gesto afirmativo.

—¿Qué me cuentas, María Teresa? —preguntó Carlos después de dar un trago al martini de ella, como si la conversación entre ambos se iniciara en aquel momento. Se sentía peor que cuando había salido del hotel; no mal, pero sí peor. La sangre seguía circulando por el interior de su cuerpo, pero ya no depositaba a su paso las palabras tranquilizadoras de una hora antes; al contrario, los montículos formados por frases como «todo acabará bien» se iban disolviendo. Pero no le importaba: sustituiría el diazepán con el alcohol. Quería que la realidad se mantuviera fuera de La Masía, que se callaran todas las voces interiores, que a sus oídos no llegara más que la charla de María Teresa.

María Teresa le estaba contando un problema de su hijo. Al parecer, un profesor le tenía manía y le negaba el sobresaliente que a todas luces se merecía. Como consecuencia de ello, la nota media le bajaba siete décimas, y el chico se quedaba sin beca.

—Y es mucho dinero. Hay mucha diferencia entre tener la beca y no tenerla. Para gente como tú, no —sonrió al hacer esta afirmación—, pero para una simple empleada como yo, sí.

—Lo comprendo.

—Pero no vamos a hablar de problemas —dijo María Teresa cogiendo su vaso—. Para mí hoy es un día muy especial. Es la primera vez que me invitas a cenar —añadió mientras ponía su mano sobre la de Carlos.

—Perdón —dijo el camarero en voz muy baja, pesaroso quizá de haber frustrado el gesto de afecto de María Teresa o su continuación.

Después, depositó ante Carlos el martini que acababa de preparar y les tendió dos cartas con el menú. ¿Deseaban elegir los platos? Si lo hacían, tendrían que esperar menos cuando se sentaran a la mesa.

—Bien, enseguida elegimos. Igual no está bien que lo diga, pero hoy no he comido y tengo un hambre espantosa —dijo Carlos dando un trago largo al martini. Era una bebida fuerte, y entraba en el estómago dejando un rastro de calor.

—¿Por qué iba a estar mal decir que tienes hambre? —comentó María Teresa.

Carlos eligió espinacas con piñones y una carne guarnecida de salsa de pimienta negra. María Teresa, un plato frío llamado escalibada y trucha con jamón.

—Y de postre, tomaré un músico. Ya sé que tiene muchas calorías pero me da igual —dijo María Teresa, dejando la carta. Se refería a un postre de frutos secos que se tomaba con una copa de moscatel—. ¿Sabes por qué se le llama así?

—Algo he oído, pero no me acuerdo —le dijo Carlos. Dejó también la carta en la mesa—. ¿Cómo era la historia? —añadió llamando al camarero con un gesto.

—Bueno, según cuentan, en una época los músicos eran muy pobres y no les llegaba el dinero ni para comer. Por eso pedían ese postre, porque tiene muchas calorías.

—Es verdad, ahora lo recuerdo —dijo Carlos. Luego se dirigió al camarero, que ya había acudido a su llamada—. ¿Nos puede traer aceitunas? Tengo que comer algo, si no quiero que el martini se me suba a la cabeza.

—Les puedo traer también un poco de mantequilla. Dicen que va bien tener algo de grasa en el estómago. Para contrarrestar el alcohol, quiero decir —dijo el camarero con la misma voz apagada de antes. Era un hombre un poco triste.

—No, bastará con las aceitunas.

—¡Claro que sí! Si no nos emborrachamos un poquito, no tiene gracia —rió María Teresa señalando su martini. El camarero sonrió sin convicción.

—Y si quiere tomar nota de lo que hemos elegido para cenar... —dijo Carlos. El camarero asintió con un gesto.

Un cuarto de hora más tarde —acabados los martinis, vacío el platillo de aceitunas— se dirigieron al comedor. Al atravesar el pasillo, nada más pasar la puerta de la cocina, alguien llamó a María Teresa.

—¡Nuria!

Después de besarse, las dos mujeres se pusieron a charlar animadamente, y Nuria comenzó a explicar todo lo que le había pasado en los últimos días. Había tenido suerte, ya que justo el día siguiente de que la despidieran del hotel había empezado a trabajar en La Masía, pero de todas formas el comportamiento de Laura había sido vergonzoso. Sí, la gente del hotel era muy rara, saltaba a la vista que todos habían pasado por la cárcel y no habían salido de allí muy bien de la cabeza.

—Te espero dentro —dijo Carlos. Se sentía incómodo de pie en el pasillo y expuesto a las miradas hostiles de Nuria.

El comedor era muy amplio, y la decoración —no sólo por las columnas de madera— parecía más apropiada para el invierno que para el verano. Alejándose de las tres mesas que estaban ocupadas, Carlos fue hacia el ángulo opuesto a la puerta y se sentó cerca del fuego bajo.

—Es una lástima que no estemos en invierno. Cuando hace frío y está encendido el fuego, esta mesa resulta muy agradable —le dijo la encargada del comedor. Era una señora de unos cincuenta años.

A diferencia del camarero del bar, daba la impresión de ser una persona muy enérgica.

—Tampoco ahora está mal —dijo Carlos.

—¿Le traigo el vino para que no esté tan solito? —dijo la señora llevando el bolígrafo a su cuaderno de notas—. ¿Qué vino ponemos?

—Pues, no sé —dijo Carlos algo confuso. ¿Por qué le hablaba la señora con tanta familiaridad? ¿Qué tipo de restaurante era aquél? ¿Un lugar para parejitas? Su forma de hablar era más propia de una *madame* que de una encargada de comedor.

—Ugarte suele escoger vinos del País Vasco. Dice que no hay que perder del todo los lazos con la patria —le informó la señora con una sonrisa amistosa.

Aquello explicaba las cosas. Ugarte era probablemente un cliente asiduo del restaurante, y de ahí que también a él le recibieran como a un amigo. Indudablemente, la señora tenía buena memoria visual. Hacía más de cinco meses que Doro, Ugarte, Guiomar y todos los del hotel habían estado cenando allí. Con motivo del cincuenta y cinco cumpleaños de Doro, precisamente.

—Bueno, pues como yo soy muy diferente de Ugarte, tráigame uno catalán. El que usted quiera.

—Entonces le traeré el de la casa. Creo que les gustará.

La señora hizo dos paradas —en la mesa de una pareja de cierta edad y en la de un hombre que cenaba solo— antes de desaparecer tras la puerta que daba a la cocina. Pero la mirada de Carlos no la siguió hasta allí. Se detuvo en los clientes que estaban cenando. No parecían policías. Ni el hombre que cenaba solo, ni menos todavía la pareja. En cuanto a la tercera mesa, al otro lado del comedor, la ocupaba una familia, los padres y tres hijos pequeños. No había motivos para inquietarse.

María Teresa apareció en la puerta del comedor, y se detuvo un momento para ver en qué mesa estaba sentado. Acercándose a ella, la encargada le hizo un gesto que daba a entender *está allí*, y las dos se encaminaron hacia Carlos.

—Espero no haber tardado mucho —le dijo María Teresa al sentarse. La encargada del comedor puso un poco de vino en la copa de Carlos.

—¿Le gusta? —preguntó. Carlos le dijo que sí.

—Enseguida les traigo los primeros. Espinacas y escalibada, ¿verdad?

Los dos asintieron, y la señora volvió a alejarse en dirección a la cocina. Carlos sirvió el vino.

—¡Uff! ¡Qué enfadada está Nuria! —dijo María Teresa.

—¿Qué te ha dicho? ¿Que sufrió una agresión por mi parte? Pues no ha mentido. El lunes pasado le di un trastazo con la puerta de la cocina.

—Ya, ya lo sé.

—Fue sin querer, claro. Pensé que tendría mejores reflejos.

—No hace falta que lo digas —dijo ella amablemente. Después, cogió a Carlos del brazo—. Haremos un brindis, ¿no?

—Hazlo tú.

—Bueno, entonces, lo haré en secreto —dijo María Teresa levantando la copa.

—Entonces, yo también.

«Que la fuga de mañana salga bien», pensó Carlos. Pero nada más concebir el deseo se sintió injusto. Volvió a levantar la copa y miró a la mujer:

—Para que seas rica y feliz.

—A ver si es verdad.

—¿Por qué no? Es posible. En cierta medida, al menos —dijo Carlos tras vaciar la copa. Acababa de decidir que modificaría el testamento. Pondría el nombre de ella junto al de Pascal.

—A pesar de todo, Nuria no está enfadada contigo. Con quien está realmente enfadada es con Laura —comenzó María Teresa, y pasó a contarle los últimos sucesos del hotel: Laura y Ugarte, que dormían en camas separadas desde mayo, y que estaban haciendo una especie de prueba para decidir si se divorciaban o no, se habían peleado cuando sólo faltaban dos días para el fin del periodo de prueba. Y todo porque Laura se había dado cuenta de lo que había entre Nuria y Ugarte. Entonces, a pesar de lo poquísimo que quedaba para que cada cual recuperara su libertad, había armado un escándalo y había despedido a Nuria del hotel sin admitir ningún tipo de explicación.

—Yo creo que Laura aprovechó la circunstancia para dar el paso que quería dar —dijo Carlos mientras cogía con el tenedor un piñón del plato de espinacas que le habían servido y se lo llevaba a la boca—. Yo estuve en aquella cena, y mi impresión fue que si Laura montaba aquel jaleo era para que lo oyera otra persona.

—Para que lo oyera Guiomar, claro.

—Así que sabías lo de Laura y Guiomar —dijo él.

—Todos lo sospechábamos. Todos menos tú, quiero decir.

—¿Y qué te parece? —le preguntó Carlos. Bebió un poco de vino y se quedó a la espera. No tenía otro objetivo en aquella cena que el de ir emborrachándose poco a poco mientras se distraía con asuntos irrelevantes.

—Yo creo que eso de las pruebas y tal son tonterías. Una pareja o se lleva bien o se lleva mal. Y si empieza a llevarse mal es muy difícil que más adelante se lleve bien. Y luego, no sé, eso de estar dos meses sin acostarse con nadie... Si se está enamorado y el otro vive lejos, no digo. Pero estando como estaban Laura y Ugarte... A mí por lo menos me parece bastante normal que Ugarte empezase con Nuria. Porque Nuria también vive separada de su marido.

—Desde que a España llegó la democracia, no hay quien pare —bromeó Carlos. El porcentaje de alcohol

366

iba subiendo en sus venas—. ¿Y qué me dices de los futbolistas? —le preguntó luego, intentando cambiar de tema—. Por lo que pude ver el otro día, Masakiewicz y Banat venían con dos chicas. ¿Hay movimiento de chicas en las habitaciones del hotel?

María Teresa puso cara seria y masticó un trozo de berenjena antes de contestar. En el intervalo, Carlos levantó la vista hacia las personas que estaban entrando al comedor: parecían vecinos de las urbanizaciones, gente que huía del ambiente bullicioso del Campeonato Mundial de Fútbol.

—Yo paso muy poco tiempo en las habitaciones. Hago la cama, limpio un poco el baño, y a otra parte —declaró María Teresa.

—¡Muy profesional, sí, señor! —Carlos alzó su copa de vino y provocó un segundo brindis, ahora sin palabras—. De todas formas, en alguna habitación descansarás, ¿no? Y seguro que sabes muchos secretos de la habitación donde descansas. ¡No será la habitación de Boniek!

Se sentía raro. Tanto el diazepán como el alcohol alteraban su forma de hablar. Con el alcohol le salía un tono a medio camino entre el de Guiomar y el de Ugarte.

—Por si no lo sabes, descanso en la habitación de Danuta. ¿Y sabes por qué? Porque suele tener muchas revistas de modas, y las suelo hojear. Yo prefiero hojear una revista de modas a contemplar los calzoncillos de Boniek.

Tuvieron que hacer una pausa, porque el camarero —el mismo que les había servido los martinis en la barra— les traía el segundo plato.

—¿Quieren otra botella de vino? —le preguntó a Carlos. En la primera sólo quedaban cuatro dedos.

—Sí, tráigala.

—Creo que esta vez nos vamos a emborrachar de verdad —dijo María Teresa llevándose las manos a la cara. Tenía las mejillas sonrosadas.

—En cualquier caso, están muy cerca de casa —dijo el camarero con una confianza inesperada. Ya le habían comunicado que eran amigos de Ugarte.

—Tengo un calor espantoso. ¿No hace mucho calor? ¿O es por el vino? —preguntó María Teresa cuando volvieron a quedarse solos.

—Es por el vino, seguro. Pero si tienes calor, ¿por qué no te quitas la chaqueta?

—No puedo quitarme la chaqueta. Por lo menos aquí no. Sería un escándalo —María Teresa hizo un gesto muy propio de ella. Inclinó la cabeza, frunció los labios y le miró de abajo arriba. Carlos observó el escote de la mujer. Parecía que no llevaba camisa.

—¿No llevas nada? ¿Ni siquiera sujetador? —le preguntó Carlos subrayando la pregunta con los ojos.

—El que quiera saberlo tendrá que quitarme la chaqueta.

Carlos sirvió el vino que quedaba en la botella de la mesa.

—Todavía vas a convertirte en un sex-symbol —dijo.

—Todo nos va a hacer falta —dijo ella tras dar un pequeño sorbo al vino. El alcohol colaboraba en sus respuestas.

—¿Por qué lo dices?

—Porque está claro que ya no me deseas. Y no es una imaginación mía, sino la realidad —ahora, también María Teresa hablaba en un tono que no acababa de ser serio, pero que tampoco era de broma—: Haz cuentas, Carlos. ¿Desde cuándo no hemos ido a nuestra catacumba? Por lo menos hace quince días. Menos mal que el otro día me llevaste a la Fontana.

María Teresa llamaba catacumba al escondite que había debajo de la panadería.

—No tienes razón en absoluto. Lo que pasa es que estos días han sido algo movidos, eso es todo.

—¿Movidos en qué sentido?

Podía leer los pensamientos de la mujer como si tuviera un cartel sobre la cabeza. Un cartel que decía: «Has encontrado a otra mujer y la llevas a ella a la catacumba o a la hierba junto a la Fontana, y esa mujer te gusta más que yo, seguramente es más joven que yo». Y lo curioso era que en cierta medida tenía razón. En cierta medida, no del todo. Jone no le gustaba más que ella.

—Pues hoy tampoco vamos a ir —le dijo él.

—¿No?

María Teresa palideció un poco.

—Hoy iremos a mi apartamento —añadió Carlos casi sin interrupción. No quería que María Teresa sufriera sin necesidad.

—¿De verdad? —dijo ella aún más pálida. Dejó oír una tosecilla, como si se le hubiera atravesado una miga. Apartó de sí el plato de trucha y se le quedó mirando fijamente.

—No, no. Te lo tienes que comer todo —le dijo Carlos acercándole otra vez el plato. Le asustaba un poco lo que, con la misma claridad que en un cartel, veía en aquellos ojos. La mirada de María Teresa decía: «Interpreto tu invitación como prueba de verdadero amor. Hasta ahora creía que era un pasatiempo para ti, una amante sin más, sobre todo porque nuestro nivel económico y cultural no está a la misma altura, y porque yo no soy más que una empleada, una empleada que además es viuda y tiene un hijo de diecisiete años. Pero ahora me introduces en tu casa, y no harías algo así si fuera cierto lo que yo pensaba hasta ahora o si en tu vida hubiera otra mujer».

—Después de oír lo que he oído, no puedo comer trucha. Ni el postre del músico. Solamente puedo comer tarta. Un trozo enorme de tarta de bizcocho y crema.

Carlos se incorporó en la silla y le dio una palmadita suave en la mejilla. Sí, se trataba de una mujer inteligente. Sabía controlarse y era capaz de tener una ocurrencia como la de la tarta.

—No pienses que me importa ir a la catacumba —prosiguió María Teresa una vez que hubo cambiado los postres. Miraba hacia la botella que el camarero acababa de dejar sobre la mesa—. En realidad, me gustan esos juegos... El teatro que hacemos los dos, porque para mí son cosas nuevas. Mi difunto marido, ¿cómo diría...? Bueno, era como yo, de un pueblo pequeño y sin ninguna cultura sexual. Pero estas invitaciones, primero la de venir a cenar y luego la de ir al apartamento, las interpreto como muestras de respeto hacia mí. Así es.

María Teresa levantó la copa de vino y bebió, y Carlos hizo lo mismo un instante después. No sabía por dónde empezar a hablar. Comprendía que allí se estaba fraguando un malentendido, y comprendía también que los malentendidos crecían como bolas de nieve a poco que se les diera tiempo para ello; pero ¿qué podía hacer? En aquel momento, nada.

—Es curioso ese asunto de la cultura sexual —dijo finalmente. Sentía que le ardían las orejas, y que la cabeza se le iba un poco, pero por lo demás se encontraba muy bien—. ¿Sabes cómo la adquirí yo? ¿Cómo aprendí lo poco que sé? Pues con un instructor que tuve en mi época de militante. Se llamaba Sabino. Después fue muy amigo mío.

María Teresa asintió con la cabeza. Pero pensaba en otra cosa, y empezó a hablar antes de que él tuviera tiempo de seguir.

—Claro, ahora me doy cuenta. Por eso andaba ese periodista con pinta de payaso queriendo sonsacarme algo, porque todos vosotros anduvisteis metidos en política. Pero yo no le solté ni media palabra —dijo María Teresa con un gesto de desprecio. No le gustaba Stefano. Aún más, no le gustaba ningún hombre de modales suaves.

—¿Ah, sí? ¿Y qué quería saber? —le preguntó Carlos sin sentir la menor inquietud. Stefano tendría que darse prisa si quería capturar a Jon y Jone. Faltaban menos de veinticuatro horas para el tercer asterisco. «Cuidado, Carlos, no te confíes», oyó en su interior.

—Quería información. Si teníais visitas, si seguíais con las ideas de antes, cosas así. Que queréis despachar del País Vasco a todos los emigrantes, también me dijo eso. Porque yo también soy emigrante, claro. Yo le dije que no me lo creía. La verdad es que por la forma de preguntar parecía un policía.

—No es hombre de fiar. Eso seguro.

—Es verdad, a mí tampoco me lo parece.

—Pues siguiendo con lo de antes, Sabino tenía una teoría. Decía que la mayor parte de los militantes que entrábamos en la organización, nosotros en particular y los vascos en general, éramos bastante acomplejados en los asuntos del sexo, y que ése podía ser nuestro punto flaco, que por ejemplo la policía podía introducir en nuestro ambiente a mujeres, y que eso sería el fin, que una sola mujer policía secreta haría más daño a la organización que diez agentes masculinos. Porque una mujer experimentada nos engañaría enseguida, claro. Con lo cual, ¿qué hacía…?

Carlos rió al recordar la anécdota. Le apetecía emborracharse un poquito más, y bebió otro sorbo de vino.

—Ya se sabe. Llevaros de putas.

—Pues no. Sabino era más original que todo eso. Nos llevaba a ver películas pornográficas en una sala de Biarritz. Siempre, antes de hacer una reunión política, íbamos todos al cine. Ugarte también iba. Guiomar no. Guiomar entró en la organización más tarde.

Se calló mientras el camarero ponía en la mesa las dos porciones de tarta. Eran grandes, rebosantes de crema.

—¿Nos trae también los cafés? Cuando como dulce me gusta tomar el café enseguida —le dijo Carlos al camarero—. Recuerdo perfectamente aquellas películas… —continuó cuando se fue el camarero—: *La Cooperative de l'amour*, *Putain de temps*, tenían títulos así. Y a nosotros en aquellos tiempos nos hacían una impresión terrible. De verdad. Más que los ejercicios de tiro.

—Y las que más te gustaban eran las de romanos, los centuriones romanos violando a chicas cristianas y cosas así —dijo María Teresa. De nuevo tenía la cabeza inclinada y le miraba de abajo arriba maliciosamente.

—No, creo que eso me viene de antes. De los tiempos en que nos llevaban a ver *Ben-Hur, Quo Vadis?* y esas películas. Y ahora… —levantó la cucharilla antes de continuar la frase—, me voy a concentrar en esta tarta. Creo que estoy hablando demasiado.

María Teresa comió a poquitos, mezclando el bizcocho y la crema en la debida proporción, y tardó más que Carlos en acabar.

—¿Tienes familia? Nunca me has hablado de tu familia —preguntó ella entonces con aparente despreocupación. Pero era evidente que durante el rato que había permanecido en silencio había estado pensando en el modo de formular la pregunta. «Como bien puedes notar, el malentendido sigue adelante. Es increíble, no das un paso a derechas», oyó en su interior.

—Muy poca. Sólo me queda un hermano, Kropotky.

—¿Cómo? ¿Kropotky? —repitió María Teresa inclinada hacia delante en la mesa y llevándose una mano a la oreja—. Perdona, Carlos, pero como nunca me has hablado de tu familia, el nombre se me hace difícil.

—Kropotky, sí. Desde los catorce años todos le conocen por ese nombre, Kropotky —habló Carlos después de beber un poco de vino. De pronto, sintió pena por María Teresa. Quizá debía dejar que el malentendido siguiera adelante, y con todas sus consecuencias. No se casaría con ella, pero formalizaría su relación y la haría pública. «Qué buen corazón, Carlos», oyó en su interior. Acto seguido, la Rata comenzó a canturrear una canción popular: *Si bebo vino me emborracho, si fumo en pipa me mareo…*

—Es un nombre muy raro —dijo María Teresa un poco confusa.

—¿Quieres que te cuente la historia de mi hermano? Aquellas palabras eran una reacción contra la Rata.

—Sólo mientras tomamos el café. No quiero darte mucho trabajo —le dijo ella al ver que se les acercaba el camarero con las tazas.

—Pues cuando tenía catorce años, un obrero que estuvo de huésped en nuestro hostal le regaló un libro —continuó Carlos poco después, con la taza de café delante—. Creo que había venido a trabajar en las obras de una carretera porque acababa de salir de la cárcel y no pudo encontrar otro trabajo, o al menos eso nos dijo nuestra tía. Bueno, este hombre vio que mi hermano era un joven con inquietudes y aficionado a la lectura y, como te digo, le regaló un libro, *La conquista del pan*, de un revolucionario ruso llamado Kropotkin. A mi hermano le entusiasmó aquel libro, y a partir de entonces no hablaba de otra cosa, que si Kropotkin decía esto, que si Kropotkin decía aquello, y al final, ya sabes lo que pasa en los pueblos pequeños, todos acabamos llamándole Kropotky. Y hasta ahora…

—Qué cosas —dijo María Teresa.

«Explícale dónde está ahora, Carlos. Y explícale también por qué motivo está allí», oyó en su interior. «Tú haz lo que quieras, Carlos. Eres una persona libre, y tienes derecho a comportarte según tu propio karma», oyó a continuación en la voz del mismo Kropotky. Sentía la cabeza pesada, y le costaba incluso elevar los ojos de la mesa y echar una mirada al comedor; pero por lo demás se sentía perfectamente.

Su memoria, por ejemplo, se le antojaba repleta de recuerdos; le resultaba tan fácil recordar como sacar una manzana de un saco lleno.

—Mi abuelo tenía casas —empezó al hilo de uno de aquellos recuerdos—, y algunas de ellas en un barrio de nuestro pueblo. Y por el año 1965, cuando la gente empezó a emigrar de Andalucía, algunas familias de emigrantes se establecieron en las casas de nuestro abuelo pagando un alquiler. Y precisamente mi hermano y yo éramos los que solíamos cobrar el alquiler cada mes. Y un día, va mi hermano, reúne a todos los vecinos y se pone a dar un mitin: «Compañeros, las casas donde vivís no son de mi abuelo. No las ha levantado él. Unos trabajadores como vosotros las levantaron, pintaron y amueblaron. Y el dinero que mi abuelo gastó aquí tampoco era suyo. Era un dinero obtenido a base de pagar la cuarta parte a sus obreros…», y así todo. Acabó diciéndoles que no tenían obligación de pagar el alquiler, y allí volvimos los dos a casa sin una peseta. Le dijo al abuelo que se nos había perdido el dinero. Yo estaba asombrado, pero no podía decir nada. Él era mayor que yo, y más intelectual, por decirlo de alguna forma. Por supuesto que aquella teoría de no pagar los alquileres estaba en el libro de Kropotkin.

—¿Y luego qué pasó?

—Pues que uno de los inquilinos se chivó y el abuelo nos dio una paliza. A Kropotky por lo que había hecho y a mí por no haber contado nada…

Carlos se tomó un tiempo para pensar. María Teresa bebió un sorbo de café y se le quedó mirando, con la taza levantada a la altura de los labios. No sabía qué comentario hacer.

—Yo creo que lo hizo por hablar delante de la gente, por tener a todos aquellos emigrantes alrededor suyo con la boca abierta mientras él hablaba. Le gustaba mucho hablar en público. La vez que le llevaron a la cárcel fue por eso. Se celebraba el Día de la Patria Vasca en Guernica, una fiesta prohibidísima en aquellos años, claro, y él subió al estrado y se puso a recitar una poesía. Le veo como si ahora mismo le tuviera delante: *¡Árbol de Guernica! ¿Cómo floreces en esta era de destrucción?* Aquel día dio unas voces de miedo y recibió muchos aplausos.

—¿Y pasó mucho tiempo en la cárcel?

—Nada de eso. Kropotky es un poco chiflado, pero no es tonto. Les dijo que él no había leído ninguna proclama, que él había leído el poema de un poeta inglés del siglo XIX. La verdad es que mi hermano tenía muchas ideas, pero le faltaba valor para llevarlas a la práctica.

El saco de su memoria seguía lleno, y le parecía, además, que por cada recuerdo que rescataba surgían otros diez en el fondo del saco; pero a la cabeza de todos ellos —como la manzana roja que corona el montón— se colocaba ahora la imagen de su hermano en la entrada de la residencia psiquiátrica diciendo «¿Vas a dejarme aquí?».

—De todas formas, con el tiempo se volvió muy raro, y acabamos enfadados. En fin, vamos a cambiar de tema. Creo que estoy cansado. Hacía tiempo que no hablaba tanto.

—Es verdad —dijo María Teresa poniendo su mano sobre la de Carlos—. Bueno, descansa. Ahora hablaré yo. Antes me has pedido historias de los jugadores que tenemos en el hotel, ¿no? Pues te las voy a contar todas.

Verás, el más ordenado, aunque no lo parezca, es el entrenador, Piechniczek…

María Teresa pasó a contarle lo que había visto en las habitaciones del hotel: quién tenía fotografías de la familia en la mesilla, quién una revista pornográfica, quién una botella de whisky escondida en el armario… Carlos la seguía sólo a medias, sintiendo los nombres que ella pronunciaba sin parar —Kupcewicz, Jalocha, Boniek, Lato, Banat— como gotas que llegaban hasta su cabeza; pero aquellas gotas, como las de agua en el cuerpo, se quedaban en la superficie, sin ir nunca más allá. Estaba cómodo: el alto porcentaje de alcohol que circulaba por sus venas le adormecía; por otra parte, el relato de María Teresa cerraba el saco de su memoria y le proporcionaba un verdadero descanso.

—Pero no voy a seguir —dijo ella de pronto—. Si no, te vas a quedar completamente dormido. Ya no te falta mucho.

—Tienes razón. Y es raro, porque ayer y hoy no he hecho más que dormir —le dijo él enderezándose un poco.

—A mí también me suele pasar. Cuanto más duermo, más sueño tengo.

El comedor estaba ya vacío, y la encargada hojeaba unos periódicos en una mesa junto a la puerta de la cocina. Carlos miró el reloj. Faltaban diez minutos para las doce.

—¿Y si nos fuéramos al apartamento?

—Bien —dijo María Teresa simulando un escalofrío.

—Tendremos que ir en tu Mini. Yo he venido andando.

Se levantaron los dos, y se dirigieron hacia la salida.

—Si te parece bien, voy a despedirme de Nuria mientras pagas —le dijo ella cuando se acercaron a la encargada del comedor.

—Pero date prisa. Quiero ver qué hay debajo de esa chaqueta. Me parece que ya va siendo hora —le dijo Carlos al oído. Un par de minutos después, los dos estaban fuera, en el aparcamiento del restaurante.

La noche era muy agradable. Soplaba una brisa limpísima, y tanto las luces del pueblo como las de los alrededores —las de los coches de la carretera, las de la urbanización, las del hotel— brillaban como si alguien las hubiera pulido. Antes de entrar al coche, Carlos miró hacia la iglesia que tantas veces había contemplado desde la ventana de su apartamento: era humilde, construida con piedra corriente, y su reloj tenía una grieta, o acaso una mancha con forma de raya. Pero a él le pareció una iglesia bonita, un refugio acogedor. Su impresión de hacía unos días resultaba cierta: si alguna vez un pterodáctilo venía por aquellos cielos, seguro que elegiría aquel campanario para descansar.

—Qué tranquila se ve nuestra casa —le dijo María Teresa cuando empezaron a alejarse de La Masía y el hotel quedó frente a ellos. Y era cierto que tenía aquel aspecto.

Cuando cruzaron la carretera y entraron en la calzada del hotel, los faros del Mini iluminaron una señal portátil de stop. Un instante después, vieron a un guardia que sostenía una linterna en la mano y les ordenaba parar.

—Somos gente del hotel, tranquilo —le dijo María Teresa alegremente, y el guardia correspondió a la sonrisa y les hizo el gesto de seguir adelante. Pero cuando iban a ponerse de nuevo en marcha, un segundo guardia apareció por el otro lado de la calzada y comenzó a gritar ordenándoles que no se movieran.

—¡Apague el motor! —le dijo a María Teresa. Era Morros, y contra su costumbre, abría mucho la boca y parecía dispuesto a seguir gritando.

—¿Qué pasa?

María Teresa frunció el ceño y no hizo ademán de obedecer.

—Le he dicho que apague el motor —repitió Morros como si estuviera a punto de perder la paciencia. Sin darle tiempo a María Teresa, metió el brazo por la ventanilla y se apoderó de las llaves del coche. El motor del Mini dejó de hacer ruido. De pronto, la noche pareció muy silenciosa.

—Salgan —añadió luego volviendo a adoptar su tono de voz habitual y tirando las llaves al regazo de María Teresa. Aparecieron otros dos guardias junto al coche.

—No tienes ningún derecho. Tu compañero sabe que trabajo aquí —se le enfrentó María Teresa. Pero obedeció y salió del coche.

—Y él también lo sabe, María Teresa. Anda, ven aquí y cálmate —le dijo Carlos desde el otro lado del coche. El alcohol de sus venas no le impedía actuar con prudencia; al contrario, le daba fuerza para poner esa prudencia en práctica.

—Pónganse ahí, y con los brazos en alto —dijo Morros iluminando con la linterna el muro que separaba la calzada de un olivar.

—Quiero hablar con su teniente —dijo Carlos con su voz más grave.

—El teniente está en el salón del hotel, viendo el programa deportivo de la televisión —dijo Morros mientras se acercaba y empezaba a cachearles—. Van a dar la alineación que mañana sacará España. Según dicen, contra Alemania no va a jugar ni un solo vasco.

Los otros guardias se rieron.

—Eso no nos parece mal a los vascos —le dijo Carlos sin poder evitar una sonrisa.

—¡No baje los brazos! —le ordenó Morros golpeándole con la linterna en la espalda.

María Teresa se volvió hacia él.

—Pero ¡qué haces! ¡Qué eres tú! ¿Un matón? —chilló.

—¿Qué quiere? ¿Que le dé un tortazo? —le amenazó Morros mirándola de arriba abajo.

—Calma, por favor —dijo el guardia que les había parado interponiéndose entre María Teresa y Morros—. Calma, calma —repitió al ver que su compañero seguía con la vista fija en la mujer.

Al final le tomó del brazo y le apartó del muro.

—Ya basta, ¿no? —le dijo.

—Está borracha. Por eso se ha puesto a berrear —dijo Morros con desprecio. Luego fue a ocultarse detrás de un jeep.

—Eres mala persona, ¿sabes? ¡Y puedes estar seguro de que hablaré con el teniente! —le gritó ella.

Carlos pensó que iba a romper a llorar.

—Vamos al hotel, María Teresa. Vámonos de aquí y olvidemos todo esto —le rogó.

El trayecto que les quedaba hasta el hotel lo hicieron quejándose de lo que les acababa de suceder, y discutiendo sobre la conveniencia de hablar aquella misma noche con el teniente. Pero al fin, María Teresa —ella era la que deseaba denunciar a Morros— cedió ante Carlos y desistió de ir al salón. Sí, él tenía razón: si iban entonces mismo a protestar echarían a perder la noche.

—¿Puedo ir a la terraza a por un cigarrillo? —dijo después de dejar el Mini aparcado junto al garaje y entrando en la cocina—. Creo que habrá alguien allí.

—¿Desde cuándo fumas? Nunca te he visto fumar.

—Normalmente sólo fumo en las bodas. Pero ese matón me ha sacado de mis casillas, y me apetece echar un poco de humo antes de subir al apartamento. En serio, no quiero subir con estos nervios. Claro que… —titubeó, entreabriendo la puerta que comunicaba el comedor y la cocina—, ya sé que todos se imaginarán cosas al verme en el hotel a estas horas. Pero ahora no me importa.

La cocina seguía pareciendo una capilla. Estaba limpia y silenciosa, y todos los objetos metálicos que había en ella —desde la cocina Steiner hasta los grandes pucheros de hacer sopa— despedían reflejos oscuros. María Teresa no se movía de la puerta.

—A mí no me importa. Y menos después de ver cómo me has defendido —le dijo Carlos. Si había que formalizar la relación entre ambos, por qué no empezar aquella misma noche.

—Ahora mismo vengo —le dijo ella después de darle un beso en la mejilla.

«Sigue así, sigue dejando que el malentendido engorde. Mañana mismo empezarás a arrepentirte», oyó. «En realidad, no creo que lo de ese energúmeno sea para preocuparse —oyó a continuación—. Te tiene entre ceja y ceja, eso es evidente, pero no sabe nada en concreto. Quiero decir que se comporta de esa manera porque hay malas vibraciones entre vosotros, no porque te considere el contacto de Jon y Jone». «Así y todo, es preocupante —dijo la tercera voz, la de Kropotky—. Las malas vibraciones llenan el aire de energía negativa». «Nosotros estamos de parte de los guardias», dijo la cuarta voz mientras una fotografía de periódico aparecía en su memoria. Desde aquella fotografía, la familia del empresario que él había secuestrado y matado le seguía mirando con odio.

—Danuta me ha dicho que te dé recuerdos, y que lo pases bien mañana viendo a Maradona y a los demás —dijo María Teresa al volver a la cocina—. Y dos encargos de parte de Guiomar: que mañana estés preparado a las diez, y que ya les ha dado de cenar a los perros.

—Es verdad. Me había olvidado de los perros por completo.

—Bueno, tranquilo, Guiomar ya se ha ocupado de ellos. ¿Quieres un cigarrillo? He traído dos por si acaso.

Carlos le dijo que sí. Tomó las cerillas que había sobre la Steiner y encendió los cigarrillos.

—¿Había mucha gente en la terraza? —preguntó.

—Estaban casi todos. Guiomar, Laura, Danuta, Pascal y Doro y sus dos hijos… Estaban de tertulia.

—¿Y Stefano? Quiero decir el periodista con cara de payaso.

—No, no estaba. Y Ugarte tampoco —dijo María Teresa con una sonrisa maliciosa.

—¿Ugarte tampoco? —se alarmó Carlos.

—¿Cómo quieres que esté aquí? Estará en La Masía —sonrió ella abiertamente.

—¿Sí? ¿Y cómo no le hemos visto? No se ha cruzado con nosotros.

—Nuria me ha dicho que suele aparecer hacia las doce a tomar una copa. No me ha dicho por dónde va. Vete a saber. Igual va desde la misma casa de Nuria. Porque también Nuria está a punto de divorciarse.

—Sí, ya me lo has dicho antes.

Siguieron fumando en silencio. Las chupadas, continuas al principio, fueron espaciándose.

—¿Estás más tranquila ahora? —le dijo Carlos después de arrojar la colilla a un cubo de basura y acercando la mano a la oreja de ella.

—Sí. Bastante —dijo María Teresa. También ella tiró el cigarrillo al cubo—. Aquí no, Carlos —susurró luego, encogiéndose. Carlos había bajado su mano hasta el escote.

—Empezaremos aquí y terminaremos en el apartamento —susurró él introduciendo la mano bajo la chaqueta—. No parece que haya sujetador.

—Y si aparecen los hijos de Doro, qué… —empezó ella. Pero los dedos de Carlos estaban ya en sus pezones, y no terminó la frase.

Abrió los ojos hacia las tres de la madrugada, bruscamente, como si hubiera pasado del sueño a la vigilia sin estado intermedio alguno. Sin moverse, analizó la oscuridad; sí, estaba en su habitación, y la mujer que seguía durmiendo a su lado era María Teresa. «Tranquilo, Carlos, todo está bien. Cada cosa está en su lugar, en su tiempo, en su medida —oyó. Aunque se trataba de la voz de Sabino, sonaba como una grabación—. Vuelve a cerrar los ojos y duerme. Te conviene dormir bien. Mañana será un día decisivo, y ya ha empezado la cuenta atrás, diez, nueve, ocho, siete, seis, cinco…».

«Tampoco tan rápido», interrumpió a la voz. Notó que tenía el estómago algo revuelto, y que un gusto amargo le llenaba la boca y la garganta. Ingerir el porcentaje de alcohol preciso para eludir la realidad también tenía su precio, no cabía duda.

«Diez, nueve, ocho, siete…», volvió a oír. Pero ahora no era Sabino el que entonaba el estribillo, sino un grupo de niños que parecía estar en una escuela. Carlos sacudió la cabeza y se levantó de la cama.

Se puso el pantalón del pijama y fue a la sala procurando no hacer ningún ruido. El apartamento estaba en calma, el hotel estaba en calma, y todos los seres vivientes y no vivientes que quedaban al otro lado de la ventana —la panadería, el almacén, los árboles, los insectos, la gasolinera, el pueblo, la sombría muralla de Montserrat— guardaban un silencio absoluto. En la explanada, alrededor de la farola, el pequeño murciélago seguía con su vuelo y sus quiebros. ¿Sería el mismo que había visto unas horas antes en la zona de la piscina? ¿Sería hermano de aquél? ¿Sería un Kropotky de aquél? Carlos se llevó la mano a la frente preguntándose si tendría fiebre. Pero no, tenía la frente fría. La agitación que en aquel momento afectaba a su cabeza no tenía que ver con nada fisiológico, sino con su situación. El último momento estaba al llegar, y la presión del Miedo era cada vez mayor. «¿Pues qué creías? ¿Que no llegaría nunca? —le dijo la Rata—. Pues sí, ya te lo han dicho, los números han empezado la cuenta atrás: diez, nueve, ocho, siete, seis, cinco...».

Fue a la cocina y calentó leche. Después, regresando a la habitación, buscó en la oscuridad la silla del escritorio y se sentó en ella con la taza en la mano. Se puso alerta. Pero no, ya no oía en su interior la cantinela de los números. Oía únicamente la respiración pesada y regular de María Teresa. Ella dormía tranquila, y lo mismo hacía Guiomar en la habitación de al lado; y Laura, Pascal, Boniek, Lato, Piechniczek, Danuta... Todos dormían con la mayor tranquilidad. Pero no, eso no era verdad. Tampoco Stefano estaría dormido; estaría levantado en su habitación, con un plano del hotel delante, con la información sobre Jon y Jone a su lado. Y bien pensado, también Jon y Jone estarían levantados, a menos que hubieran tomado pastillas. ¿Y Mikel? Mikel estaría revolviéndose en la cama, pensando si había metido todo lo necesario en la furgoneta que había cambiado por la suya en el taller. «Pero es un poco raro que tú estés en ese grupo, ¿no? —oyó entonces. La Rata añadía un deje burlón a la pregunta—. ¿Por qué te encuentras tú en el grupo de los que están despiertos? Que estén Jon y Jone, de acuerdo, porque son de la organización; y que esté Stefano también, de acuerdo, porque es su trabajo; y que esté Mikel, pues de acuerdo también, porque Mikel no tiene cabeza para darse cuenta de dónde se mete. Pero ¿tú?».

—¿No duermes, cariño? —le dijo de pronto María Teresa levantando la cabeza de la almohada. Era la primera vez que utilizaba aquel calificativo para dirigirse a él.

—Enseguida me acuesto —le contestó. Pero ella dormía de nuevo.

No sabía por qué estaba en el grupo de Jone, Stefano y los demás. En realidad, no tenía ningún motivo especial para ello. Quizá se debía a aquel sentimiento que Mikel había acertado a expresar, «yo siento vergüenza, Carlos, me parece que me he aburguesado mientras los otros siguen en la lucha, y eso me acompleja». Era verdad, también él podía percibir aquel sentimiento en su interior. Le preocupaba mucho lo que de él pudieran pensar Jone y los demás de la organización, no quería que le tomaran por un flojo. Y quizás ahí residía la clave, en la servidumbre que aquella preocupación ponía de manifiesto, ya que de haber sido indiferente a aquellas opiniones jamás habría entrado en el juego. Además, decisiones como aquella de esconder a Jon y Jone no se tomaban con parsimonia; había que tomarlas en un instante. No era como ascender poco a poco la ladera de un monte, con el tiempo suficiente para sopesar la dureza del ascenso y sus riesgos. Las preguntas, en aquellos casos, exigían respuestas inmediatas. Mikel le había dicho: «¿Qué hacemos? Si no les ayudamos, les van a estampar contra la pared como a moscas». Él había preguntado: «¿Durante cuánto tiempo los tendríamos que ocultar?». Mikel: «Como mucho una semana». Entonces él, tomando la decisión: «Si no es más que una semana, adelante. Recordemos los viejos tiempos y vivamos una semana muy intensa». ¿Cuántos minutos en total? ¿Dos? ¿Tres? Y al cabo de esos tres minutos, la suerte ya estaba echada.

Le vino la imagen de una fotografía que se encontraba en el ayuntamiento de Obaba. Se veía en ella a un muchacho de Obaba muerto en Rusia. «¿Y por qué fue a Rusia a luchar en la División Azul? ¿Era fascista?», le habían preguntado él y su hermano a la tía Miren. Y ella había respondido: «Fue a una boda, y bebió demasiado. Y al salir del restaurante se encontraron todos con un grupo de falangistas que estaba reclutando gente para Rusia. La mayoría no hicieron caso, pero él y otros dos, eufóricos como estaban por todo lo que habían bebido, decidieron alistarse. Y luego ya no pudieron echarse atrás. Tuvieron que ir a Rusia, a hacer la guerra junto a los alemanes. Y allí se quedó el pobre, boca abajo en la nieve».

Carlos dejó la taza de leche vacía sobre el escritorio. Se encontraba mejor y decidió volver a acostarse al lado de María Teresa. Poco después, dormía de nuevo.

Estaba en lo más hondo de un sueño cuando oyó el teléfono. Al igual que le sucediera cinco días antes con el sueño del mar helado, Carlos sabía que el río crecido y fangoso que contemplaba era únicamente la imagen de un sueño, y que los aguzanieves que parecían danzar cerca del agua pertenecían a aquella imagen irreal; y sabía también que el penetrante sonido que llegaba a sus oídos era la llamada de Guiomar, y no, de ninguna manera, el silbato del árbitro que señalaba una falta en un campo de fútbol cercano al río. Sin embargo, los aguzanieves del sueño —sus pájaros predilectos desde los tiempos en que Kropotky y él recorrían los ríos de Obaba— atraían la zona de su cerebro que seguía ajena a los dictados de su conciencia, y Carlos escondió la cabeza bajo la almohada e intentó seguir durmiendo. Pero fue inútil: el teléfono continuó sonando hasta borrar todas las imágenes de la cabeza de Carlos.

—También hoy vas a tener que ducharte rápido. Son las diez y cuarto —le dijo Guiomar cuando fue a la sala y cogió el teléfono.

—Creo que me he dormido —dijo él mirando por la ventana. El cielo estaba completamente azul, y el sol daba de lleno en las rocas de Montserrat.

—Me temo que sí —dijo Guiomar.

—¿Cuánto tiempo me concedes?

—Muy poco. Me gustaría hacer un par de encargos antes de comer. Cinco minutos.

—¿Y si desayunamos en un bar que esté cerca de la inmobiliaria en vez de en el Zurich? ¿Qué tiempo me das entonces?

—Un cuarto de hora. Lo que significa que a las diez y media estaré delante del hotel con el motor del coche en marcha.

—Muy bien, Fangio.

Después de ducharse rápidamente, se colocó delante del lavabo para afeitarse. «Un beso muy fuerte», leyó en el espejo. María Teresa le había escrito un mensaje con su lápiz de labios. Borró aquellas palabras con un papel mojado y empezó a enjabonarse la cara. «Las noticias de las diez y media», dijo la radio en cuanto pulsó el botón del aparato.

«Dos noticias referentes a ETA. La organización terrorista ha asumido por fin la responsabilidad de la bomba que le explotó al niño de diez años. Por otro lado, y según se ha sabido hoy mismo, la segunda persona muerta en el atentado de hace dos días era un miembro del propio comando de ETA. Xabier Zabaleta, *Jatorra*, un joven de veintidós años, falleció la noche de ayer en el hospital de Bilbao…»

Carlos apagó la radio e intentó no hacer caso de la noticia. Pero un segundo después la imagen de Jone estaba en su mente. Sí, era inútil eludir el problema. El momento había llegado. Mikel estaría en el peaje de la autopista a las siete de aquella tarde, y a las ocho en el hotel, y a las nueve en la gasolinera. Faltaban milímetros para llegar al último asterisco.

—¡Diez! —exclamó dirigiéndose a su imagen en el espejo. Los números se habían puesto en movimiento. Al llegar a cero todo habría acabado.

Se vistió la ropa de la víspera y, después de una segunda visita al baño, se apresuró a salir del apartamento para reunirse con Guiomar. Sin embargo, ya estaba en la puerta cuando recordó una idea que había tenido la noche anterior y regresó a la habitación. Sacando del cajón el sobre dirigido a Guiomar, añadió una segunda posdata a la carta: «Lo mismo que a Pascal, destina a María Teresa una parte de la herencia. Como mínimo, lo suficiente para pagar los estudios de su hijo». «Sí, señor, lo que te dije ayer, tienes un corazón de oro. Incluso en los momentos más angustiosos te acuerdas del prójimo», le dijo la Rata. Devolvió el sobre a su lugar y corrió escaleras abajo tras cerrar la puerta del apartamento de un portazo.

Guiomar estaba más contento de lo que había aparentado por teléfono. En cuanto Carlos se sentó a su lado, pisó el acelerador y condujo el coche calzada abajo.

—Como en los viejos tiempos —dijo Carlos.

—Mejor —contestó él. Conducía con la espalda encorvada, abrazando el volante con sus largos brazos—. Antes hacía de chófer por razones profesionales, porque había que hacer los atracos y demás; y ahora lo hago por puro placer. Y por supuesto, conduzco mejor. Se hacen mejor las cosas cuando no hay responsabilidades. Y hablando de placeres, mira delante de ti, Carlos, observa qué hermosura.

—¿Lo dices por esos de ahí? —preguntó Carlos cuando ya estaban llegando al cruce, señalando a los guardias que controlaban la calzada.

—Ni se me ocurre —dijo Guiomar.

Morros no estaba en el control. Le correspondería el turno de noche, probablemente. ¿Debía preocuparse por ello? En realidad, tampoco le importaba mucho coincidir con él. Los guardias eran guardias; y las metralletas, metralletas. En mayor o menor medida, todos eran peligrosos.

—Las conseguí ayer —le dijo Guiomar después de sobrepasar el control. Le indicaba las dos postales con los equipos de Argentina y Brasil que había en la bandeja del coche.

—Los mejores jugadores del mundo —afirmó Carlos cogiendo las postales—. ¿Y las entradas? No se te habrán olvidado…

—Son invitaciones, no son entradas. Las tenemos que recoger en la taquilla número cinco del estadio. Iremos media hora antes a por ellas.

—Estupendo. Y ¿qué tal el paseo que has dado con Pascal? Habrá sido algo especial, supongo.

Guiomar repitió la pregunta y se tomó unos segundos para pensarlo. Durante la pausa, la mirada de Carlos pasó de las rocas de Montserrat a las laderas —llenas de urbanizaciones— del otro lado de la autopista. El sol espejeaba tramos enteros de la carretera.

—Bueno, así es. Tú no lo creerás, claro, pero así es. Sobre todo, hoy. Anoche hablamos con Ugarte y tomamos la decisión de hacer las cosas civilizadamente. Estoy muy contento, la verdad.

—Qué rápido van las cosas en nuestro hotel —dijo Carlos volviendo a dejar las tarjetas en la bandeja. El tono que Guiomar daba a sus palabras le llenaba de aprensión. No quería conversar sobre cuestiones domésticas. No era el día apropiado para ello.

—Esta mañana hemos estado viendo la casita de Peter Pan. Ha hecho una casa muy bonita detrás de la Fontana. Es un chico muy inteligente, pero tiene demasiadas fantasías en la cabeza —añadió Guiomar.

Carlos calló lo que sabía de aquella casita, y calló asimismo el comentario que quizás esperaba Guiomar: «Sí, tiene muchas fantasías, y de verdad te digo que lo que te contó de la pistola también fue fantasía en un ochenta por ciento. Y además, ya te lo dije en la piscina, hace días que Jon y Jone se fueron del hotel». Se arrellanó en el asiento y fijó su atención en la carretera: se cruzaban con unos coches, adelantaban a otros, el R-5 se dirigía a la autopista a toda velocidad. Al volante de la mayoría de los coches, Carlos veía personas como Guiomar, gente que pensaba en sus hijos. Entre aquella multitud, ¿habría alguien como él?, ¿alguien que viviera en el territorio del Miedo? Vio un hombre de gafas conduciendo un Mercedes; después, dos hombres jóvenes en un Opel, a continuación una mujer morena en un Dyane. Calculó que entre todos sumarían unos seis o siete hijos. Encontrarse donde él estaba podía no ser cómodo, pero ¿formar parte de aquella multitud?, ¿ser como todos?, ¿ser idéntico a los demás? «Yo creo que eres injusto con Guiomar, y que estás pensando con un poco de veneno —oyó en la voz de Sabino—. Pero, al fin y al cabo, te viene bien que esté tan ilusionado. Ya conoces la historia del ladrón que fue al mercado y robó el oro. *Yo no vi a la gente, yo solamente vi el oro.* Pues con Guiomar es lo mismo. No se atreve a preguntar directamente sobre la cuestión de Jon y Jone. Le conviene creer tu mentira, y hará cuanto le sea posible para creerla. Lo único que él quiere ahora es pensar en su nueva familia».

—Mira, el camino de casa —le dijo Guiomar al entrar en la autopista, alargando el brazo en sentido contrario al de Barcelona.

—Qué cabrón eres —le respondió Carlos dándole con el puño en el antebrazo.

—Ya te lo dije. Si quieres vamos en septiembre —dijo Guiomar mientras situaba el R-5 en el carril de la derecha. De nada servía en la autopista su destreza como conductor. Le adelantaban todos los coches de más potencia.

—No sé. En realidad, no tengo demasiadas ganas de ir.

—Hoy no te veo muy animado, Carlos.

—No es nada, sólo que he dormido poco. Pero ya me animaré.

—Ya lo creo. Tendrás que animarte. ¿No vamos a Barcelona a encontrar una casa y empezar una nueva vida? Además, no todos los días se presenta la oportunidad de ver en vivo un Argentina-Brasil.

—Tienes razón.

Pero le resultaba imposible seguir a Guiomar en su alegría. Además, la actitud extrovertida de su amigo le inspiraba cierta agresividad, lo que, a su vez, le hacía sentirse mezquino. Pero él no era el único responsable de su estado de ánimo. También el Miedo tenía su parte. Cuanto más se aproximaba uno a los límites de su territorio tanto mayor era la presión del Miedo.

—No será por el asunto de Jon y Jone, ¿verdad? Que estés tan apagado, quiero decir —preguntó Guiomar con aprensión. Al fin se atrevía a plantearlo directamente.

—Creo que ya han pasado a Francia —le respondió Carlos siguiendo con la mirada a un tráiler que circulaba en dirección contraria.

—Más vale.

—No pienses cosas raras. Ya te he dicho que he dormido mal y me he levantado bastante intratable. Puede que ayer bebiera demasiado. Ya sabes que María Teresa y yo estuvimos cenando.

—Todo bien, ¿no?

Guiomar continuaba buscando motivos. No era normal que yendo a ver un partido entre Brasil y Argentina tuvieran en el coche un ambiente tan triste. Precisamente cuando estaban pensando iniciar una nueva vida.

—No tan bien. Ha surgido un malentendido entre nosotros. A decir verdad, estoy muy preocupado —prosiguió Carlos. Durante los minutos siguientes desgranó los detalles del malentendido acentuando el aspecto que mejor convenía a la situación. No era un problema sin importancia. María Teresa creía que contaba con su compromiso de matrimonio, y no se podía saber cómo reaccionaría cuando escuchara lo contrario.

—Pues cuanto antes aclares el malentendido, mejor —le dijo Guiomar—. Pero no te agobies demasiado. Más difícil parecía hablar con Ugarte sobre Pascal, y se ha arreglado todo muy bien.

—Pero Ugarte es otra cosa. Tiene más mundo. Pero bueno, sí, se arreglará. No sé por qué me preocupo tanto. Últimamente me agobio por nada.

Estaban llegando a Barcelona y a su derecha, a la altura de la autopista, se veían cientos y cientos de tejados. Por encima de ellos, la neblina tenía un color gris.

—A ver si empezamos una nueva vida después de encontrar aquí un dúplex —resolvió Guiomar mientras llevaba el coche al carril del medio y conducía hacia la Diagonal—. Son las once y cuarto —dijo después mirando el reloj—. He quedado con los de la agencia a las once y media. Qué hago, ¿llamo desde una cabina y les digo que nos retrasaremos algo?

—¿Está lejos?

—No, ahí mismo, en la parte alta de la calle Aribau. Lo decía por el desayuno.

—Entonces, vamos. Tomaré un café cerca de la agencia.

Carlos observaba a los conductores que iban pasando a su lado. Todos parecían gente normal, padres y madres de familia, estudiantes, oficinistas. De entre todos los que vio en el trayecto hasta la calle Aribau, solamente cuatro le parecieron de su territorio: un tipo delgado con trazas de delincuente, una pareja con aspecto de yonquis y el herido o enfermo que iba en una ambulancia con la sirena en marcha. Pensó que aquel cálculo reducido no era consecuencia de su humor sombrío, sino una verdad rotunda.

«Ya sabes qué personaje representas tú, ¿no? —oyó más tarde, mientras tomaba café al lado de la agencia—. El Tonto, sin duda alguna. En el grupo de los que malviven en el territorio del Miedo suele haber siempre un subgrupo de tontos, y no hay duda de que tú perteneces a él».

Las hormigas entraban por la ventana de la cocina para dirigirse en hilera hasta el fregadero, y luego emprendían el camino de vuelta: desde el fregadero hasta el mármol que cubría la lavadora, y desde el mármol, rodeando una chapa eléctrica, otra vez hasta la ventana. El reloj de la pared señalaba las ocho y veinte. Pero estaba parado. En realidad, eran las doce y media del mediodía.

Carlos fumaba un cigarrillo y miraba el ir y venir de las hormigas mientras Guiomar y la mujer de la agencia conversaban en el piso superior del dúplex. A medida que avanzaba la mañana le iba costando cada vez más seguir a su compañero de apartamento. Podía responder a una frase ingeniosa suya con otra similar, podía hacer un esfuerzo incluso con una segunda broma, pero a partir de ahí, prefería mantenerse al margen con cualquier pretexto.

—Tengo sed, voy a bajar a la cocina a beber agua. Y si me das un cigarrillo me lo fumaré allí sentado. Tú escucha atento la información de esa mujer.

Su sed era fingida, pero la de las hormigas no. Se movían inquietas por los bordes del charco formado por el goteo del grifo, y se estorbaban entre sí al querer adelantarse mutuamente; con todo, el desorden era sólo momentáneo, ya que cada miembro del grupo regresaba a su fila nada más salir del ángulo del fregadero. ¿Cómo sabrían las hormigas que allí había agua?, ¿desde cuándo organizaban aquellas caravanas para saciar su sed?, ¿cuántas serían? Carlos —sólo podía dar respuesta a la última pregunta— contó unas cuarenta en el fregadero mismo, y calculó unas trescientas más entre las que formaban las filas de ida y vuelta del recorrido. Pero la caravana no se detenía en la ventana de la cocina; se introducía luego en un canalón sujeto al muro del patio y desde allí continuaba hacia arriba. ¿Hasta el tejado? Posiblemente, porque el dúplex estaba en el ático, y desde la ventana hasta el punto más alto del edificio no había más de unos cinco metros.

Carlos siguió el humo de su cigarrillo, hacia la ventana, hacia el tejado, hacia el cielo azul de Barcelona. Desde la ventana de aquella cocina no se percibía la neblina gris que había visto al entrar en la ciudad. Y tampoco se sentía el ruido de los coches que en aquel momento debían de circular a miles por las calles; lo único que llegaba hasta allí era un rumor vago, a veces ligero, a veces más espeso. Sí, parecía que las cosas estaban en su lugar, en su tiempo, en su medida; especialmente en lo que concernía a las hormigas. Era admirable la regularidad de sus movimientos. Con un ojo en el reloj de su muñeca y otro en la caravana de hormigas, calculó los tiempos de una de ellas: necesitaba cuarenta y seis segundos para llegar hasta el charco, y dos o tres segundos más para hacer el camino de vuelta.

No sabía dónde arrojar la colilla del cigarrillo, y fue hasta la terraza. Desde allí se dominaba todo el casco antiguo, y en la zona donde terminaban los tejados aparecía una mancha alargada y azul, el mar. El mar Mediterráneo. Incrustó la colilla en la tierra del tiesto de un pino y escudriñó el azul buscando un barco. No se veía nada, solamente la sombra blanca de un edificio alargado que desde allí guardaba cierto parecido con el faro de Biarritz. Un pensamiento cruzó por su mente: si el día terminaba bien y lograba salir de aquella situación, iría a Biarritz a visitar la tumba de Sabino.

«Nueve, Carlos, nueve. Los números siguen su marcha. Y cada vez irán más rápidos», oyó en su interior. Sabino le hablaba más amistosamente que nunca.

—Carlos, a ti qué te parece —le preguntó Guiomar a su espalda—. Lo de arriba está bien, tiene tres habitaciones. Pequeñas, eso sí.

—A mí me parece muy buen sitio. Vamos a comprarlo —le dijo Carlos volviendo la cabeza a medias.

—¿Sin ver ningún otro? —dijo Guiomar divertido. Sacó un cigarrillo y lo encendió al resguardo de las dos manos.

—Este dúplex está muy bien, ¿no? Tiene suficientes habitaciones, y luego esta terraza para que juegue Pascal. No necesitamos nada mejor. Dile a la señora que pasaremos mañana con algún dinero para la señal, y listo.

—Da gusto hacer compras con un responsable de zona. Las decisiones se simplifican una barbaridad —le dijo Guiomar.

—Qué asco de cocina —suspiró la mujer de la agencia al salir a la terraza—. Está toda llena de hormigas. Yo no sé de dónde salen. Ahora les he cerrado el agua pero tendré que pasar mañana con un frasco de DDT por si acaso.

—Déjelas en paz. Vamos a comprar el dúplex con las hormigas incluidas. O mejor dicho, si mata las hormigas, no lo compramos —le dijo Carlos.

La mujer le miró sorprendida.

—Ya he matado algunas —dijo, sumando a su cara de sorpresa una sombra de espanto.

Cuando salieron de nuevo a la calle, el sol del mediodía daba de lleno en el asfalto y el termómetro marcaba treinta y cinco grados. Por añadidura, tanto los coches como la gente acentuaban la impresión subjetiva de calor: los primeros porque se aglomeraban en los semáforos y hacían sonar sus bocinas casi continuamente; los segundos —hombres y mujeres jóvenes que se movían apresuradamente— porque ocupaban las aceras por entero y quitaban aire. Carlos se sentía un poco mareado.

—Eso es porque estás muy mal acostumbrado. Aquí no existe la serenidad que hay en la Banyera. Pero tendrás que acostumbrarte. Tienes que venir tres veces a la semana por lo menos. De lo contrario, no te voy a dejar en paz.

—¿En qué has quedado con la exterminadora de hormigas?

—Que hablará con los dueños y nos llamará. Yo creo que está arreglado. Mañana mismo iré a ver si tiene cargas. En estas cosas no puedes fiarte.

Guiomar no perdía la sonrisa, y contemplaba el mundo desde sus casi dos metros de altura. Para él, más que para ningún otro, las cosas estaban en su lugar, en su medida, en su tiempo.

—¿Adónde vamos ahora? Es casi la una —le dijo Carlos cuando se detuvieron frente a un semáforo. Leyó de reojo los titulares de un periódico colgado en el quiosco de la acera: «Horas angustiosas para los palestinos de Beirut»; «El segundo fallecido en el atentado era un integrante de ETA»; «Argentina-Brasil a las cinco y cuarto, y España-Alemania a las nueve de la noche».

—Yo sé muy bien adónde voy —dijo Guiomar con una sonrisa de complicidad. Luego explicó que iba a una joyería, a comprar un broche para Laura—. Le compraría un anillo, pero todavía es pronto para eso. No quiero molestar a Ugarte. Aunque sólo sea por el bien de Pascal, Ugarte y yo tenemos que llevarnos bien.

—Naturalmente. Estaría bueno que ahora os portarais como pequeñoburgueses —respondió Carlos siguiendo con la vista a una furgoneta que en aquel momento pasaba ante el semáforo. Sí, también la furgoneta de Mikel estaría ya en movimiento. Habría salido ya del País Vasco, probablemente. En cuanto a Jon y Jone, ya tendrían hechas sus bolsas. ¿Y Stefano? ¿Por dónde andaría aquella serpiente? No podía imaginarlo, y eso le producía malestar.

—No deja de ser pequeñoburgués comprarle un broche a una mujer —dijo Guiomar empezando a cruzar la calle. El semáforo se había puesto en verde.

—Si le compras uno caro, no. Entonces se convertirá en un acto completamente burgués. O aristocrático, vete a saber.

Volvía a ser injusto, volvía a mezclar sus palabras con una sustancia amarga. Pero Guiomar no estaba en disposición de captar aquel tono e interpretó el comentario como una simple broma.

—Pues mira, a lo mejor aciertas. La joyería a la que vamos es de las caras. Está ahí mismo, en el paseo de Gracia.

Llegaron un par de minutos más tarde. La joyería tenía tres escaparates estrechos y rectangulares, y tanto los cristales de éstos como la madera de la puerta estaban blindados.

«Una caja fuerte llena de cajas fuertes», pensó Carlos. Guiomar pulsó un botón que había junto a la puerta.

—Yo no voy a entrar. Prefiero esperarte fuera —le dijo Carlos mientras dirigía una mirada a las joyas expuestas en el escaparate central de la tienda. Los diamantes brillaban sobre un cojín de terciopelo morado; las esmeraldas, verdes, formaban una pequeña constelación rodeada de líneas y círculos de oro; los rubíes y los zafiros... Pero era inútil, a los ojos les costaba detenerse en las sortijas, collares y pendientes confeccionados con aquellas piedras, y bailaban sin querer de una pieza a otra sin dar lugar a la contemplación. Y también resultaba difícil leer el precio de las joyas, cuyas cifras —dos millones, millón y medio, tres millones— figuraban en etiquetas minúsculas.

—¿No vas a ayudarme a elegir el broche?

—Ya sabes que no me gusta meterme en asuntos personales. No, entra tú y asume toda la responsabilidad —declaró Carlos en tono de broma—. Mira, has pasado el examen y te admiten como cliente —añadió cuando la puerta comenzó a emitir un sonido sordo.

—Me llevará un tiempo elegir el más bonito. Si te aburres compra una revista deportiva y lee las declaraciones de Maradona —le dijo Guiomar al empujar la puerta.

—¿Quieres que la compre?

—Nos vendrá bien, ¿no?

Había cincuenta metros entre la joyería y el quiosco más próximo, y Carlos los recorrió lentamente, con las manos en los bolsillos. En las aceras del paseo de Gracia, arboladas, dos o tres veces más amplias de lo habitual, el calor no resultaba tan sofocante. Volvió a leer los titulares del día, ahora en un periódico de Madrid: «Horas angustiosas para los palestinos de Beirut»; «El segundo fallecido del atentado era un integrante de ETA»; «Argentina-Brasil a las cinco y cuarto, y España-Alemania a las nueve de la noche». Resultaba imposible leer otra cosa, ya que —con mínimas variaciones— los titulares se repetían en todos y cada uno de los periódicos. Se le ocurrió, de pronto —como un juego—, imaginar la primera plana de los periódicos del día siguiente: «Gran operación policial», decía un titular. Y luego, en la entradilla: «Detenidos cerca de Barcelona los dos integrantes del comando que asesinó a un coronel. Jon y Jone se escondían en el mismo hotel-residencia en que se aloja la selección de Polonia». Junto con las palabras, la imaginación le mostraba una fotografía: la de Danuta Wyca. Y bajo la fotografía, este pie: «La detención no se hubiera producido sin la colaboración de la intérprete del equipo polaco».

A toda prisa, Carlos compró el periódico deportivo y regresó al escaparate de la joyería. Una esmeralda, una en particular, atrajo toda la atención de sus ojos: estaba colocada en la parte superior de un anillo de oro, y parecía un caramelo de menta transparente. Encontró en su memoria las palabras que él y Danuta se habían cruzado en la Banyera: «Sus pendientes son muy bonitos», había dicho él. «Oh, no son más que bisutería, de fantasía. Ya sabe, en Polonia ahora vivimos muy pobremente», había respondido Danuta. «Son más bonitos que muchos auténticos», había insistido él. Y entonces Danuta: «Tiene razón, son bonitos. Pero sin exagerar. Serían más hermosas unas esmeraldas de verdad».

Poco a poco, la memoria le fue ofreciendo nuevos detalles. Y todos apuntaban en la misma dirección: exceptuando a Guiomar, y en lo que a las últimas semanas se refería, ¿quién había estado más tiempo con Pascal? Danuta, sin lugar a dudas. Sí, le pareció que por fin lo comprendía todo. Ahora, podía dar por seguro que Danuta había oído algo a Pascal —«una chica me ha dicho que iba a meter la pistola debajo de la tierra», por ejemplo—, y ella entonces, como mujer inteligente que era, había relacionado a aquella chica con la que aparecía en las fotografías de los periódicos justo encima de la oferta de los tres millones. Y también podía dar por seguro que Danuta había acudido a la policía para contar lo que sabía, que no era sólo lo que había oído a Pascal, sino también cuanto había escuchado a Laura en las conversaciones de la cocina o de la terraza. Naturalmente, su información había alertado enseguida a Stefano y a todos los de la brigada antiterrorista.

La memoria le mostró otra escena de la Banyera. Él había preguntado: «¿Qué haría usted, Danuta, por satisfacer un capricho? Antes le he contado lo que hacían los hombres del Paleolítico por conseguir un collar. ¿Qué haría usted por unos pendientes buenos? Por unos de esmeraldas auténticas, quiero decir». Y luego, ante la inesperada reacción de Danuta, había vuelto a preguntar: «¿He dicho algo inconveniente? ¿Por qué pone esa cara?». Y finalmente ella, con la expresión dolorida de quien no se sobrepone a una bofetada: «No, no es eso. Lo que sucede es que no me acostumbro a la pobreza, y me afecta cuando me la recuerdan». Carlos se rió para sus adentros. «No, Danuta, tampoco era ésa la razón —pensó alejándose del escaparate de la joyería y empezando a pasear por la acera—. Pensaste que te había descubierto. Por eso te pusiste pálida. De pronto creíste haber perdido tus tres millones. Y, quién sabe, igual pensaste que tu vida corría peligro».

«Una auténtica colaboradora de la policía, esta Danuta —oyó entonces a Sabino—. Porque no es solamente lo que tú recuerdas. Esa mujer te ha vigilado desde el principio. Por eso se acercó a ti y por eso te quiso impresionar con sus teorías y sus historias revolucionarias. Para ganarse tu confianza. Y cuando perdió esa oportunidad, siguió colaborando rastreramente. ¿Te acuerdas de lo del arroz? Aquella historia de que traería arroz indio si Juan Manuel y Doro la llevaban en coche a Barcelona... Nuestra admiradora de Rosetta intentaba sonsacar a los chicos lo que no había conseguido Stefano. Quiere sus tres millones a costa de lo que sea». «Mata a la vieja, Carlos. Aunque luego tengas que ir a la cárcel, por lo menos date ese gustazo», le dijo la Rata.

«En cierto modo no es sorprendente, Carlos —era Sabino otra vez. Le hablaba fraternalmente, como cuando solían cenar juntos—. Tú mismo lo sueles decir a menudo. Todos necesitamos nuestra colección de *Nassa reticulata*. Todos luchamos por conseguir nuestro capricho».

—Bueno, me lo han puesto en un paquete elegantísimo, y no te puedo enseñar el broche —le dijo Guiomar al salir de la joyería. El paquete, que cabía en un puño, era de cartón morado.

—Ya lo veré en su momento —dijo Carlos.

Guiomar guardó el paquete y le quitó de la mano la revista deportiva.

—¿Qué dicen del partido?

—Ni siquiera la he abierto. He estado mirando el tráfico. Realmente, se me había olvidado cuántos coches hay en el mundo.

—¿Y chicas? ¡La de chicas que hay! ¿No es asombroso eso? —le dijo Guiomar. Los dos se rieron.

Estuvieron parados en la acera mientras decidían adónde ir. Por último, como no tenían mucho tiempo —iban a ser las dos y les convenía estar en el campo de fútbol de Sarriá antes de las cinco—, se dirigieron a una pizzería en el mismo paseo de Gracia.

«Ocho, Carlos. Cada vez falta menos», oyó.

—¿Sabes lo que dicen sobre la densidad de Barcelona? —le dijo Guiomar según iban andando y cruzándose con la gente—. Pues que, después de Hong-Kong, es la ciudad con más densidad de población del mundo. ¿Qué te parece?

—Te creo —le contestó Carlos en un tono que no animaba al diálogo. Guiomar estaba exaltado, y parecía dispuesto a hablar de cualquier cosa. Pero él sentía la cabeza llena de voces, y le costaba un gran esfuerzo prestar atención a nada de lo que sucedía en el exterior. Deseaba que Guiomar se callase.

La supuesta densidad de Barcelona actuó en su favor. Resultó que la pizzería estaba abarrotada de clientes, y que ellos —después de apuntar las pizzas que querían en una tarjeta— tuvieron que pasar a una zona de espera. Allí había una silla desocupada.

—Aquí tienes un sitio libre —le dijo Carlos empujándole hacia aquella silla—. Siéntate y lee la entrevista de Maradona. Yo me quedo de pie cerca de la puerta.

La separación le proporcionó un respiro de casi media hora, y Carlos lo aprovechó para repasar todo lo sucedido. Mikel solía decir: «La liebre recorre siempre el mismo camino. Si desde su madriguera hasta el pozo de agua tiene que dar veinticinco pasos, siempre los da por el mismo sitio. Entonces, si quieres atrapar una liebre viva lo primero tienes que encontrar sus huellas cerca del pozo, y después seguirlas retrocediendo hasta la madriguera». Era exactamente lo que él deseaba hacer en aquel momento, recorrer de uno en uno todos los acontecimientos hasta el punto mismo de partida, y hacerse así una idea global de la situación. Pero las ideas se arremolinaban en su cabeza como nubes proyectadas a cámara rápida. Cuantos más esfuerzos hacía por pensar, tanto más lejos veía su meta. Así pasaba siempre: una vez que se había llegado tan lejos, el Miedo obstaculizaba la reflexión. Tampoco las liebres acertaban con su camino teniendo cerca al cazador.

Acabó recibiendo con alivio la llamada del camarero y la presencia de su compañero de apartamento.

—El partido de hoy va a ser fenomenal —le dijo Guiomar cuando se sentaron a la mesa—. Y si te digo la verdad, casi tengo más ganas de ver a Sócrates que de ver a Maradona. Dicen que es un jugador muy elegante.

—Parece que ganará Brasil, ¿no? No sólo por Sócrates. Están también Zico, Falcao, Eder…

—Eder rompe el balón. Tiene un disparo tremendo.

—A ver si juegan bien. Hace más de un año que no he visto un partido en el campo.

—¿Te he dicho que son dos palcos?

—Sí, me lo dijiste ayer. No está mal. Verdaderamente, Danuta se ha portado bien esta vez —dijo Carlos sonriendo.

—Napolitana y *funghi*, ¿no? —preguntó una camarera ataviada con un delantal rojo y blanco.

—*Funghi* para mí —dijo Guiomar—. Pero nos faltan las cervezas.

—Ahora se las traigo. Sólo tengo dos manos —dijo la camarera, escapándose hacia la barra.

—Es guapa, pero tontita —comentó Guiomar trazando una cruz en la pizza y partiéndola en cuatro pedazos iguales. A continuación, mientras troceaba una de las partes, comenzó a hablar de mujeres, primero en general y luego centrándose en las que él había tratado. Pasó más tarde a explicar los detalles de su relación con Laura; la historia de que Ugarte y Laura estaban en periodo de prueba, lo de Nuria, la vida que los tres —Ugarte, Laura y él— iban a llevar en adelante, «con los menores cambios posibles en beneficio de Pascal»… Carlos asentía de cuando en cuando, y seguía intentando ordenar las ideas que se agitaban en su cabeza. Mikel llegaría al peaje a las siete en punto, y a las ocho estaría descargando en el hotel, y a las nueve esperando en la gasolinera. A esa hora, a las nueve, empezaría el partido entre España y Alemania, y a esa misma hora él abriría la base de la leñera para llamar a Jon y Jone. Para las nueve y media, los dos tendrían que estar dentro de la furgoneta.

Pero ¿era aquello todo? Carlos era incapaz de ver más allá de aquel escueto programa. No podía ver otros detalles. Y seguía sin poder situar a Stefano.

—¿Y cómo lo has llevado todos estos años? —preguntó Carlos en respuesta a la mirada de Guiomar—. Quiero decir que ha tenido que ser duro estar cinco años así, como has estado tú, o como habéis estado Laura y tú.

—Me bastaba con estar cerca, de verdad. Yo creo que, en estos asuntos, la fantasía es fundamental. Como las medusas, ¿no? En las medusas sólo una décima parte es orgánica, todo el resto es agua, y sin embargo viven. Pues lo mismo pasa con el amor, creo yo. Le basta una décima parte de sustancia para subsistir.

—Lo de las medusas es interesante. Se lo tengo que contar a Mikel —dijo Carlos.

—Tú no crees en esas cosas, pero es verdad. En mi caso, y durante los últimos cinco años, así ha sido, una parte real y las nueve restantes agua, la historia que yo me montaba en mi cabeza. Al principio lo pasé mal, y por eso daba la lata con lo de volver a Cuba cuando Laura decidió irse con Ugarte. Pero luego me acostumbré. Y ahora, ya ves…

—Feliz.

—Ya sé que suena ridículo, pero así es. Y hablando de felicidad, no me querría perder la que nos van a regalar Maradona y compañía, y lo mejor será que nos vayamos. Llegar al campo de fútbol nos puede costar media hora, y Danuta me dijo que recogiéramos las entradas media hora antes por si acaso.

—Iremos en taxi, ¿no?

—Desde luego. Donde mejor está el R-5 es en el aparcamiento.

«¡Siete!», oyó cuando Guiomar fue a pagar a la caja de la pizzería.

El interior del taxi era un anticipo del ambiente que encontrarían en el estadio. El conductor llevaba la ventana abierta a causa del calor, lo cual, por el ruido del tráfico, le obligaba a poner la radio a todo volumen. En la radio —cuando todavía faltaba una hora para el partido— un comentarista que hablaba a gritos pedía a los aficionados que llamaran por teléfono para dar su pronóstico. Pero de repente —iban de nuevo por la Diagonal, rodeados de coches que tocaban la bocina— se hizo el silencio en la mente de Carlos.

«¡Seis!», oyó nítidamente. «¿Tan pronto?», pensó. «Algunos números se mueven más rápidamente que otros, amigo», le dijo Sabino.

Aquel número apaciguó la confusión de su mente, igual que una gota de aceite apacigua el ardor de una quemadura. Ahora ya le era posible ver más allá del escueto programa de lo que debía hacer, y se sentía capaz de repasar todos los datos previos. «¿Estás pensando lo mismo que estoy pensando yo?», oyó a los pocos minutos. Le brotó el sudor en las palmas de las manos. Sí, de eso se trataba, por fin se hacía en su mente un poco de luz y estaba de acuerdo con lo que Sabino quería darle a entender. Porque, ¿quién era el delator? Danuta. ¿Y quién les había dicho que recogieran las invitaciones en la taquilla número cinco del estadio? Danuta. ¿Y dónde estaba Stefano? Stefano estaba cerca de la taquilla número cinco, esperándole.

—No podemos ir al partido, Guiomar —dijo Carlos con voz contenida. Pero los gritos de la radio del taxi impidieron que Guiomar le oyera—. ¡Digo que no podemos ir al partido! —repitió.

Cada músculo de la cara de Guiomar, cada fibra, cada línea se derrumbó de golpe, y la expresión que aquellos mismos músculos, fibras y líneas habían mantenido hasta un segundo antes —la de un hombre feliz que escucha la radio con atención— desapareció bajo una máscara rígida. Se quitó las gafas y bajó la cabeza hasta las rodillas.

—Ahora te lo explico todo —le dijo Carlos. Estaban llegando a los alrededores del estadio, y el taxi adelantaba continuamente a grupos de gente con banderas de Brasil o Argentina.

—No tienes que explicarme nada.

Los pensamientos de Guiomar habían estado muy lejos de Jon y Jone, y sin embargo le bastó un segundo para atar cabos y comprender la verdad. Sabía que Carlos le había mentido, sabía que la pareja estaba debajo de la panadería del hotel y corría peligro, sabía que también ellos, por encubridores, se encontraban en un mal paso. No, no era justo. Ni Laura, ni Pascal, ni él mismo se merecían algo semejante.

—Déjenos por aquí —dijo Carlos al chófer. A su lado, Guiomar volvió a ponerse las gafas y apoyó la cabeza en una mano.

Miles de personas llenaban las calles y los accesos al estadio, y las camisetas amarillas de los aficionados de Brasil predominaban sobre todos los demás colores. El calor seguía siendo sofocante, y el ruido, aunque era tremendo, compuesto principalmente por el sonido de los silbatos, resultaba más alegre y agradable que el del interior del taxi.

—Ha habido un problema y se han torcido un poco las cosas —dijo Carlos situándose tras un árbol de la acera para esquivar la afluencia de gente. Guiomar tenía un cigarrillo en la mano.

—Probablemente ha habido más de un problema —le respondió Guiomar—. Y para serte franco, estaba seguro de ello. Quería olvidarlo, pero es inútil. Los problemas no se olvidan de nosotros.

Empezó a maldecir otra vez, pero no tenía fuerzas, y sus hombros, normalmente caídos, parecían ahora encorvados. Sólo al expulsar el humo del cigarrillo se le notaba alguna energía.

—Mira, Guiomar, no quiero discutir aquí —declaró Carlos después de dejar pasar un poco de tiempo. Como siempre que le hablaba a otra persona, se sentía seguro, mucho más seguro que cuando hablaba consigo mismo—. Como te he dicho, tengo un problema… yo. ¿Comprendes? El problema lo tengo yo. Tú estás a salvo. Y seguirás a salvo si yo no te cuento nada. ¿De acuerdo?

Guiomar se quedó un momento mirando a un guardia que pasaba montado a caballo. Iba hacia el estadio, sobresaliendo de entre las banderas amarillas y blanquiazules.

—¡Si no me cuentas nada…! —exclamó luego con un gesto desolado en la cara—. ¿Y qué hacemos con todo lo que sé hasta ahora?

—Tú no sabes nada. Pascal te contó una historia de una pistola, pero tú no le diste importancia y lo olvidaste.

La mención del niño desató una sarta de palabrotas en Guiomar.

—Atiende un poco, Guiomar. Si quieres, hacemos una cosa —suspiró Carlos—. Voy a hacer una prueba, a ver si mis sospechas son ciertas o no. Tú espera aquí. En diez minutos estaré de vuelta. Y mientras tanto, cálmate, por favor. De verdad, no tienes ningún problema.

Se encaminó hacia el estadio sin esperar la respuesta de Guiomar y sintió otra vez en los oídos el ruido que durante la discusión había dejado de percibir. La gente alborotaba a su alrededor, y el sonido de los silbatos y las cornetas de plástico llenaba el aire. En cuanto al color, seguía predominando Brasil: por cada bandera blanquiazul de Argentina había diez amarillas. Se le acercó un chico que también iba de amarillo.

—¿Le sobran entradas?

—No —le dijo él sin detenerse.

Cuando divisó la taquilla número cinco se paró y analizó la situación. A unos cuarenta metros de la taquilla había una valla metálica que separaba la zona del estadio de la calle. Si se ponía detrás de la valla de puntillas podría ver todo lo que sucediera en aquella zona. «No corras, Carlos. Con la gente que hay es imposible que te cojan», le aconsejó Sabino.

—¿Tiene entradas?

Eran dos jóvenes de unos veinticinco años, vestidos con ropa de calle normal. Llevaban sendas cervezas en la mano.

—Yo ya tengo las mías. Pero en la taquilla número cinco he dejado otras dos a nombre de Carlos y Guiomar —dijo.

Los dos chicos se le quedaron mirando, sin entender.

—Son dos amigos míos. Pero han tenido un accidente en un semáforo de ahí y los municipales no les dejan moverse. No sé, si vais a la taquilla y os las dan, son vuestras. Decís que sois Carlos y Guiomar. No creo que tengáis problemas.

Le dieron las gracias y se marcharon corriendo en busca de las entradas. Para cuando Carlos se situó tras la valla metálica, ya habían recibido los primeros golpes y estaban rodeados de unos diez hombres con camiseta amarilla. Stefano se encontraba un poco más lejos, con su chaleco fucsia de siempre, y gritaba algo con los brazos levantados.

Carlos pasó a la otra acera de la calle y fue hacia Guiomar, pero no pudo evitar correr un poco. Había perdido la costumbre, y le costaba controlar las piernas.

—¿Has sabido algo? —le dijo Guiomar. La pregunta dejó traslucir un último residuo de esperanza.

—Efectivamente, hay un problema —dijo Carlos sin dejar de caminar.

La acera estaba atestada de gente que se movía en dirección contraria a la suya, y la excitación suscitada por el partido se dejaba notar en las caras, en los gestos, en los gritos. En una tarde tan calurosa como aquélla, agitar las banderas suponía un esfuerzo. Muchos de los aficionados sudaban copiosamente.

Carlos se dirigió a una calle perpendicular, y Guiomar fue tras él.

—Anímate un poco, Foxi —le dijo Carlos volviendo la cabeza hacia él.

Pero Guiomar no le respondió. Con las dos manos metidas en los bolsillos y las gafas un centímetro más abajo de lo que solía, parecía un poco alelado.

La gente con algo amarillo o blanquiazul fue disminuyendo. Finalmente —cuando llevaban cerca de un cuarto de hora sin hablar entre sí— cogieron de nuevo la Diagonal y llegaron a una cafetería grande. Había poca gente dentro, y todos parecían clientes asiduos. Además, no había televisor.

—Aquí te resultará más fácil olvidarte del partido —le dijo Carlos al abrir la puerta.

Guiomar no dijo nada, y fue a sentarse en una mesa.

—¿Un café?

—Pero que lo sirvan en taza, no en uno de esos vasitos de cristal —dijo Guiomar. Encendió un cigarrillo.

—Yo creo que lo mejor es que tú te quedes aquí. He venido pensando en ello y…

—Tú eres el responsable de zona y haremos lo que ordenes —le interrumpió bruscamente Guiomar. Miraba hacia la calle, pero sus ojos no se movían a tenor del movimiento que había fuera. Estaban fijos en un semáforo. Carlos masculló una maldición.

—Por favor, Guiomar, ahora no te enfades conmigo. Ya sé que te he estropeado el día de hoy, pero intenta olvidarte de eso. No me pongas las cosas más difíciles, por favor.

—Entonces, ¿cómo están las cosas? En la medida en que puedo saberlo, claro —le dijo Guiomar. Seguía hosco, pero dispuesto a salir del estancamiento de su conversación.

—Hubo un problema, un chivatazo, y la policía dio con nuestra pista —explicó Carlos. También él encendió un cigarrillo—. Y el asunto ha ido creciendo poco a poco, y al final, hoy mismo, se ha puesto a punto de explotar. Con lo cual, supongo que en este momento algunos policías estarán molestando a Ugarte y a los demás en el hotel. Y a Laura también, claro. Pero tranquilo, ellos ya saben que vosotros no tenéis ningún tipo de responsabilidad. Las molestias serán eso, molestias y nada más.

—¡Los cafés! —dijo el camarero depositando dos tazas sobre el mostrador.

—Unas patadas, unos puñetazos, unas vejaciones a Laura y pequeñas molestias por el estilo, nada más.

—Que no, Guiomar. Por favor. Nada más que unas preguntas —dijo Carlos tras poner las tazas en la mesa.

—Sabes tan bien como yo cómo anda la policía últimamente. Desde que dieron la amnistía están quemados. La verdad, Carlos, me cuesta creer lo que dices. Y además, está Pascal. ¿Qué hará Pascal si traen a Laura y Ugarte a una comisaría de Barcelona? Además, no sé si Danuta estará en el hotel.

—María Teresa seguro que está allí, y Doro y sus hijos también. Se ocuparán de él, estate tranquilo. Pero, volviendo a lo de antes, yo creo que no debes ir al hotel hasta la noche. Y no es que lo crea, estoy seguro. Primero para evitar las molestias de la policía, y luego porque yo tengo que hacer algo allí, y necesitarás una coartada. O quizá no la necesites, pero por si acaso. Si esta noche llegas al hotel y la policía empieza a preguntarte, tú di que he ido en busca de las entradas para el partido y que no he vuelto.

—Etcétera. Por mí no te preocupes. Yo estoy tranquilo y las supuestas molestias no me inquietan. Pero querría ir al hotel.

Carlos se llevó la taza de café a los labios. Cuando la volvió a dejar en la mesa, el gesto de su cara era muy serio.

—Mira, Foxi, no te pongas terco. Si vas al hotel ahora, o si vas dentro de un rato, te van a preguntar por mí, dónde estoy y demás. Y si les dices algo, mal para mí; y si no se lo dices, mal para ti. Las molestias serán mayores.

—Como quieras —desistió Guiomar apagando el cigarrillo—. Y entonces, ¿qué hacemos ahora?

—Si quieres acompañarme hasta el coche, ven conmigo. Tenemos tiempo para ir paseando.

—¿A qué hora has quedado con Mikel? —preguntó Guiomar poniéndose las gafas en su sitio.

—¿Con Mikel? ¿Y para qué iba a quedar yo con Mikel?

—Vale. Paga los cafés y vámonos. Yo también tengo ganas de moverme un poco —dijo Guiomar.

No obstante la impresión que había tenido al llegar al estadio —que toda la ciudad se había reunido allí—, las calles por las que caminaron hacia el aparcamiento seguían estando repletas de gente. No, no toda la población de Barcelona estaba en los alrededores de Sarriá o viendo el fútbol en la televisión, y quienes se cruzaban con ellos en la acera tenían preocupaciones del todo ajenas al juego de Maradona o de Flaco. Guiomar caminaba callado, y Carlos aprovechaba su silencio para fijarse en la gente; ¿qué le preocuparía a aquella señora mayor perfectamente maquillada a la que acababan de adelantar?, ¿y en qué pensaría la joven parada con dos niños delante de una librería y que, al pasar ellos, había señalado un libro diciendo «mira David, mira Ane»? ¿Y el chico de gafas que llevaba una guitarra?, ¿y el hombre moreno de bigote tupido que iba con un bebé en brazos?, ¿y el ciclista que esperaba en un semáforo, con una gorra con el nombre de Richi? Junto a un taxi, una mujer rubia le decía a otra de pelo rizado: «¿Has traído los papeles, Margarita?», y ésta le respondía: «Sí, Silvia, aquí los tienes todos». ¿Qué proyectos tendrían aquellas dos mujeres? «¿Qué nota te han puesto en historia, Peru?», decían más adelante, en la terraza de una cafetería, dos mujeres con pamela... Entre todos ellos, ¿habría alguien cuyas inquietudes se acercaran a las suyas, alguien que estuviera en su territorio? No lo creía. Jon, Jone, Mikel, ellos eran sus hermanos. Por lo menos hasta llegar al tercer asterisco. Mikel debía de estar ya bastante cerca de Barcelona.

—Vamos por la sombra —le dijo Guiomar cuando enfilaron una calle más tranquila que las anteriores. El sol había empezado a declinar y ya no caía verticalmente sobre las aceras.

—Esto es otra cosa —dijo Carlos, viendo lo vacía que estaba aquella calle.

—¿Por qué te metiste en este lío? —empezó Guiomar. Ahora le hablaba sin acritud, pero parecía muy cansado—. Estoy un poco extrañado. O, mejor dicho, estoy muy extrañado, cuantas más vueltas le doy menos lo entiendo. Yo creía que estábamos apartados de ese mundo, tanto ideológica como sentimentalmente. Si fuera la gente que anduvo con nosotros, la gente de la VIII Asamblea y tal, vaya. Al menos podría comprenderlo. Encima, estos últimos años no has hecho más que decirme que no creías en nada, y que toda nuestra lucha fue inútil. Y ahora vas y escondes en el hotel a una pareja que ha dejado dos o tres fiambres en el País Vasco, y nos pones a todos en peligro. Porque ésa es otra, qué va a pasar si la policía se pone a investigar los papeles de nuestro hotel y nos preguntan de dónde sacamos el capital inicial. Si descubren lo del hotel, adiós muy buenas. La verdad... —Guiomar dejó de caminar y se quedó pensando. También Carlos se paró, pero un metro más adelante—. La verdad, cuanto más lo pienso peor me parece. Tú no tenías derecho a tomar esa decisión sin consultar con todos.

—Estás llevando las cosas demasiado lejos, Guiomar. Como Ugarte el otro día. Con lo del futuro de Pascal perdéis los papeles. Pero ¿dónde está el peligro? —Carlos levantó la voz y una mujer mayor, elegante, muy parecida a la que habían visto un cuarto de hora antes, le miró un poco alarmada—. Yo no hablaré de eso, ni aunque me detengan y me lo pregunten. Y además, la policía no me va a preguntar por un asunto de hace cinco años. Me preguntarán por Jon y Jone. Y si yo no hablo, ¿cómo lo van a saber? ¿Por mi hermano? Tú ya sabes que Kropotky tampoco puede contarles nada.

«Si vas a hablar o no, eso se sabrá en su momento. A ver si se te ve tan chulo cuando te den la primera patada en los cojones», oyó.

—Ya sé que Kropotky no puede —le respondió Guiomar en el mismo tono—. Me preocupas tú, no tu hermano.

Estuvieron un rato parados en la acera. Guiomar esperando el comentario de Carlos, y Carlos sin decir nada.

«Cinco», oyó algo más tarde, al llegar a una esquina. Desde allí se veía la chapa azul del aparcamiento. Sí, los números se iban acercando al cero. Tenía que marcharse en busca de Mikel y contactar con él en el peaje mismo, antes de que cogiera la dirección del hotel.

—Sabes, siempre he pensado que has tenido mala suerte en nuestro grupo —le dijo Guiomar después de la pausa. Parecía más cansado que nunca.

—¿Por qué piensas eso? Yo no tengo la impresión de estar peor que Ugarte, por poner un caso.

—No, no lo digo en ese sentido —a Guiomar le costaba expresar su idea—. Lo que quiero decir es que siempre has sido tú el encargado de llevar la carga más pesada. Siempre he pensado que no te recuperaste de lo que pasó con aquel empresario...

—Fue la organización la que le pegó el tiro, no yo. La organización dio una orden y en aquella acción el responsable era yo. Hice lo único que podía hacer. Pero ésa es una vieja historia.

—Ya sé. Pero también hay historias que no son tan viejas. El caso de tu hermano, por ejemplo. El grupo tomó una decisión, y fuiste tú el que tuvo que meter a un hermano en el psiquiátrico.

—Dejemos esas historias. En serio. No es el momento más apropiado.

Habían llegado a la altura del aparcamiento. Carlos le tendió la mano.

—Me tengo que ir. Perdona que te deje sin coche.

—Cogeré un taxi.

—Recuerda que no puedes ir antes de las diez.

—¿Y qué vas a hacer tú? ¿Largarte con ellos? —le dijo Guiomar aceptando su mano.

—Yo creo que por ahora nos seguiremos viendo.

—Ojalá sea así.

—De todas formas, recuerda que mi testamento o lo que sea está en el cajón del escritorio.

Guiomar dijo que sí.

—Mañana te pagaré el taxi al hotel —dijo Carlos antes de desaparecer en la boca del aparcamiento.

Había retenciones en la Diagonal, y entró en la autopista a las seis y media dadas. De no haber imprevistos, y conduciendo a una media de ciento veinte kilómetros por hora, estaría en el peaje diez minutos antes de las siete. Por ese lado no había problemas. Y tampoco los habría por el lado de Mikel, una persona que basaba toda su militancia en la puntualidad. Probablemente estaría ya en el área de descanso anterior al peaje para poder llegar justo a la hora acordada, ni un minuto antes ni un minuto después. ¿Y Stefano? ¿Qué estaría haciendo Stefano? ¿Habría decidido volver al hotel? Carlos miró a los conductores de los coches que en aquel momento le estaban adelantando: no, ninguno se parecía a Stefano. Encendió la radio. «Señores, este partido está sentenciado —escuchó. El comentarista alargaba las vocales y salmodiaba algunas palabras—. Sí, señoras y señores, el equipo que hasta ahora ha sido campeón del mundo, Argentina, ha caído ante Brasil. Tres a uno está ganando Brasil, señores, y el partido va a terminar de un momento a otro. Cómo juega Brasil, señores, Falcao a Eder, Eder hacia atrás a Serginho, Serginho avanza y falta, señores, Argentina no pueeede, señoras y señores, no puede Argentina...».

Enfrente, al fondo del paisaje, apareció Montserrat. Desde aquella distancia recordaba un castillo medieval.

Sí, también Montserrat era una montaña bonita, rara, con una forma que él no había visto en ninguna otra parte. No era extraño que fuese una referencia para los barcos, una especie de gran faro de piedra. De una mirada, los marineros podían saber dónde estaban.

«Tres a uno va ganando Brasil, señores —seguía el comentarista—. Y si juega como hoy los partidos que le quedan, no cabe duda que será difícil arrebatar la copa del mundo a los cariocas. En cambio, para Argentina, qué día tan triste, señores, y más triste aún para la estrella argentina, Diego Armando Maradona, ya que Maradona, como todos nuestros oyentes saben, ha sido expulsado a causa de su feo comportamiento. Sí, señores, mal empieza Maradona su estancia en España. Porque, también lo saben nuestros oyentes, Maradona no regresará a Argentina después de terminar los Mundiales, se quedará en Barcelona. El árbitro está mirando el reloj, y efectivamente, en este mismo instante... —el comentarista levantó la voz y prácticamente se puso a chillar—. ¡Ahora mismo ha terminado el partido con la victoria clara de Brasil!».

Intentó sintonizar una emisora en que hubiera música, y en ese momento vio una gasolinera. Dejó el mando de la radio y desvió su coche hacia allí. Pero no aparcó junto a los surtidores, sino al lado de un empleado que estaba atento a un pequeño transistor.

—¿Puede llenarme de gasolina dos de esas latas? —le dijo al empleado señalando las que había tiradas en una caja.

—¿No prefiere una de cinco litros? —le dijo el empleado—. Tengo una lata de cinco litros ahí dentro.

—Estupendo. Se lo agradezco mucho. Pero sea rápido, por favor. Soy médico y voy a atender un caso en un pueblo de ahí cerca. La gasolina es para el coche de la familia del enfermo.

«Hemos visto cómo juega Brasil, pero ¿cómo jugará España?», escuchó Carlos cuando volvió a entrar en el coche. Miró el reloj. Eran las siete menos diez. A la velocidad a la que iba llegaría a la zona de peaje en unos pocos minutos. «¿Qué opina nuestro invitado de hoy?» «Bueno, yo creo que jugará mal y que Alemania nos dejará en ridículo —respondió el invitado con voz cascada—. Nuestros jugadores están cansados, nuestros jugadores están acomplejados, y, por si eso fuera poco, algunos de nuestros jugadores están recibiendo un trato desconsiderado e injusto tanto por parte de la prensa como por parte de ciertos directivos. Mucha gente ha perdido la oportunidad de quedarse callada». Y el comentarista: «Lo dice por los jugadores vascos, por supuesto. Lo del trato desconsiderado». «Desde luego, desde luego. Se ha repetido últimamente que los jugadores vascos no sienten los colores de España y que por eso han jugado tan mal. Es una barbaridad, o todavía diría más, es una calumnia.» Y el comentarista de nuevo: «Esa historia de las medias de nuestro portero y...». «Pues sí, hombre, sí —el invitado indignándose—. ¿A quién se le ocurre pensar que se ha quitado las medias porque llevan la bandera española? Si fuera por eso, tampoco se pondría los pantalones o la camiseta, y entonces, no sé, entonces tendría que ir de negro como los árbitros o si no desnudo». A lo que el comentarista: «¿Y qué le parece si para desagraviar a los jugadores vascos les ponemos una canción de aquella tierra?». «Muy bien.» «Pues adelante con esa canción. Seguiremos hablando después de escucharla.»

Vio el peaje al final de una pendiente, y la salida de la carretera que iba hacia el hotel cien metros antes. Haciendo muecas por la canción que habían puesto en la radio —una canción de taberna, muy vulgar—, dio al intermitente y situó el coche en el carril de la derecha. Antes de que terminara la canción, ya estaba fuera de la autopista.

Aparcó junto a la salida de los que venían en dirección contraria, frente a un paso subterráneo. Faltaban cinco minutos para las siete. Mikel aparecería de un momento a otro, y le vería a él enfrente.

Corría un poco de viento, y las banderitas de papel que colgaban en el túnel de salida se movían suavemente. Carlos se apoyó en el capó de su coche y se entretuvo en adivinar a qué países correspondían. En el cable más cercano y empezando por la derecha, la primera correspondía a Alemania; la segunda a Italia, la tercera a España, la cuarta a Suiza, la quinta a Gran Bretaña; después venía la de Suecia, seguida de las de Noruega, Polonia, Holanda y Cataluña; la undécima —blanca y azul, con la cruz y las barras— le era desconocida; la duodécima, quizá la más bonita, era la de Japón; la decimotercera la de Francia, la decimocuarta la de Estados Unidos; la decimoquinta la de Portugal; la decimosexta —vaciló— la de México; la decimoséptima —roja en los bordes y con una hoja igualmente roja sobre fondo blanco— no sabía de dónde... Entonces sonó una bocina y la furgoneta negra conducida por Mikel pasó por debajo de las banderitas. En el asiento contiguo al de Mikel venía una mujer obesa y de pelo blanco, vestida de gris.

—La furgoneta es un poco fúnebre, ¿no? —le dijo a Mikel cuando éste bajó del vehículo. Luego levantó la mano y saludó a la mujer, que se había quedado en su asiento. Tendría unos setenta años.

—¿Cuál es el color opuesto al blanco? El negro, ¿no? Pues bueno, en lugar de mi furgoneta blanca, una negra —le respondió Mikel dándole unas palmadas en el hombro.

—No está mal pensado.

—Ha sido una casualidad. En el taller no tenían otra.

—¿Y esta abuela? ¿Qué es, de piedra?

—Está un poco nerviosa. Y la verdad es que, por su culpa, yo también he acabado poniéndome nervioso. No ha soltado una palabra en todo el camino.

—Ya, por eso te digo. Parece de piedra. Todavía no ha hecho ni un gesto.

—Ve muy poco.

—Ah, entonces es por eso.

—Tiene los dos hijos en la cárcel. Y a los de la organización les ha parecido conveniente mandarla conmigo. Ya sabes, siempre infunde menos sospechas viajar con una abuela. Si nos paran en un control diré que es mi tía, y que la he traído a Barcelona por lo de la vista.

Carlos abrió la puerta de la furgoneta.

—¿Qué tal, abuela? ¿Qué tal ha hecho el viaje? —le dijo en voz bastante alta.

—No estoy sorda. Un poco ciega sí, pero no sorda —le respondió la anciana volviéndose hacia él. Tenía la voz áspera.

—Entonces le pregunto otra vez. ¿Qué tal el viaje?

—Si termina bien, bien. Si no, mal.

423

—Terminará bien.

—Así lo quiera Dios.

Carlos cerró la puerta otra vez, y volvió a donde Mikel.

—Tienes razón, no es muy habladora. ¿Cómo se llama?

—A mí me han dicho que la llame María.

Carlos miró en dirección a la mujer. Por encima de ella, a unos diez centímetros del techo de la furgoneta según su perspectiva, las banderitas de Alemania, Italia y España no dejaban de moverse. Según avanzara la tarde, el viento se haría más fuerte. Tenían que ocuparse cuanto antes del incendio para distraer a los policías. Con viento fuerte, el fuego podría llegar hasta el hotel.

«¡Cuatro!», oyó entonces. Hasta la propia voz de Sabino tenía un punto de nerviosismo. «Cuanta más prisa os deis, mejor. Y no sólo por el viento. Si os retrasáis y dais a Stefano tiempo de replantear las cosas, vais a encontrar mil policías en el hotel. Atento, Carlos, de aquí en adelante los números irán muy deprisa.»

—Mikel, escúchame ahora. Ha habido un problema y tenemos que hacerlo todo en una hora.

—Vale —dijo Mikel quitándose las gafas y limpiándolas con una punta de la camiseta. Parecía no tener interés en lo que acababa de oír.

—¿Quieres que te lo explique o no quieres?

Tenía que hacer esfuerzos para controlarse. Estaba muy irritable.

—Como quieras. Pero lo único que me interesa saber ahora es qué vamos a hacer. O mejor dicho, qué es lo que me toca hacer a mí.

—Tienes que provocar un incendio —le dijo Carlos secamente.

—¿Un incendio?

—No queda otro remedio.

Mikel, ahora sí, le dirigió una mirada interrogante desde detrás de sus gafas demasiado pequeñas, y Carlos le informó rápidamente de todo lo que había sucedido: el chivatazo lo había dado Danuta, y Stefano y sus colegas lo sabían casi todo. Dos horas antes habían estado a punto de cogerle.

—Por eso tenemos que dar fuego a algo para distraer a los guardias —dijo luego, acallando las maldiciones de Mikel—. Y cuanto antes, además. Si le damos tiempo a Stefano, no nos salvamos ni con el mayor incendio del mundo.

Mikel seguía maldiciendo, ahora entre dientes.

—Mikel, no sé si lo entiendes —Carlos le habló con extraordinaria severidad—. ¡No tenemos tiempo para nada, ni siquiera para maldecir! Coge la furgoneta y sígueme hasta el cruce de la calzada. Allí es donde vamos a hacer el fuego.

—¿Y la gasolina?

—En el maletero tengo un bidón de cinco litros.

Encendió la radio en cuanto estuvo en la carretera. «Los fallos del fútbol español no vienen de este año ni del anterior —decía el invitado de la voz áspera. Daba la impresión de estar más enfadado que cuando le había oído en la autopista—. Los problemas son estructurales, y por eso andamos haciendo el ridículo cada vez que tenemos que medirnos con las mejores selecciones del mundo». «Y ¿también hoy vamos a hacer el ridículo?», le preguntó el comentarista un poco incómodo. «Por supuesto. La gente me dice que soy un gafe y que quiero frustrar las expectativas que se han creado todos estos días, pero para mí esa euforia es nube de verano que se lleva el viento. Si quiere mi pronóstico, Alemania nos ganará por dos goles a cero. No podremos romper el centro del campo de Alemania.»

El comentarista pidió excusas a los oyentes que podían sentirse disgustados con las opiniones que se acababan de exponer en el programa, e intentó desmentir las probabilidades del pronóstico. Desentendiéndose de lo que oía, Carlos se concentró en los vértices de los árboles que flanqueaban la carretera. Sí, allí estaba el viento que, según el invitado de la voz áspera, se llevaba las nubes de verano, el mismo que minutos después debería animar el incendio. Su mirada se dirigió luego al espejo retrovisor. Mikel le seguía a unos diez metros, como si temiera perder el contacto con él. A su derecha, la abuela parecía una estatua. Sí, la organización debía de andar muy mal para utilizar a una persona de aquella edad. Ojalá no les estorbara mucho.

«Comprendo su postura, pero yo insisto en lo de antes. Los fallos del fútbol español son estructurales —decía el invitado—. Y en ese sentido, tengo que volver a referirme a los equipos del País Vasco. El trabajo que hacen con los jugadores de su propia cantera es ejemplar». «Completamente de acuerdo —dijo el comentarista intercalando sus palabras entre las del invitado—. Los equipos del País Vasco —continuó éste— cogen a los jugadores de niños, y les miman, les preparan, y sobre todo no les exigen resultados para el día siguiente, es decir no actúan como los campesinos con los pinos, que los plantan un día y los sacan al siguiente…».

Apagó la radio, aminoró la velocidad y aparcó delante del cruce de la calzada, en el punto donde arrancaba el camino viejo que llevaba a La Masía.

A los pocos segundos, la furgoneta negra se colocó detrás del R-5.

—Es ahí mismo —le dijo a Mikel.

Miraban en dirección al hotel. Desde allí no se veía el edificio, porque se interponían los cipreses que rodeaban la piscina. En la carretera, los coches y los camiones pasaban sin interrupción.

—¿Dónde quieres decir? ¿En ese socavón de ahí?

—Exactamente. Bajas por ese lado y lo riegas todo con gasolina. Lo mismo la basura que la maleza. ¿Tienes una bolsa de plástico? Hay que disimular la lata.

—¿No será peligroso?

Mikel volvió a mirar hacia el hotel. Carlos abrió el maletero del R-5.

—No tengo ninguna bolsa de plástico —dijo Carlos chasqueando la lengua con una mueca de disgusto—. ¿Por qué dices lo del peligro? ¿Por los guardias que controlan la calzada? Y por qué no…

Calló un momento. Quería retener la idea que se le acababa de ocurrir.

—Que lo haga la vieja —concluyó. Había dado con una buena idea.

—Pero ¡si casi no ve!

—Entonces acompáñala tú. Los guardias pensarán que sois madre e hijo y que andáis buscando algo. Si es que os ven. Pero lo normal es que no os vean.

No articulaba bien las palabras. Quería hablar demasiado deprisa.

—Bien, se lo voy a decir ahora mismo. Pero yo hablaba de otro peligro. Si pegamos fuego al socavón, ¿no se extenderá? Sopla un poco de viento…

—¿A ti qué te parece?

—No sé. Hacia este lado no pasará, eso seguro. Pero ¿hacia allá? Eso no lo tengo tan claro.

—En ese viñedo viejo no hay más que piedras. Yo creo que haría de cortafuegos. Y luego, no faltaría más, están todos esos guardias del hotel. Yo creo que no les importará hacer de bomberos por unas horas.

—Estoy de acuerdo —dijo Mikel correspondiendo a la sonrisa de Carlos con otra más abierta—. Espera un poco. A ver qué dice la abuela.

La noche se iba acercando, y las ventanas de las urbanizaciones estaban iluminadas en un cincuenta por ciento. Tenían que darse prisa. Había que coronar la operación antes de que anocheciera.

«¡Tres!», oyó entonces. La cuenta atrás apoyaba su punto de vista.

—La abuela dice que sí. Y que meterá la lata de gasolina en un capazo. Mira, mira con qué energía está sacando las cosas que tenía en el capazo.

—Cierto, parecía de piedra, pero no lo es.

Los movimientos de la mujer eran más ágiles de lo que cabía esperar. Enseguida, se bajó de la furgoneta y se acercó a ellos. Entornaba los ojos para ver mejor.

—Mete aquí esa lata de gasolina —dijo tendiendo el capazo.

—Enseguida, abuela —le dijo Mikel cogiendo el capazo y yendo hasta el maletero del R-5—. Cabe perfectamente —informó luego.

—Trae, entonces —dijo la abuela. Ella también tenía prisa.

—Mikel, ahora escúchame bien —empezó Carlos ayudándose con un gesto de las manos—. La primera parte ya la conoces. Y la segunda es muy fácil. Aparcáis en la explanada de detrás de la gasolinera y me esperáis sentados en el pinar. No os mováis de allí hasta que yo aparezca.

—No te preocupes. Allí estaremos los dos —le dijo Mikel.

«Temías que la abuela fuera un estorbo, pero mira qué trabajo os va a hacer. La policía no se preocupará de una anciana que busca algo entre la basura», le susurró Sabino.

—Comenzad cuando queráis. Yo voy a mi puesto. Nos reuniremos antes de tres cuartos de hora.

—Me lo trajo mi hija de Portugal —dijo de pronto la mujer señalando el capazo.

—Le compraré uno nuevo si se le quema éste, abuela —le dijo Carlos.

—¿Quién me va a coger del brazo? Ya sabéis que veo poco, y no querría que me atropellara un coche.

—Tranquila, yo la cogeré del brazo —le aseguró Mikel.

—Vamos rápido. ¡Cuanto antes acabemos, mejor! —se impacientó la mujer.

Mikel la condujo primero hasta el borde de la carretera, y luego —Carlos los observó por el espejo retrovisor— hasta los alrededores del socavón. María tenía el aspecto de una persona mayor y demasiado gorda que se ha mareado en el viaje y sale a tomar un poco el aire; salvo que agarraba el capazo con las dos manos y lo llevaba levantado hasta la cintura.

Carlos aparcó el coche en la explanada de la gasolinera, y a los pocos minutos, después de avanzar a zancadas, estaba en la cima de Amazonia, justo al lado de la primera señal blanca. El cruce de la calzada y el socavón le quedaban a la izquierda; el hotel, enfrente. En el hotel no se percibía nada anormal. Alrededor del socavón de la Riera Blanca tampoco. El viento agitaba las pequeñas hojas de los arbustos.

«¡Dos!», oyó entonces, y al mismo tiempo vio una fumata que ascendía en el aire. Parecía como si en medio del socavón hubiera una boca de chimenea y una fábrica subterránea se hubiera puesto a lanzar humo de forma violenta. El humo subía al cielo velozmente, y a veces era blanco y otras era negro.

«Tranquilo, ¡no te muevas todavía!», le gritó Sabino cuando los pies de Carlos se lanzaron ladera abajo. Obedeció y se detuvo, pero tenía que hacer esfuerzos para reprimir las ganas de echar a correr. Entretanto, el humo iba cogiendo volumen. La columna que en los primeros instantes había subido derecha hacia el cielo se rompía continuamente.

Advirtió cierto movimiento en la explanada del hotel, y poco después dos motos corrían por la calzada. ¿Los hijos de Doro? Le pareció que sí, que se trataba del ruido de sus Montesas. Un minuto después, alguien hizo sonar un silbato más agudo aún que el de los árbitros, y los guardias que estaban en el control de la calzada comenzaron a dar voces y a moverse. En la carretera, los bocinazos se hacían cada vez más frecuentes.

Un humo sucio de color negro se agregó al anterior. Parecía humo de neumáticos, no de hierba o maleza.

«Tranquilo. ¡Quieto todavía! —le ordenó Sabino cuando volvió a ponerse en marcha—. Siéntate en el suelo y no te levantes durante el tiempo que se tarda en fumar un cigarrillo».

Se sentó en el suelo e intentó concentrarse en la zarza que tenía enfrente, como si buscara insectos en sus hojillas. Pero resultaba difícil olvidarse del incendio. El aire traía a veces el olor de la hierba quemada, y otras, mezclado con él, el repugnante de la goma derretida. Además, cada vez se sentía mayor alboroto. Por encima de las bocinas y los motores, los chillidos de la gente recordaban, paradójicamente, la algarabía de una fiesta campestre. ¿Y los insectos? Sí, también los insectos estaban allí, en todo el contorno. Su estridor era el único ruido regular.

Vio las primeras llamas en cuanto acabó el cigarro y se incorporó: eran de color anaranjado y asomaban a lo largo de todo el borde del socavón. Decidió que el momento de dirigirse a la panadería había llegado. Sí, toda la gente debía de estar ya en la zona del incendio. Los guardias también.

«Pero vete despacio, Carlos. No te precipites», le dijo Sabino. Sin embargo, y aunque también su sentido común le aconsejaba lo mismo, los pies se le movían cada vez más deprisa. Al final, empezaron a descender la ladera a toda velocidad, incluso a saltos.

«Mira a tu alrededor, mira a ver si hay guardias», le dijo Sabino cuando entró en el cauce seco de la Riera Blanca. Pero las voces, los bocinazos, los silbidos, todo sonaba muy lejos, y tuvo la impresión de que no, de que allí no había guardias.

Después de pasar la Fontana, dio una pequeña carrera hacia la panadería, temiendo ver una gorra de béisbol entre los olivos que había a izquierda y derecha. Pero no, tampoco allí había nadie. ¿Se habría equivocado con Stefano? ¿Le habría sobrevalorado? Porque parecía que los guardias no estaban sobre aviso y se habían ido todos a la zona del socavón.

«Lo mismo pienso yo. Lo del incendio ha sido muy buena idea, una idea extraordinaria. Pero mantente alerta hasta que acabe todo, Carlos. No te dejes llevar por la euforia.»

Sin embargo, le costaba hacer frente a la euforia, y abrió la puerta de la panadería sin tomar la menor precaución. De pronto, un hombre con aspecto de payaso y apuntándole con una metralleta salió de la leñera y... Pero no, aquella aparición nada tenía que ver con la realidad. En la leñera había troncos y leña menuda; en la mesa de mármol, el paño blanco de cubrir la masa; en el saledizo del horno, el aparato de televisión. Cierto que no había olor a harina o a pan y que en su lugar, incluso allí dentro, se sentía el de la goma o la hierba quemadas, pero, por lo demás, todas las cosas estaban en su lugar, en su tiempo, en su medida.

—¡Salid enseguida! ¡Nos vamos! —gritó después de levantar la trampilla de la leñera. Jone apareció inmediatamente.

—¡¿Tan pronto?! —dijo abriendo los ojos.

—Todo va perfectamente, pero nos conviene ponernos en marcha cuanto antes. En este mismo momento tenemos vía libre —le dijo Carlos hablando a trompicones.

—¡Jon! ¡Coge las cosas! —gritó Jone enseguida—.
Así que, al final, habéis pegado fuego al matorral —añadió después de identificar el olor que flotaba en el aire.

—¿Cómo tenemos que ir? ¿Vestidos de marroquíes
o no? —dijo una voz opaca desde el escondite.

Carlos le hizo un gesto a Jone. No había tiempo de
empezar a vestirse.

—¿Cómo tenemos que ir? —repitió la misma voz
opaca de antes asomando junto a Jone. Era un chico muy
joven y muy flaco. La nuez de su cuello era enormemente grande.

—Tal como estáis. Ha habido algunos cambios y da
igual la vestimenta —le dijo Carlos.

—¿Seguro? —dijo el joven, receloso.

—Seguro. Y por favor, haz lo que te he dicho. Trae
las bolsas —repitió Jone con severidad.

A continuación, salió de la leñera y se acercó a Carlos.

—No te molestes porque no te haya dicho ni hola
—musitó—. Es así. Menos mal que voy a perderle de
vista por una buena temporada.

—A ver si lo consigues.

—¿Cuánto tiempo tenemos? —preguntó Jone yendo
hasta la ventana y mirando hacia los alrededores de la panadería.

—Suficiente. Lo he encontrado todo muy tranquilo. Creo que hemos acertado de pleno con el incendio.

«¡Qué arrogancia!», oyó.

Corrieron en fila hacia la gasolinera, encogido cada cual sobre sí mismo, y no se detuvieron hasta después de haber pasado la Riera Blanca y el primer trecho de Amazonia. Los gritos que venían de la zona del

socavón —y que seguían pareciendo los de una fiesta— les acompañaron durante todo el recorrido; pero en lo que se refería a los parajes cercanos, todo estaba tan desierto como a la llegada de Carlos. Sí, la operación saldría bien. Le costaba creerlo, pues, a pesar de que había actuado con mucha prudencia, le parecía que las probabilidades de un final feliz siempre son escasas. «Por la educación que hemos tenido, Carlos. Una educación tristona, fatalista y represora», oyó entonces a su hermano. Así que también Kropotky le comprendía y ayudaba.

—Esperad un poco. No puedo seguiros —dijo el chico flaco en mitad del ascenso de la ladera. Tiró la bolsa al suelo y se quedó de rodillas—. Hay mucho humo, ¿no? Me cuesta respirar.

—Después de pasar tanto tiempo en el agujero no estamos en muy buena forma —jadeó Jone—. Pero tenemos que seguir. Me ha parecido que a la altura de la fuente había alguien.

—¡¿Dónde?! —gritó el chico flaco poniéndose de pie nuevamente. Metió la mano en la bolsa y sacó una pistola. A Carlos le pareció más pequeña que la que él había utilizado en su época.

—Tranquilo. Lo más probable es que sea algún animal. Todos los animales y bichos de la zona estarán asustados con el fuego que hemos hecho —dijo señalando un cielo que, incluso encima de ellos, aparecía lleno de humo.

—Es un incendio muy grande, ¿no? —dijo Jone.

—No sé. Lo veremos cuando subamos otros cien metros.

—Sigamos lo más rápido posible. El fuego me angustia más que la policía.

—Sí, sigamos lo más rápido posible —repitió Carlos bromeando—. Yo diría que si podemos ir rápido es por las señales que marqué en su momento. Como ves, aquí no hay camino que valga.

—De acuerdo. No fue un fallo tan grande —le respondió Jone en el mismo tono y sin dejar de subir.

Mientras recorrían aquellos cien metros, Carlos sintió que en su interior crecía la certeza de que todo acabaría bien, y aquella certeza era también un incendio que se iba apoderando de todas sus vísceras y mejoraba las sustancias que éstas segregaban. Sí, finalmente veía a su alcance una nueva vida: iría a Barcelona, empezaría a utilizar el dúplex, y también se pondría a estudiar catalán, e iría al País Vasco todos los meses a visitar a su hermano, y además, lo primero sería marchar al pueblo de Doro y pasar una temporada junto al mar... De pronto veía las imágenes de una verdadera vida, las que hasta entonces le había escamoteado el Miedo, y comenzaba a sentirse como un enfermo que acaba de salir de la enfermedad. Se le hacían evidentes, ahora, todas las mentiras que se había contado aquellos últimos días: «No me importa morir; acoger a Jon y Jone no fue una estupidez; la operación no pone en peligro a mis amigos del hotel». Pero estaba a punto de salir del tiempo del Miedo, y la época de las mentiras se había acabado para siempre.

—Viene hacia aquí, ¿no? —dijo Jone cuando el fuego se hizo visible.

—Sí, el viento sopla en esta dirección y se está extendiendo más de lo previsto.

Las llamas que habían aparecido en los bordes del socavón avanzaban ahora por la Riera Blanca dirigiéndose hacia la zona de la Fontana, y lo hacían en sentido contrario al que hubiera seguido el agua. Sin embargo, no parecía que fueran a extenderse hasta el hotel. Si el fuego llegaba a causar algún daño, lo haría en Amazonia.

—El cauce seco funciona como una chimenea. Y tiene un tiro muy fuerte —dijo el chico flaco—. Si nos llegamos a quedar en el agujero, vete a saber, lo mismo nos achicharramos.

—No creo —le dijo Carlos secamente—. Pero nos estamos alargando demasiado. La gasolinera queda ahí mismo.

—Cuanto antes nos larguemos de aquí, mejor —dijo Jone.

Se había interrumpido el tráfico, y todos los conductores estaban fuera de sus vehículos mirando hacia la zona donde se concentraba el incendio y charlando entre sí animadamente. Al otro lado de la carretera, la gasolinera se veía completamente vacía, como si todos los empleados hubieran huido de allí. Indiferentes a todo aquel tumulto, Mikel y la anciana bebían una lata sentados en la orilla del pinar.

Carlos les saludó desde el otro lado de la carretera, y al instante —su calma era sólo aparente— los dos se precipitaron hacia la furgoneta negra.

—¡Bien! ¡Muy bien! —exclamó Mikel cuando se reunieron todos. Tuvo que soltar unas palabrotas para dar rienda suelta a su alegría—. ¡Todo ha ido al milímetro!

—Nosotros nos metemos en la furgoneta —dijo Jone abriendo la portezuela trasera del vehículo. Todavía estaba tensa.

—¿Qué tal estará la carretera? A ver si ahora vamos a caer en un control por vuestra culpa —dijo el chico flaco con acritud.

—¡Métete de una vez! —le dijo Carlos, mandándole contra las cajas de pescado de un empujón.

«Tranquilo, Carlos. Aquí termina tu trabajo», oyó.

—¡Tú a mí no me empujas! —chilló el chico saliendo otra vez de la furgoneta y plantándose delante de él.

A Carlos le pareció que los peces de las cajas le miraban aguardando su reacción. Y el que más le miraba era un pulpo. ¿Iba a darle un puñetazo en toda la nariz? ¿Iba a apretarle el cuello hasta romperle la nuez? «Tranquilo, Carlos. Él está agresivo después de haber pasado tanto tiempo en el agujero, y tú también estás agresivo por la temporada tan dura que has pasado. Pero sería una locura que ahora os pusierais a pelear», le dijo Sabino. «Lo que pasa es que este tipo tiene muy malas vibraciones, eso es todo», le dijo Kropotky.

—¿Qué? ¿Vamos a estar aquí otra hora? Ya estoy asqueada de este humo —oyó entonces. La voz procedía de la cabina de la furgoneta.

—Tranquila, abuela, ahora mismo nos vamos —dijo Mikel. Luego se acercó a Carlos y le cogió del brazo—. No me lo vas a creer, pero ha sido ella la que ha rociado todo con gasolina. Esta mujer es terrible.

—Jon, métete adentro, por favor —dijo Jone asomando entre las cajas de pescado.

El chico flaco se quedó mirando a Carlos unos segundos más, pero acabó desistiendo y desapareció tras las cajas de pescado.

—Adiós, Yul Brynner. Un millón de gracias por todo. Hasta la próxima que nos veamos —le dijo la chica.

—Que tengáis buen viaje. Y a ver si la organización te pone otro compañero.

Se dieron un beso, y Mikel cerró la portezuela trasera de la furgoneta. Desde el punto de vista que les interesaba a ellos, la gasolinera y todos sus alrededores estaban tranquilos, no había ni rastro de guardias; desde todos los demás puntos de vista, era un caos. Parecía que el incendio iba cogiendo fuerza y que —a juzgar por las sirenas— todos los bomberos de Barcelona estaban allí.

—Le dedico el incendio a Stefano —dijo Mikel.

—Déjate de dedicatorias y vete. Está oscureciendo, y todavía te queda un largo viaje.

—No creo que haya problemas. Además, no voy a ir por la autopista, sino por carreteras secundarias. Pero de haber problemas, tú tranquilo, Carlos. Yo cargaré con toda la responsabilidad. De verdad.

—Entonces, voy a la panadería a quitar todas las huellas que han dejado éstos. Con eso y tu declaración, a salvo —se burló Carlos.

—Ni lo dudes —le dijo Mikel montando en la furgoneta de un salto. Parecía un hombre completamente feliz.

—¡Nos volveremos a ver el martes que viene y haremos una cena! —gritó Mikel entrando en el único carril libre de la carretera.

Al bajar de nuevo por Amazonia, Carlos volvió a pensar en sus proyectos y en la nueva vida que le esperaba a partir de entonces, porque de esa manera mitigaba la dureza de aquel último recorrido por el territorio del Miedo. Pero la fuerza que en aquel momento alcanzaba el incendio era tan grande que le impedía concentrarse. El fuego había avanzado mucho en la Riera Blanca, prácticamente hasta llegar a la Fontana, y en la misma Amazonia brotaban regueros de humo, a unos cuarenta metros a la izquierda del itinerario señalizado de blanco. Sin embargo, lo peor no era el humo, sino el calor. ¿Qué temperatura habría? ¿Cincuenta grados? «Hoy va a ser el día más caluroso del verano», oyó. La Rata le hablaba con el mismo humor de siempre.

«¡Uno!», oyó a continuación. Lo sintió como si le hubieran dado un golpe en la espalda.

«¡Corre, Carlos! De lo contrario, no vas a poder cruzar al otro lado del cauce seco», le dijo Sabino. Pero sus pies ya se habían abalanzado ladera abajo saltando en todos los trechos en que eso les era posible.

Cuando llegó abajo, el fuego había sobrepasado la Fontana y estaba a la altura de la primera señal blanca que él había pintado. El aire abrasaba, y había llamas no sólo en el mismo cauce, sino también en las hojas de algunos olivos. Carlos se detuvo un momento a observar las salpicaduras del fuego: de tratarse de otro tipo de árboles, seguramente hubiesen ardido enteros, haciendo peligrar la panadería y el almacén. Pero el fuego no prendía tan fácilmente en el olivo.

Algo se movió a su izquierda, a la altura de la primera señal del cauce seco, y a él —desde la cuarta señal, a unos veinte metros de distancia— le pareció un animal que, acorralado por el fuego, se levantaba en un último esfuerzo por escapar de su madriguera y enseguida volvía a caer. De golpe, se imaginó a Greta. Llevaba casi dos días sin ver a los perros. Era probable que los hijos de Doro los hubieran sacado del almacén y luego los hubieran dejado sueltos. Belle era inteligente, pero Greta...

Corrió entre los olivos hasta el almacén y abrió la puerta. Al momento, los perros se le echaron encima. Estaban nerviosos, desquiciados por el intenso y extraño olor que olfateaban en el aire, atemorizados por los gritos y el aullido de las sirenas. De todas formas, los dos estaban vivos. Pero entonces...

—¡Pascal! —oyó de pronto. Era Juan Manuel quien llamaba.

—¡Pascal! —llamó Doro a continuación con voz mucho más angustiada.

Carlos lo comprendió de golpe. Pascal. La casa de Pascal. La casa de Peter Pan.

> *Quisiera tener una casa bonita,*
> *que tuviera las paredes rojas.*
> *Que fuera del mundo la más pequeñita,*
> *y tuviera un tejado de musgo y de hojas...*

¿Qué protección podía ofrecer la casa más pequeñita del mundo a su propietario? Absolutamente ninguna. El dueño estaba muerto detrás de la Fontana...

—¡Pascal! ¡Pascal!

Doro y sus dos hijos siguieron gritando, pero Carlos ya no reparaba en ello. Sus oídos no oían, sus ojos no veían, su nariz no percibía el olor del humo y las basuras quemadas: su cabeza era ahora un lugar lleno de voces. «Has matado a mi hijo, Carlos», oyó. «Esta vez sí que te has lucido», oyó. «Sí, es duro. No eres directamente culpable, pero aun así es duro», oyó. «La culpa es mía también, por no haber dicho la verdad a Stefano. Pero, en realidad, Carlos, has sido una desgracia para todos, el peor del grupo», oyó. «¡Mi hijo! ¡Mi hijo! Te mataré, Carlos», oyó. «Nosotros te comprendemos perfectamente, Laura. También mató a un familiar nuestro. Lo tuvo veinte días secuestrado en el sótano de un cine, y luego lo mató. Pero también es culpa tuya, por relacionarte con esa gentuza», oyó. «No hay culpables, no somos completamente dueños de nuestro karma, y después de todo nuestras acciones no son sólo nuestras», oyó. «Pero, Carlos, no lo comprendo. Te veía cansado y algo decaído, pero no me parecía que fueras a hacer semejante locura. Pero también yo tengo mi parte de culpa. Tenía que haber insistido más en que fueras a pasar una temporada larga a mi casa de la playa. Tu cabeza lo necesitaba», oyó. «Mi padre me ha dicho que Pascal se quemó por tu culpa. Pero habrá sido sin querer, ¿verdad, Carlos?», oyó. «Ha sido terrible, pero son cosas que pasan», oyó.

Sus pies corrían queriendo alejarse de aquellas voces, Belle y Greta le ladraban reclamando su atención, pero todo era inútil. En su cabeza, las voces se mezclaban entre sí e iban cogiendo cada vez más fuerza. «Laura a nosotros también nos mató un familiar has matado a mi hijo no hay culpables no me parecía que fueras a hacer una faena así es duro te has lucido en realidad por no

decir la verdad a Stefano no somos completamente dueños de nuestro karma terrible son cosas que pasan Pascal
has matado a mi hijo.» Una vez y otra vez, muy fuerte,
cada vez más fuerte.

Cuando llegó a la Banyera, las voces le dolían en la
cabeza, y las manos se le fueron a la ropa y le quitaron
los zapatos, los calcetines, los pantalones, la chaqueta de
lino, la camisa, la ropa interior, y al final le dejaron completamente desnudo. Acto seguido, sus pies le introduje-
ron en la charca. Una vez dentro del agua, tanto los brazos como los pies condujeron su cuerpo hacia la grieta.

Belle rompió a ladrar desde la orilla. La corriente
ayudaba a sus brazos y piernas, y lo empujaba hacia delante, hacia el estruendo de la grieta. Cuando, al nadar,
sumergía la cabeza en el agua, el dolor de las voces se
amortiguaba un poco.

Belle seguía ladrando, ahora acompañada por Greta,
y por último sus llamadas consiguieron abrirse paso entre
las voces e introducirse en su mente. «Te lo dije hace
tiempo, morir es fácil, y lo que estás haciendo no es
ninguna heroicidad. Al contrario, eres demasiado cobarde para afrontar la situación», oyó entonces. Y casi en el
mismo instante, enfadados por aquel reproche de la Rata,
sus brazos y piernas le obligaron a regresar y le sacaron
de la charca. Sí, volvía a estar de nuevo fuera del agua, en
la oscuridad de la Banyera, bajo un cielo en el que sólo se
podían distinguir una media luna y unas cuantas estrellas.
Las voces, naturalmente, seguían allí, y más mezcladas
que nunca: «Te has lucido te mataré Stefano has matado
a mi hijo terrible no el karma mi padre me ha dicho sin
embargo es duro…».

442

Sus piernas no podían sostener el cuerpo, y lo llevaron hasta una roca plana y lo sentaron allí. Belle ladró suavemente. Poco después, también Greta ladró, más fuerte.

—Mira quién está aquí —dijo una voz fuera de su cabeza, y los perros, entonces sí, rompieron a ladrar con todas sus fuerzas.

—Eh, tú —oyó. Sintió la luz de una linterna en la cara. Las voces de Guiomar, Laura y los demás se desvanecieron en su mente. Los ladridos de Belle y Greta también.

—Éste es el tipo que os decía —dijo la voz de fuera. Carlos levantó la vista. Tenía a Morros y otros dos guardias a unos cinco metros. Delante de ellos, Belle y Greta estaban echadas sobre la arena de la Banyera. Muertas.

Sintió un arañazo en el cuello, e inmediatamente, como si aquel dolor le hubiera reanimado, decidió que tenía que escapar de allí, y que además podía hacerlo, porque era de noche y conocía muy bien el matorral que rodeaba la charca. Saltó de la roca y corrió en dirección al viejo sendero que llevaba a la carretera, y siguió corriendo, corrió con toda su alma a pesar de estar desnudo y rasgarse la piel con la maleza. Le pareció que los guardias se iban quedando atrás, que la linterna de Morros no era más que un puntito de luz en la noche, y siguió subiendo por el sendero hasta alcanzar un lugar relativamente alto de la ladera. Entonces se acordó del fuego y miró hacia Amazonia. Pero allí no había ni rastro del incendio. Sólo agua. «¿Será que los bomberos lo han dejado todo sumido en agua?», se preguntó.

«No, Carlos —le dijo Sabino—. Acabas de tener una alucinación».

«¿Qué me pasa?», preguntó él, viendo que no podía moverse.

«Te estás muriendo y te vienes conmigo. Eso es todo, Carlos», le respondió Sabino con voz muy tranquila.

Supo entonces que el agua que le rodeaba era la de la Banyera, y que su amigo le decía la verdad.

La crítica ha dicho
de *El hombre solo*:

«*El hombre solo* es un libro maravilloso. Lo tiene todo.
Presentada como un *thriller* criminal,
la novela de Atxaga es mucho más que eso:
una lectura rica, pausada y poética.»
The Independent

«La historia es en apariencia lineal,
pero es todo lo que ha ocurrido antes,
y lo que ocurrirá después, lo que enriquece
la trama y eleva la novela más allá de los límites
de un *thriller* convencional.»
Times Literary Supplement

«Como novela de suspense, *El hombre solo* es excelente.
Pero este libro ofrece mucho más
de lo que cabe esperar del género.
Atxaga, que conoce bien estas cosas,
expresa la complejidad de la situación en el País Vasco.»
New Statesman

De Euzkadi a Euskadi,

por Bernardo Atxaga

Como muchos otros escritores, acostumbro a trabajar con dos cuadernos sobre la mesa. En el primero anoto aquello que tiene que ver directamente con el texto que estoy escribiendo. En el segundo, lo que me pasa por la cabeza y no viene al caso: una línea para un poema; una nota breve para un futuro artículo; la copia de una cita.

De *Euzkadi a Euskadi* surgió así, mientras escribía *El hombre solo*. En cierto sentido, es una reflexión autobiográfica. Todo lo que se cuenta en el texto deriva de mi experiencia vital. Como en la novela, el tema de fondo es la historia de un país que ha tenido, y tiene aún, muchos nombres, entre ellos los dos que cito en el título, Euzkadi y Euskadi.

El relato tuvo bastante difusión, y fue publicado en varias lenguas europeas.

Tenía trece años cuando escuché por primera vez la palabra Euzkadi. Estábamos un grupo de escolares mirando desde lo alto de la colina donde nos solía llevar el maestro para la clase de Ciencias Naturales, cuando mi compañero de pupitre, impresionado quizás por la amplitud y belleza del valle que veíamos desde allí, suspiró de manera ostensible y declaró: «Nik bizia emango nikek Euzkadiren alde». Es decir: «yo daría la vida por Euzkadi». Detrás de nosotros había un bosque, y un pájaro entre verde y marrón salió de él y nos pasó por encima como queriendo rubricar la afirmación. «Gu ez gaituk espainolak, gu euskaldunak gaituk», añadió el compañero de clase cuando el pájaro ya había vuelto a desaparecer entre los árboles. «Nosotros no somos españoles, nosotros somos vascos.»

El patetismo y la rotundidad de aquellas palabras me conmovieron profundamente, y creí estar ante uno de esos secretos que, al parecer, según me hacía sospechar lo ocurrido con los Reyes Magos o con la cuestión sexual, jalonaban el paso de la niñez, de la niñez mental, a la mayoría de edad. Temeroso de que mi compañero se diera cuenta de mi ignorancia fijé la vista en el centro de un árbol frondoso y dije: «Nik ere bizia emango nikek Euzkadiren alde», «también yo daría la vida por Euzkadi». Como por arte de magia, el pájaro verde y marrón salió de aquel árbol y volvió a pasar por encima de nosotros como una exhalación.

«Es una paloma», dijo el maestro. Luego explicó que había palomas de muchos colores, que no todas eran como las de los parques de la ciudad o como las domésticas que solían tener en los caseríos.

No sé si en el terreno de nuestros afectos existe algo equivalente a esa impronta que, según Lorenz, recibe un animal a las pocas horas de nacer dejándole marcado para siempre y directamente ligado con lo primero que ve moverse en su derredor, y es probable que el término, proveniente de la imprenta pero que ahora se utiliza sobre todo en zoología, no cuadre bien con el dominio de lo humano; pero, de todos modos, como hablar de huellas o primeras impresiones me parece excesivamente vago, prefiero decir que lo ocurrido aquel día me marcó profundamente, que hubo un antes y un después de la conversación con mi compañero de pupitre, que aquellas extraordinarias palabras dejaron en mí una impronta que nunca desde entonces he dejado de sentir en mi interior. Naturalmente, no fui un caso aislado, sino uno más de los muchísimos que se dieron en aquella época, principios de los sesenta, en todas las zonas del país donde la lengua vasca se mantenía fuerte y en algunas en las que no se mantenía tanto. Todos supieron de la existencia de un país oculto, y a todos les emocionó la noticia cuando, al igual que lo había hecho mi compañero de escuela, los encargados de transmitirla se mostraron tristes y soñadores: tristes al principio de la conversación, cuando se trataba de hablar de la guerra perdida y del pueblo sojuzgado por un dictador obsesionado con destruir todo lo vasco; soñadores después, cuando se explicaba el ideal, que no era otro que la liberación de Euzkadi.

No mucho más tarde, llegaron las canciones, los himnos: «Euzko gudariak gara Euzkadi askatzeko, gerturik daukagu odola bere alde emateko», «somos soldados vascos para liberar Euzkadi, estamos dispuestos a derramar nuestra sangre en su defensa». Como siempre, la música ayudaba a que la impronta quedara profundamente fijada; como una herida, como un surco, como una incisión en el alma.

Poco a poco, fueron llegando más noticias sobre el país obligado a ocultarse a causa de su derrota en la guerra, y así supimos —los adolescentes vascos de los años sesenta— que también había una bandera, muy distinta por cierto de la que el maestro nos hacía izar cada mañana en la escuela; una bandera que, además, era bonita, de tres colores, roja, verde y blanca. «Hau duk gure ikurrina», «ésta es nuestra bandera», nos explicó mi compañero de pupitre mostrándonos una especie de estampa. Luego preguntó: «Ba al dakizue non dagoen Zuberoa?», «¿Sabéis dónde está Zuberoa?». Yo respondí: «Donostia ondoan», «Cerca de San Sebastián». Él me corrigió al instante: «Ez, Frantzian zegok. Euzkadiren zazpigarren probintzia duk. Gure aita han egon huen gerra ondorenean», «No, está en Francia. Es la séptima provincia de Euzkadi. Mi padre estuvo allí después de la guerra».

Revelación tras revelación, el misterio se iba aclarando, y nuestra convicción era cada día mayor. En un determinado momento, hicimos el descubrimiento quizás más decisivo, el de la lengua que hablábamos habitualmente, y de pronto fuimos conscientes de su rareza, de su valor; supimos también, alguien nos lo explicó, que los gobernantes de aquel momento deseaban destruirla a toda costa. Por eso estaba prohibida en la escuela o en el Ayuntamiento, por eso ponía en los libros que era un dialecto sin importancia. Un año después de que la paloma verde y marrón volara sobre nosotros, no nos cabía duda acerca de nuestra pertenencia al país oculto y protestábamos contra la situación a nuestra manera, a lo adolescente: cuando llegaba la hora de cantar el *Cara al sol* no decíamos «cara al sol con la camisa nueva que tú bordaste en rojo ayer», sino «cara al sol con la camisa nueva que tú pringaste de mierda ayer». En cuanto al himno de Oriamendi —que también debíamos cantar de vez en cuando en la escuela—, nuestra versión decía así: «Por Dios por la pata del buey, murieron nuestros padres, por Dios por la pata del buey moriremos nosotros también».

Con todo, aquella novedad que se había introducido en nuestro pequeño universo apenas tuvo repercusión en la vida de todos los días. Venía a ser como un secreto, como una de las muchas cosas que los adolescentes —en revancha por lo ocurrido durante la niñez— suelen esconder a los adultos. No alteró, por ejemplo, nuestra buena relación con los hijos de los andaluces o extremeños que habían llegado al pueblo para trabajar en la industria, ni nos hizo romper los cromos de la selección española de fútbol. En realidad, éramos demasiado inocentes. En aquella época, ningún adolescente sabía lo que era una huelga o una manifestación. Ni siquiera los que iban a los institutos de San Sebastián o Bilbao lo sabían.

Pasó algún año más, pasó otra paloma verde y marrón por encima de nuestras cabezas y, por el surco ya marcado, nuestra idea de Euzkadi fue ampliándose: a veces la asociábamos con el paisaje —con la Ama Lur, «tierra madre»—; otras, con alguna leyenda romántica al estilo de la narrada por Navarro Villoslada en *Amaya o los vascos del siglo VIII*; otras más, la mayoría de las veces, con el País Vasco en general, la vieja Euskal Herria. Cuanto más se nos escondía —en la televisión, en la escuela, en el mundo oficial— todo lo que nos era cercano, todo lo relacionado con la cultura de nuestro país, más creíamos en Euzkadi. «Urrutiago, maitatuago», «cuanto más lejana más querida».

Sin embargo, por muy emotiva que nos resultara, por muy enamorados que estuviéramos de ella, la idea era en gran parte falsa. El país oculto que vislumbrábamos en tal o cual manifestación, y que tan de una pieza nos parecía, era más bien un país idealizado, de fantasía; un territorio que debía muchísimo a la imaginación y a la necesidad de creer en algo. Por una parte, la palabra Euzkadi sólo rimaba bien con las ideas de los vascos que habían luchado como gudaris en la guerra o habían estado a favor de su causa, es decir, con la ideología del Partido Nacionalista Vasco, y nada tenía que ver, en cambio, con los vascos de ideología falangista o requeté, también numerosos, o con los que durante la guerra combatieron en las filas socialistas o izquierdistas; por otra parte, la guerra la habían perdido todos los ciudadanos que lucharon por la República, y no sólo los vascos que defendieron Bilbao o fueron bombardeados en Guernica. En resumidas cuentas, Euzkadi no era un territorio ni una gente —como sí lo era el País Vasco, Euskal Herria—, sino el nombre que una determinada opción política, la más vasquista, daba a su utopía.

Naturalmente, nosotros no podíamos hacer lo que la paloma verde y marrón, no podíamos desdoblarnos y volar sobre nosotros mismos para saber dónde estábamos exactamente, y seguimos adelante con aquel conglomerado de ideas y sentimientos a la espalda. De vez en cuando, el azar nos presentaba un caso que no encajaba en nuestra precaria ideología, pero nosotros no reparábamos en ello. Recuerdo por ejemplo que un campesino, hablando de una de las primeras víctimas que la guerra, un conocido carlista, dijo: «Banderan dena bilduta ekarri ziaten», «lo trajeron totalmente envuelto en la bandera». Nosotros pensamos que se refería a la verde, roja y blanca.

Veíamos lo que necesitábamos ver, y no teníamos dudas. De haberlas tenido, de haber hecho preguntas y averiguaciones, enseguida nos habríamos enterado de que el autor de la música de aquel *Cara al sol* que nos hacían cantar en la escuela no era de Toledo, Murcia o Zaragoza, sino del cercano pueblo de Zegama, y que su nombre era, no González o Molina, sino Tellería. O, para mayor evidencia, alguien nos habría hablado del pintor Cabanas Erausquin, nacido en nuestro mismo pueblo, Asteasu, y podría habernos contado la verdad, es decir, que nuestro paisano había sido el pintor oficial del Régimen de Franco, y que los símbolos franquistas más conocidos, el escudo de España o el yugo y las flechas, habían salido de su mano. Pero, como digo, no hubo dudas ni averiguaciones, y nuestra idea —nuestro sentimiento—, de lo que era Euzkadi se mantuvo incólume. En realidad, dadas las circunstancias —dada nuestra edad, dada aquella primera impresión perfectamente guardada por nuestro Músculo Arcaico, dada la situación política de los años sesenta—, no había otra posibilidad.

Creo que fue el novelista Gombrowicz el que habló del ser humano como de algo que, eternamente inmaduro, únicamente adquiría su forma definitiva al estar entre o frente a los demás, de tal modo que una persona cualquiera podía ser de mil maneras diferentes dependiendo de la presión exterior de cada momento Pues bien: según todos los indicios, eso fue lo que nos ocurrió a una buena parte de los adolescentes de aquella época. Inmaduros por naturaleza, más inmaduros aún por la edad que teníamos, la presión exterior que ejercía el franquismo nos reafirmó tanto en la idea de Euzkadi como en la de una patria vasca derrotada por España durante la guerra. En otras circunstancias, habríamos matizado, quizás, nuestra idea de la historia y del país, pero allí estaba el franquismo despreciando nuestra lengua, secuestrando los libros que hablaban de nuestra cultura, arrancando incluso las lápidas en cuya superficie figuraba un lauburu, el símbolo de los cuatro brazos. En una palabra, allí estaba el odio de la dictadura dando la razón a lo que decía alguno de los panfletos de finales de los sesenta: que no todos los vascos habían luchado contra Franco, pero que Franco sí había luchado contra todos los vascos. Cuando, un par de años después de lo de la paloma verde y marrón, alguno de mis compañeros de escuela repitió aquello de que estaba dispuesto a dar la vida por la causa, la palabra Euzkadi tenía ya bastante contenido. Por decirlo brevemente, Euzkadi se estaba haciendo a la contra. De nuevo, las canciones ocuparon su lugar: «Gu gera Euzkadiko gaztedi berria, Euzkadi bakarra da gure aberria», «somos la nueva juventud de Euzkadi, Euzkadi es nuestra única patria».

Pasaron algunos años, pasaron más palomas sobre nuestras cabezas, y de pronto una tarde llegaron cientos de guardias civiles y comenzaron a registrar todas las casas y a patrullar por los montes. La noticia se extendió enseguida: habían matado a un guardia civil de tráfico, allí cerca, en Villabona, a unos cuatro kilómetros de donde vivíamos. Luego, los acontecimientos se precipitaron: los autores del atentado fueron localizados, y Txabi Etxebarrieta murió. Su compañero, Sarasketa, fue detenido. Dijeron que un teniente, enfrentándose a sus propios hombres, le había salvado la vida.

Algo después, la carretera apareció regada de octavillas. Pésimamente impreso, el texto decía:

«Ante tanto sensacionalismo y tanta información tendenciosa por parte del aparato informador fascista-capitalista, ETA sale al paso para dar a conocer en lo posible al pueblo la muerte de Xabier Etxebarrieta. Txabi Etxebarrieta fue asesinado en Tolosa, no cabe duda alguna. Los testigos presenciales, las quemaduras de la camisa y la autopsia efectuada así lo confirman. Los mantenedores del Orden Capitalista muestran sus métodos: *TXABI ETXEBARRIETA* fue sacado del coche y sin tan siquiera pedirle la documentación fue esposado, colocado junto a la pared y muerto de un tiro en el corazón, a quemarropa (...)»

Aquel año, 1968, cambió la historia política vasca. Toda nuestra ideología anterior debía su existencia a lo ocurrido antes y durante la guerra, y era sobre todo un reflejo, el último brillo de la explosión de 1936; pero el tiempo no había pasado en balde y algunos vascos menos jóvenes e inocentes que nosotros, que sabían quién era el Che, y que conocían las teorías anticolonialistas de Franz Fanon o Lenin, ya veían la cuestión de una forma diferente. De hecho, ya habían creado una organización, una Resistencia Vasca que pronto tomaría el nombre de ETA. Aquella Resistencia, según nos fuimos enterando por los panfletos que se difundieron tras lo de Etxebarrieta, tenía miembros en la cárcel, y disponía de un medio de expresión, una revista clandestina, *Zutik*, en la que ya se hablaba abiertamente de la Revolución Vasca:

«La Revolución Vasca es el proceso que debe realizar el cambio radical de las estructuras políticas, socioeconómicas, en Euzkadi, por medio de la aplicación de una estrategia justa. No basta una conciencia de clase, como tampoco basta una conciencia nacional, es necesaria una conciencia de clase nacional, puesto que sufrimos tanto las estructuras capitalistas como las imperialistas.»

En el mismo artículo, se nombraba al PNV diciendo: «Es, hoy por hoy, un partido superado en los dos aspectos: nacional y social». La separación ya estaba hecha, y Euzkadi se convirtió muy pronto en Euskadi. La leve diferencia ortográfica señalaba el comienzo de una nueva andadura.

Pero, en el fondo ¿tanto había cambiado la situación? No lo sé, aunque tengo la impresión de que, pese a la ortografía, pese también a la agudeza y dramatismo que los problemas alcanzaron a partir de 1968, el esquema de la construcción de Euzkadi o Euskadi siguió siendo el mismo de siempre. Por un lado, una serie de personas que, habiendo entrado en la política por la vía sentimental o emotiva, estaban empeñadas en convertir el país soñado e idealizado en un país real; sueño e ideal que, además, ahora iban por doble o por triple, puesto que se trataba de construir una patria independiente y socialista por medio sobre todo de la lucha armada; por otro lado, un exterior agresivo, una dictadura fascista que, paradójicamente, por su respuesta brutal a los ataques, y por continuar con su negación de todo lo vasco, contribuía más que nadie a esa labor de construcción. Un surrealista hubiera definido la situación como el encuentro en un país pequeño de un Imposible y una Represión.

«La respuesta que el fascismo da a nuestras acciones», escribían los teóricos de la lucha armada, «suele ser brutal e indiscriminada, afectando incluso a gente completamente alejada de nuestra organización, y contribuye así a la toma de conciencia por parte de la sociedad vasca. Muchos que no se sentían comprometidos con la causa comenzaron a estarlo el día en que fueron apaleados en comisaría.»

Fueron pasando los años, fueron pasando las palomas sobre nuestras cabezas, y la dialéctica entre Imposible y Represión comenzó a ser preocupante. Un día era una bomba en el monumento a Tellería, aquel autor de la música del *Cara al sol*; otro era una veintena de detenciones y una treintena de palizas en comisaría; otro más, una muerte, de un lado o de otro, o del que se había puesto en medio. Y junto con eso, los panfletos, las teorías, las discusiones internas, las escisiones, las huelgas, las manifestaciones. Y luego, por fin, flotando sobre todo aquello, una duda: ¿Moriría Franco aquel año? ¿Moriría al siguiente? ¿Acabaría la dictadura con la muerte del dictador? No, no moriría aquel año, y tampoco al siguiente: ¿Acaso no era hijo de un alcohólico que había durado hasta los noventa y nueve o cien años? Pues ésa era la cuestión, que era hijo de longevo y que además no bebía.

Pero sí, al fin murió, y de pronto hubo partidos, Parlamento, elecciones generales, Estatuto de Autonomía, democracia.

Cabía pensar que con el cambio de situación también cambiaría la lucha por Euskadi. Pero, muy pronto, con el asesinato de Eduardo Moreno Bergaretxe, Pertur —el dirigente de ETA que preconizaba la conversión del grupo en partido político—, la cosa quedó clara: la lucha armada continuaría. Y cuando miles de personas apoyaron con su voto esa opción, todos supimos que el problema vasco iba para largo. Imposible y Represión continuarían condicionando nuestra vida.

A principios de los ochenta, la situación parecía peor que durante los últimos años del franquismo. Los atentados, numerosísimos, empezaron a ser indiscriminados, y aquella antigua ETA que, hacia 1970, había escrito una carta a la Guardia Civil afirmando que «comprendía su situación» y sugiriéndole que abandonara el Cuerpo, resultaba ahora naïf. Por su parte, Represión también endureció su postura. En el 81, o quizás en el 82, ocurrió algo terrible: un militante de ETA murió a causa del castigo inflingido en comisaría. Lo reconocí en cuanto la televisión mostró su imagen: era uno de mis compañeros de escuela. No el que había dicho «nik bizia emango nikek Euzkadiren alde», sino otro que nosotros llamábamos Lasha y cuyo verdadero nombre era José Arregui. Antes de morir había confesado a sus compañeros: «latza izan da», «ha sido terrible». Unas palabras muy difíciles de olvidar para los que le conocimos.

Ahora estamos en 1995, y ya es posible decir que existe una Euskadi real, mejor incluso de la que muchos soñaron en una época en la que el fenómeno, maravilloso, de la recuperación de la lengua era sencilla y literalmente inimaginable. Sin embargo, sigue habiendo entre nosotros personas que desechando dicha realidad —a la que, con afán despectivo, llaman Vascongadas— exigen aún lo que, según todas las evidencias, la mayoría de las personas que viven en las siete provincias vascas no desean. La exigen además con una clase de violencia nueva y con un lenguaje cada vez más metafísico, capaz de inventar lemas como ese «Euskal Herria askatu», «liberad a Euskal Herria» que se ve en todas partes. Así que, como tampoco ha desaparecido la tortura o el apoyo a la guerra sucia, Imposible y Represión continúan viviendo en el pequeño país fronterizo, y ya no sabemos muy bien cuál de los dos nos da más miedo.

Escribo esto en otoño de 1995. Si me dejara arrastrar por el reflejo retórico pondría punto final diciendo que llegarán muchas palomas, palomas de todos los colores, pero que la blanca, la que tantos esperan, no llegará. Sin embargo, estoy convencido de que existen en Euskadi, y en todos los partidos, en el arco que va desde Herri Batasuna hasta el Partido Popular, políticos inteligentes y de buena voluntad capaces de proponer una salida, y con ese convencimiento cierro esta somera reflexión.

1995